Ullstein

ÜBER DAS BUCH

Ein Tag wie jeder andere: Abe Lieberman, sechzigjähriger Polizeidetektiv, und sein Kollege Bill Hanrahan beginnen den Tag mit einem gemütlichen Kaffeeplausch. Doch dann taucht die schöne Estralda Valdez auf, Prostituierte und Polizeiinformantin. Sie fordert Schutz vor einem Kunden, dessen Namen sie nicht nennen will. Kurze Zeit später stecken der kauzige Lieberman und sein alkoholkranker Partner bis zu den dünnen Haarspitzen in Schwierigkeiten. Eine Gang lateinamerikanischer Irrer, eine Reihe obskurer Verdächtiger und ein immer ungeduldiger werdender Chef machen ihnen das Leben zur Hölle. Mit dreißig Jahren Freundschaft im Rücken, gehen die beiden immer am Rande der Legalität durch die finstersten Straßen Chicagos ihren Weg, der sie zurückführt zu einem zehn Jahre alten Mord in Texas.

ÜBER DEN AUTOR

Edgar-Preisträger Stuart Kaminsky, der in Florida lebt, ist der Erfinder des Polizeidetektivs Abe Lieberman, laut *Washington Post* »eine Figur wie aus dem Talmud: weise trotz seiner Schwächen und schwach trotz seiner Weisheit – einfach liebenswert«.
Kaminsky setzt mit der Einführung seines Helden Abe Lieberman, dessen nächster Fall ebenfalls bei Ullstein erscheint, eine Tradition fort, die er mit der Figur des legendären Privatdetektivs Toby Peters und mit Inspektor Rostinkow erfolgreich begründet hat.

Für Joe Perll

PROLOG
3. November 1979

Die Bar hieß *Babe O'Brien's.* In den zwanzig Jahren seit ihrer Eröffnung hieß keiner der Besitzer jemals O'Brien. Und nicht im entferntesten war einer von ihnen irischer Abstammung. Ausgedacht hatte sich den Namen ein gewisser Juan Hernandez De Barcelona, der Barcelona selbst nie gesehen hatte und dessen Vorfahren mit ziemlicher Sicherheit weder Irland noch Spanien je zu Gesicht bekommen hatten.

Juan Hernandez De Barcelona war schwarz und erinnerte von Größe und Figur an einen zweitürigen Kühlschrank. Sein Geld hatte er in den Docks von Port-au-Prince verdient: Als Kind hatte er Schiffe be- und entladen. Als Jugendlicher hatte er besoffene Seeleute erst eingeladen und dann verladen, und als Erwachsener hatte er gelegentlich den Inhalt ganzer Pistolenmagazine in die Bäuche von Leuten entladen, die dem Oberst von Tonton Macute, Baron Duvivier, lästig waren. Dieser Baron, dessen Geschäfte sich nicht immer mit den Interessen seines Landes deckten, hatte Juan Hernandez den Rat gegeben, seinen Namen in »De Barcelona« zu ändern. Und obwohl Juan den Baron eines Tages mit bloßen Händen umbrachte und das Geld einsteckte, das der Baron in einem Gürtel unter seiner braunen Uniform trug, hielt Juan Hernandez stets das Andenken seines Mentors in Ehren und befolgte die Ratschläge, die er ihm erteilt hatte. Juan Hernandez war mit dem Schiff zunächst nach New Orleans gekommen. Er hatte anstelle eines schwarzen amerikanischen Matrosen angeheuert, der die nähere Bekanntschaft mit einer Machete nicht überlebt hatte. Juan spielte mit dem Gedanken, das Geld des verblichenen Barons in ein Bordell zu investieren, fürchtete aber, dem Wettbewerb in New Orleans nicht gewachsen zu sein. So zog er weiter nach Corpus Christi, Texas, weil ihm der

Name der Stadt gefiel, und kaufte dort eine Kneipe namens *Blue Ridge.* Sie lag in einem ehemals armen Weißenviertel, in der man jetzt immer mehr Mexikaner sah und vereinzelt ein paar Schwarze – vor allem aus Haiti und Jamaika.

Juan taufte den Schuppen *Babe O'Brien's,* weil er ein amerikanischer Held sein wollte und weil er ihn in einem Film über dem Eingang einer Kneipe gelesen hatte. Der Wirt wurde von einem kleinen fetten Typen gespielt, dessen Namen Juan Hernandez nichts sagte.

Jun Hernandez war ein Killer. Aber er war auch ein Romantiker. Er glaubte an den Amerikanischen Traum. Und die Bar sollte erst der Anfang sein.

Das eigentliche Geschäft aber machte Juan Hernandez mit den Frauen. Die Bar – das verriet Juan Hernandez allen, die bei ihm arbeiten wollten – diente nur als Fassade, wie die Außenwand des Hauses in *Vom Winde verweht*. Er war damals sehr enttäuscht gewesen, als ihm eine seiner mexikanischen Huren erzählte, daß das Haus im Film nur eine große, pappmachéne Lüge war, die von ein paar Brettern zusammengehalten wurde.

Im hinteren Teil des *Babe O'Brien's* gab es eine Tür, und dahinter fand das eigentliche Geschäft statt. Juan höchstselbst saß dort Nacht für Nacht, ließ sich langsam vollaufen und hob oder senkte den Daumen über jedem, der an ihm vorbei wollte. Hinter der Tür war das Fleisch jung, frisch und beinahe preiswert. Die Frauen und Mädchen waren schwarz, weiß, braun und gelb. Sie kamen aus Indien, China, Mexiko, der Karibik, aus Frankreich, Haiti oder Jamaika. Sogar eine Russin war dabei oder zumindest eine Blondine, die mit Akzent sprach und behauptete, sie heiße Ludmilla und komme aus Leningrad. Juan Hernandez kassierte immer bar und führte nicht Buch, außer hinter der Theke – für die Getränke. Steuern zahlte er nur für den Ausschank, und erstaunlicherweise machte er mit dem Umsatz der Getränke Gewinn – nicht die Art Gewinn, die er für ausreichend hielt, aber immerhin Gewinn. In den zwanzig Jahren, die Juan vor seiner Tür im hinteren Bercich des *Babe O'Brien's* gewacht hatte, waren ihm Unannehmlichkeiten weitestgehend erspart geblieben. Im dritten Jahr wurde aus der Tür die »Himmelspforte«. Schuld war ein ausgemergelter Trinker, der einmal ins *Babe O'Brien's* kam, vor Juan Hernandez stehengeblieben war und ihm sternhagelvoll *You are my lucky star* vorgesungen hatte. Dann hatte er, nach einer längeren Pause, zu ihm gesagt: »Du hast, hier auf Erden, einem armen Sterblichen die Himmelspforte geöffnet.« Und dabei war es geblieben.

In den siebzehn Jahren, die noch folgen sollten, erlebte das *Babe O'Brien's* drei Raubüberfälle. Den ersten machten drei Brüder, die sich Valencia nannten, aber Zetch, der Barkeeper, konnte sie abknallen, bevor sie die Himmelspforte erreichten. Juan Hernandez De Barcelona verfolgte das Geschehen seelenruhig von seinem Platz aus.

Der zweite Überfall, fünfzehn Jahre nach dem ersten, war besser geplant. Ein schwarzes Duo aus Alabama, das rein zufällig vom *Babe O'Brien's* gehört hatte, drehte das Ding. Einer der beiden Männer hieß Lowell Caldwell. Den anderen, der so groß war, daß er sogar Juan überragte, nannten alle nur Toggle. Toggle und Lowell näherten sich der Himmelspforte an einem Dienstag gegen drei Uhr morgens, als im *Babe O'Brien's* fast nichts los war. Sie grinsten Juan Hernandez De Barcelona blöd an. Dann zog Lowell eine kleine Kanone und schoß. Blitzschnell war Toggle hinter Juan und drückte ihm den Hals zu. Zetch, der Barkeeper, zögerte – nicht aber Juan. Er packte, wenn auch etwas langsam, Toggles rechte Hand, stöhnte, riß sie nach unten und biß den Riesen in den Arm. Lowell murmelte »Nein, nein, nein« und feuerte ein zweites Mal auf Juan. Die Kugel traf ihn im Bauch, etwas oberhalb des Nabels. Aber Juan blieb genug Zeit, sich umzudrehen und Toggles Kopf gegen den Türpfeiler aus Beton zu schmettern. Zehn Sekunden später war Lowell Caldwell tot. Auf eine Weise krepiert, daß sich später nicht einmal Zetch daran erinnern mochte, obwohl er doch, bevor er sein linkes Bein verloren hatte, beim Morddezernat in Cleveland beschäftigt gewesen war.

Juan Hernandez De Barcelona verbrachte keine einzige Nacht in einem Krankenhaus. Ein Arzt, der gut dafür bezahlt wurde, den Zwischenfall für sich zu behalten, entfernte ihm beide Kugeln auf dem noch warmen Bett der Russin Ludmilla, und am nächsten Abend saß er schon wieder an seinem Tisch an der Himmelspforte. Er trug einen Verband, legte Patiencen und kassierte die Kunden ab. Was von Toggle und Lodwell Caldwell übriggeblieben war, hatten sie vor dem Rathaus abgekippt. Zeitungen und Fernsehen hatten darüber berichtet, und Juan Hernandez De Barcelona war der Held des Tages gewesen.

Danach blieb das *Babe O'Brien's* lange verschont – bis ins letzte Jahr, und auch da handelte es sich wieder nur um ein Versehen. Zwei Asoziale, die einen so breiten Dialekt sprachen, daß Juan kein Wort verstand, wollten sich auf seine Kosten amüsieren. Vielleicht lag es an der Flasche billigem Bourbon, die sie zuvor geleert hatten, vielleicht aber auch an ihrer angeborenen Blödheit, mit der sie sich gegenseitig überboten. Aber was es auch war, die beiden Männer, Cal und C. C., hatten sich in den Kopf gesetzt, durch die Himmelspforte zu gehen und erst dann zu zahlen, wenn sie voll befriedigt wieder rauskämen, und daß ihnen kein »Neger-Buddha was anderes erzählen kann«.

»Verdammt«, sagte C. C. »Eigentlich müßtest du dafür zahlen, daß wir herkommen.«

»Genau«, echote Cal durch seinen verfilzten Bart. »Warum bezahlst du nicht *uns*?«

Cal zog eine ziemlich beachtliche Knarre aus dem Gürtel, und C. C. grummelte: »Zum Teufel, ich werd' irgendwie das

Gefühl nicht los, daß du ein stures Arschloch bist.« Dann brachte er eine noch größere Kanone zum Vorschein.

Juan Hernandez De Barcelona hatte aus der Begegnung mit Toggle und Lowell gelernt. Seither war eine Überraschung unter seinem Tisch montiert: eine Schrotflinte, deren Mündung auf den Bereich zwischen Himmelspforte und Theke zielte. Außerdem war sie so präpariert, daß ein plötzlicher Stoß von Juans Knie gegen die Tischplatte genügte, damit sie losging.

Cal und C. C. ballerten zurück. Eine Kugel nahm Juans rechtes Ohr mit, die andere tötete Zetch. Fast gleichzeitig zerriß Juans Schrotfeuer den Schädel von C. C. und die Eingeweide von Cal. Aufgewischt wurde flüchtig und die Polizei gut bezahlt. Wegen seines Ohrs machte sich Juan gar nicht erst die Mühe, einen Arzt zu holen. Er ließ sich von Ludmilla verbinden, legte Eis auf die Wunde, trank sich einen kleinen Rausch an und war am nächsten Tag wieder auf den Beinen, um nach einem neuen Keeper zu suchen.

Juan betrachtete diese Angriffe auf Leben und Besitz als das natürliche Geschäftsrisiko eines jeden Unternehmers. Juan Hernandez De Barcelona, der im Jahr 1979 dreiundvierzig Jahre alt wurde, hatte fast eine Million Dollar gespart. Er hätte sich zur Ruhe setzen und den Rest seines Lebens auf der faulen Haut liegen können, aber es gab zwei Dinge, die ihn davon abhielten: Zum einen hatte er sich sein Leben immer als erfolgreicher Geschäftsmann vorgestellt, sich aber nie überlegt, was er tun würde, falls sich der Erfolg wirklich einstellte. Er genoß es, in der Bar herumzusitzen und seinen Gästen zuzusehen. Mit den Mädchen zu sprechen, neue einzustellen, sie zuzureiten, die alten rauszuwerfen und ihnen schöne Abfindungen zu zahlen. Er hätte nichts anderes tun wollen. Zum anderen wäre der Erfolg für ihn nie vollständig gewesen, solange er nicht wirklich eine Million in den alten Dosen in seinem Haus in der Buena Grand Street gehortet hätte.

Und so war es gewissermaßen der Amerikanische Traum,

der Juan Hernandez De Barcelona umbrachte wie schon viele ehrgeizige Einwanderer vor ihm.

Am 3. November 1979, als er mit einer Flasche Cola in der Hand an seinem Tisch saß und zusah, wie sein neuer Barkeeper Frank Drinks mixte und wie sich die Kasse füllte, hörte er einen Schrei jenseits der Himmelspforte. Durch die massive Tür drangen nur selten Geräusche. Fünf Jahre zuvor hatte er die kleine Koreanerin Tina feuern müssen, weil sie in geheuchelter Ekstase so laut geschrien hatte, daß man sie bis in die Bar hören konnte. Gelegentlich ging ein Kunde etwas zu weit, und ein Mädchen stieß einen Schmerzensschrei aus. Aber meistens waren es die Kunden selbst, die schrien. Doch diesmal war es etwas anderes. Auf diesen Moment hatte Juan Hernandez ein Leben lang gewartet. Er erhob sich und gab dem neuen Barkeeper das verabredete Zeichen. Frank warf ihm das Gewehr zu, und Juan fing es mit einer Hand auf – genauso, wie er das einmal bei John Wayne gesehen hatte. Er marschierte durch die Himmelspforte und steuerte direkt auf den Schrei zu. Er machte sich nicht die Mühe, irgendwelche Türen zu öffnen, an denen er vorbeikam. Er wußte, welche Zimmer belegt waren und welche Mädchen arbeiteten. Die Stimme, die geschrien hatte, gehörte einer Mexikanerin, einer der Madera-Schwestern, die als Duett zum Sonderpreis zu haben waren. Sie arbeiteten schon länger im *Babe O'Brien's* als jede andere.

Als er so in seinem verbeulten Anzug ohne Krawatte den Korridor hinunterschritt, sah er aus wie ein Samurai, der sich die falsche Waffe gegriffen hatte. Er beschloß, den Mädchen eine dicke Abfindung zu zahlen und sie rauszuwerfen. Sie waren zu schlau, und schlaue Mädchen machten Ärger. Sie waren gut fürs Geschäft, aber man hatte mit ihnen, wie gerade jetzt, nur Scherereien.

Er trat die Tür ein und richtete das Gewehr aufs Bett. Ein nackter Mann lag auf der Matratze. Juan erinnerte sich an ihn. Juan vergaß nie das Gesicht eines Kunden, und er wußte, daß dieser Kunde nicht nach Trouble ausgesehen hatte. Auch jetzt konnte er keine Spur von Gefahr in seinen Augen entdecken. Was er sah, war Angst. Aber wo steckten die Mädchen? Ohne den Kopf zu drehen, schielte der Mann auf die Tür hinter Juan.

Juan blieb keine Zeit, sich umzudrehen. Ein Schuß traf ihn im Genick und streckte ihn zu Boden. An seinem eigenen Blut würgend, starrte er die beiden nackten jungen Frauen an. Jede mit einer Pistole in der Hand. Dann drückten sie gleichzeitig ab, und Juan Hernandez De Barcelona dachte im Sterben, daß Amerika ein verdammter Fehler gewesen war.

Aus allen Zimmern drang jetzt lautes Kreischen. Der Mann auf dem Bett hieß James »Skettle« Harte und behauptete, ein Enkel von Bret Harte zu sein. Skettle hatte den Madera-Schwestern sein Strafregister vorgetragen und von seinen Knastzeiten in Alabama und Illinois erzählt. Skettle hatte außerdem behauptet, einflußreich und wohlhabend zu sein, aber diesen Teil seiner Erzählung hatten ihm die Madera-Schwestern nicht abgekauft. Er war genau der Kunde, auf den sie gewartet hatten. Estralda, die jüngere der beiden, hatte ihm die Mündung ihrer Waffe aufs Ohr gesetzt und ihm befohlen zu schreien. Als er zögerte, hatte ihn die andere beiseite geschubst und ihm den Lauf ihrer Waffe in eine andere Öffnung geschoben. Da hatte Skettle geschrien.

Jetzt beobachtete James »Skettle« Harte, wie die Brüste der beiden Frauen auf und nieder hüpften, während sie aufgeregt im Zimmer herumsprangen. Die Ältere, Guadalupe, riß dem toten Juan Hernandez das Gewehr aus den Händen, und die Jüngere warf Skettle ihre Waffe zu. Skettle fing sie reflexartig auf – und wurde im selben Moment von einer Kugel aus Juans Waffe getroffen. Er wand sich in Todeskrämpfen und kapierte überhaupt nicht, was ihm zugestoßen war und warum.

Schritte kamen näher. Die Schwestern gaben keinen Ton von sich. Die Jüngere hob die Waffe ihrer Schwester auf und stopfte sie unter die Matratze, die andere ließ das Gewehr auf

Juans Brust fallen. Sie schafften es gerade noch, Juans Leiche wieder zum Bett hin zu drehen, da stand schon der erste unbeteiligte Zuschauer in der Tür. Er war über sechzig, dünn, nackt und trug einen Spitzbauch vor sich her.

»Mein Gott, so eine Scheiße. Ich hau ab.«

Frank, der Barkeeper, schob sich an ihm vorbei ins Zimmer, sah die toten Männer, die sich ängstlich aneinanderschmiegenden Schwestern und fragte: »Könnt ihr irgendwo unterkommen?«

»Sí«, sagte die Ältere. »Ja.«

»Dann schwirrt ab!« Er ging in die Hocke, um Juans Jacke aufzuknöpfen, und nahm ihm den Geldgürtel ab.

Auf einmal kamen von überallher Leute, stopften sich Kleider unter den Arm und verschwanden durchs Fenster. Die Schwestern zogen sich hastig an und liefen durch den Korridor, den Juan vor noch nicht einmal zwei Minuten heruntergekommen war, weiter durch die Himmelspforte, vorbei an ein paar Betrunkenen, die in einer Ecke der Bar saßen und von allem nichts mitbekommen hatten.

Sieben Minuten später und fünf Straßen weiter betraten die Madera-Schwestern das Haus des verblichenen Juan Hernandez De Barcelona.

Sie hatten es eilig, das Geld zu finden, das hier irgendwo versteckt sein mußte. Sie fürchteten weder den Barkeeper noch eines der anderen Mädchen, denn außer ihnen wußte niemand, daß Juan sein Geld in Büchsen und Eimern aufbewahrte. Guadalupe hatte ihn in seinen Fieberträumen davon reden hören, in der Nacht, als Doc Totaro ihm die Kugeln aus den Eingeweiden geschnitten und ihn auf Ludmillas Bett liegengelassen hatte. Sie hatte ihn erzählen lassen und sich alles gemerkt, und von dieser Nacht an hatten die beiden Schwestern Juan Tag für Tag beobachtet. Von dem Moment, wenn er morgens nach Hause ging, bis zum nächsten Mittag, wenn er wieder im *Babe O'Brien's* auftauchte. Mehrere Monate hatten sie ihn so beschattet, und nicht ein einziges Mal war er zur Bank gegangen. Da hatten sie begonnen, einen Plan zu schmieden.

Sie hatten es eilig, denn sie wußten, daß die Bullen kommen würden. Sie konnten nicht wissen wann, aber irgendwann würden sie auftauchen. Vermutlich würden sie mindestens eine Stunde brauchen, um herauszufinden, wo Juan gewohnt hatte, dachte Guadalupe. Und selbst dann hatten sie vielleicht gar keinen Grund, hierherzukommen. Die Schwestern hofften, daß das Stilleben, das sie arrangiert hatten, eindeutig genug sein würde: Juan hatte einen ausgerasteten Freier erschossen und war dabei selbst auf der Strecke geblieben. Und über das Vorstrafenregister des Freiers würde die Polizei schnell Bescheid wissen.

Die Schwestern suchten fieberhaft. Das Haus war ein Schweinestall, überall lag Zeug herum. Alte Lampen, kaputte Radios, Möbel. Nach fast zwanzig Minuten fand die Jüngere in einem alten Fernsehkasten eine Dose mit Scheinen. Den ersten Eimer fand die ältere Schwester in einem Regal auf dem Dachboden.

»Dieser *hijo de puta* hat die Kohle überall im Haus versteckt«, schrie sie verzweifelt. »Wir werden die ganze Nacht brauchen.«

Aber sie hatten nicht die ganze Nacht Zeit. Nach Stunden hörten sie die Sirene. Sie hatten vier Eimer mit Geld gefunden, sie waren schmutzig, nervös und am Ende ihrer Kräfte. Sie schmissen die Büchsen in ein Laken und verschwanden durch die Hintertür. Estralda hatte sich das Bündel wie einen Sack Wäsche über die Schulter geworfen. Die Sirene galt nicht ihnen, aber das konnten sie natürlich nicht wissen. Sie waren nicht die einzigen, die in dieser Nacht in Corpus Christi ein Verbrechen begangen hatten. Eine Frau namens Phoebe Floyd hatte ihrem Gatten Frazier einen Grillspieß in den Nacken gestoßen, weil er den Fernsehkanal wechselte, als sie *The Sound of Music* sehen wollte. Die Sirenen heulten für Phoebe. Die beiden Schwestern verließen das Haus und die Stadt, ohne jemals zu erfahren, daß mehr als vierzig Büchsen mit Scheinen von einer fünfundsechzigjährigen schwarzen Putzfrau namens Clarise Rogers gefunden wurden. Sie war zwei Wochen nach dem Mord von der Southern Pride Reality angeheuert worden, um das Haus des verstorbenen Inhabers des *Babe O'Brien's* zu reinigen, weil es verkauft werden sollte.

Eines Nachts hatte Clarise die Büchsen im Lieferwagen ihres Mannes unbemerkt nach Hause gebracht und war drei Wochen später ebenso unbemerkt nach Stockton, Kalifornien, gezogen. Dort hatte sie drei extra große Bankschließfächer gemietet, aus denen sie sich einmal im Monat bediente.

Die Madera-Schwestern hatten im ganzen 54674 Dollar eingesackt. Sie teilten das Geld und fingen an, sich Sorgen zu machen: über Fingerabdrücke, Gerüchte, Frank, den Barkeeper, und über das, was sich die anderen Mädchen jenseits der Himmelspforte aus den Ereignissen zusammenreimen würden.

Sie beschlossen, sich zu trennen. Sie wollten Texas so weit wie möglich hinter sich lassen, und keine sollte wissen, wohin die andere ging.

Und so kam es, daß Guadalupe in einen Bus nach San Diego stieg, wo sie ihr Geld in einen 24-Stunden-Diner investierte. Das Restaurant war kein Flop, aber eine Goldgrube war es auch nicht gerade. Ganz allmählich, Cent für Cent, fraß es ihr Vermögen auf. Als nichts mehr übrig war, verkaufte sie den Diner und zog Richtung Norden, nach St. Louis, wo sie wieder ihrem alten Gewerbe nachging und dabei einem Mann begegnete, der sagte, daß er sie liebe. Er nahm sie mit nach Chicago, und sie war glücklich darüber.

Estralda ließ sich zuerst in Miami nieder, wo es ihr nicht schwerfiel, Arbeit zu finden, als auch ihr Geld zur Neige ging. Von Miami zog sie nach Phoenix, von da weiter nach Las Vegas und schließlich nach Chicago. Das Geschäft blühte, und sie begann selbst von einem Laden wie dem *Babe O'Brien's* zu träumen. Und fast zehn Jahre lang sah es aus, als würde ihr Traum in Erfüllung gehen.

Doch die Götter hatten andere Pläne.

1 August 1990

Lieberman?« rief eine Frauenstimme in die Radioübertragung des Heimspiels der Chicago Cubs.

Als sie Sekunden zuvor durch die Tür des T&L Delicatessen hereingekommen war, hatten sich die Gäste zuerst alle nach ihr umgedreht und waren dann verstummt. Die Gäste, das waren sechs alte Männer, die sich selbst den Club der »Alten Knacker« nannten.

Frauen, ganz egal welche, waren zwischen zehn Uhr morgens und fünf Uhr abends eine Seltenheit in Maish's T&L Deli – und jetzt war es nicht einmal zwei. Und Frauen wie diese gab es überhaupt nie in dem Laden. Im ganzen Viertel nicht. Natürlich, es gab schon ein paar Frauen, die morgens vor neun reinschauten. Melody Rosen zum Beispiel, Hershels Tochter, die in Bass' Kinderladen ein paar Häuser weiter die Buchhaltung machte, kam öfter mal auf einen getoasteten Bagel und einen Kaffee zu Maish's. Oder Gert Bloombach, ein Koloß von einer Frau, die in einer Anwaltskanzlei in Downtown Chicago arbeitete. Sie kam jeden Dienstag und Donnerstag um acht Uhr und verlangte eine Tasse Tee und ein Lachsomelett. Außerdem gab es da noch die hübsche Silvie mit den dicken Brillengläsern, die Enkelin von Howie Chen, die nie zweimal hintereinander dasselbe bestellte. Sie alle legten auf ihrem Weg zur Arbeit eine kurze Pause ein, um einen Kaffee zu trinken und den neuesten Tratsch zu erfahren, genau wie die Ladenbesitzer aus der Gegend, die Taxifahrer und gelegentlich mal ein Bulle. Die ersten Alten Knacker kamen meist so gegen zehn. Ihr Club bestand aus ein paar alten Juden und dem Chinesen Howie Chen. Den Namen »Alte Knacker« hatte sich Maish ausgedacht, und sie waren stolz darauf. Neue Mitglieder nahmen sie nur widerwillig und unter Abhaltung langer Rituale auf.

»Lieberman?« Wieder rief die Frau nach dem übergewichtigen Mann hinter der Theke des T&L Deli, einem finsteren Bullenbeißer mit weißer Schürze. Obwohl die alten Männer aufgehört hatten, sich zu unterhalten, mußte die Frau ihre Stimme heben, um das unsichtbare Radio zu übertönen.

Maish war höflich, und nie hätte er die Frau direkt angesehen. Außerdem, er hatte einen guten Ruf zu verlieren.

»Maish haut nichts um«, sagte Syd Levan jedesmal, wenn ihm danach war. »Wir sollten ihn ›Maish-haut-nichts-um‹ nennen. Ein Typ mit drei Köpfen könnte reinkommen, eine Tüte Hummerschwänze verlangen, und Maish würde nicht einmal mit der Wimper zucken. Maish-haut-nichts-um.«

Unter den kritischen Blicken der Alten Knacker durfte Maish nicht aus der Rolle fallen, aber, ehrlich gesagt, irritierte ihn diese Erscheinung, die gut in eine Fernsehwerbung für Make-up, Badeanzüge oder Cola Light gepaßt hätte.

Während die Frau noch immer auf eine Antwort wartete, wehte das Radio den Lärm einer Menschenmenge und die Stimme von Harry Caray herein. Maish schien vergessen zu haben, wo er war. Die Frau blickte die beiden Männer an, die an der Theke lehnten und ihr eher nostalgisch als lüstern zulächelten. Der alte Mann mit der Baseballkappe, kein anderer als Hershel Rosen, stieß den anderen alten Mann in die Seite und fragte: »Welchen?«

»*Welchen?*« fragte die Frau zurück.

»Welchen Lieberman?« Hershel, der Zwerg, blickte sich nach seinen Kumpanen um, als erwarte er Applaus für ein besonders gelungenes Wortspiel.

In Maish's Deli gab es drei abgetrennte Nischen. Vier alte Männer, unter ihnen der Chinese, saßen in der ersten. Die zweite war leer. Und aus der dritten ragte eine einzelne Hand, die der Frau Zeichen machte.

Drei Minuten bevor die Frau in das T&L gekommen war,

hatte Ryne Sandberg ein Double geschlagen, und Harry Caray war darüber meschugge geworden.

So sehr Lieberman es normalerweise genoß, in der brütenden Hitze von Maish's Deli zu sitzen – heute sehnte er sich weg von hier, ins Wrigley Field, das zwanzig Minuten entfernte Stadion der Cubs. Er träumte von einem Tag auf der Tribüne, von Hotdogs und den nackten, sonnengebräunten und sommersprossigen Rücken der Mädchen an ihrem freien Tag. Noch besser wäre es natürlich, die Zeit dreißig oder vierzig Jahre zurückzudrehen und dabeizusein, wie Bill Nicholson oder Hank Sauer auf einen verdeckten Wurf von Ewell Blackwell lauern, um ihn dann in die rechte Tribüne zu schlagen.

Es war nicht die Sorte Augusttag, um in Maish's Deli zu sitzen, wenn die Klimaanlage nicht funktionierte. Auf Liebermans Tisch standen ein Radio und ein Ventilator, der auf sein Gesicht gerichtet war, aber der Ventilator war altersschwach, und das Radio klang, als hätte es sich bei Al Bloombach mit Asthma angesteckt.

»Wenn das mal gutgeht, Davey«, hatte Harry Caray im Radio gesagt.

»Trillo zum gegenwärtigen Zeitpunkt zu bringen ist mit Sicherheit kein Fehler«, hatte ihn Dave Nelson beschwichtigt. Auf Nelson war immer Verlaß, wenn die Situation nach einer ebenso optimistischen wie leeren Floskel verlangte.

»Mit Sicherheit kein Fehler?« hatte Lieberman zu Hanrahan gesagt. »Zimmer bleibt gar keine andere Wahl. Trillo hat von allen, die da auf der Bank sitzen, noch am ehesten etwas Mexikanisches. Ich geh mit meinen beiden Enkeln nächsten Montag zum Spiel. Kommst du mit? MacMillan könnte dir 'ne Karte besorgen.«

Detective William Hanrahan hatte gestöhnt, gelacht und dann den Kopf geschüttelt. Heute morgen strahlte er vor Zuversicht. Seine Wangen waren gerötet, das ansonsten zerzauste dunkle Haar hatte er sich kurz schneiden lassen und nach hinten gekämmt. Sein Gesicht, ein hübsches, großflächiges irisches Gesicht, wirkte aufgedunsen, und das kurzärmelige blaue Hemd hatte er bereits durchgeschwitzt, aber die Krawatte war sorgfältig gebügelt. Hanrahan gab heute wirklich alles, um sich, seinem Partner und der Welt zu beweisen, daß er keinen Tropfen Alkohol brauchte.

Manny Trillo hatte sich gerade am Schlagmal plaziert, da knallte die Tür des T&L krachend gegen die Wand. Sie hatte keine Federung mehr, und schon so mancher, der das nicht wußte und sie zu heftig aufstieß, hatte die zurückspringende Tür ins Gesicht bekommen. Ein paar Wochen zuvor war die Feder von zwei Handwerkern ausgebaut worden, die sich seither nicht mehr hatten blicken lassen. In den Reihen der Alten Knacker vermutete man jetzt, daß es sich bei den beiden um Türfederdiebe handelte, die ihren Beutezug an der Ostküste begonnen hatten und auf ihrem Weg nach Westen Maish's Deli heimgesucht hatten.

Die Frau mit der wallenden roten Mähne hatte die Tür überlebt und ihre Frage gestellt. Jetzt stand sie vor Liebermans Tisch. Sie trug ein enganliegendes weißes Kleid mit Blümchen oder etwas Ähnlichem, das auf den Rand ihres tiefen Ausschnitts gestickt war, und darüber glänzten ihre Brustansätze wie zwei braune Monde.

»Lieberman«, sagte sie.

»Valdez«, sagte Lieberman.

Und Manny Trillo schlug einen Ball aus dem Stadion.

»Meine Güte«, entfuhr es Harry Caray.

Lieberman lehnte sich zurück und genoß das Leben, die Cubs und Estralda Valdez, die Prostituierte, die von allen Nutten in diesem Teil der Northside am meisten Klasse hatte.

»Setz dich, Estralda«, sagte er. »Willst du was trinken?«

»Irgendwas Kaltes, ohne Kalorien, *Viejo.*« Sie ließ sich neben Lieberman auf der Bank nieder. »Ich muß auf meine Linie achten.«

Sie strich sich über den flachen Bauch und sah Sergeant Abe Lieberman an, der dem Mann mit dem traurigen Gesicht, der in seiner Schürze hinter der Theke stand, ein Zeichen gab.

Die Alten Knacker hatten sehr unterschiedliche Meinungen zu Lieberman – nicht anders als seine Kollegen im Revier auf der Clark Street. Manche fanden, daß der etwas nörglerische Abe Lieberman mit Neigung zum Magengeschwür wie ein Dackel aussah, während die Gegenseite darauf beharrte, daß er keinem Tier mehr gleiche als einem Bluthund, einem untergewichtigen zwar, aber auf jeden Fall einem Bluthund. Lieberman war, das konnte man nicht bestreiten, mit seinen 1,70 und 65 Kilo alles andere als eine imposante Erscheinung. Er war sechzig, wirkte aber mindestens fünf Jahre älter. Was seine Frau am meisten an ihm mochte, war sein gewelltes graues Haar und sein kleiner weißer Schnurrbart, den sie für »distinguiert« hielt. Sie fand, daß ihr Mann eher wie ein Rechtsanwalt oder ein Steuerberater aussah und nicht wie ein Polizist. Maish hingegen sah in seinem Bruder eine unterernährte Ausgabe von Harry James. Er hatte das einmal einem jungen Polizisten gegenüber erwähnt, der ihn daraufhin fragte, wer Harry James sei.

»Der Bandleader mit der Trompete«, hatte ihm Maish erklärt. »Der, der später Betty Grable geheiratet hat.«

»Betty Grable?« hatte der Bulle gefragt. Da hatte Maish es aufgegeben.

Jetzt brachte er einen Krug Eistee und ein Glas für Estralda. Er füllte ihr Glas und das von Lieberman. Dann sah er Hanrahan an.

»Noch einen Kaffee«, sagte Hanrahan.

»Hunger?« fragte Lieberman.

Maish wartete.

Estralda Valdez schüttelte den Kopf, und Maish schlurfte davon.

»Was hat er denn?«, fragte Estralda.

»Maish? Der ist eifersüchtig«, sagte Lieberman. »Er ist mein Bruder. Magst du Baseball?«

»Geht so.« Sie zuckte die Achseln. »Boxen find ich besser.«

André schlug den Ball aus dem Feld und beendete damit das Inning. Lieberman beugte sich vor und drehte das Radio aus. Außer dem Surren und Knacken des Tischventilators war jetzt alles still im T&L. Die gewöhnlich so lautstark geführten Debatten über Baseball, die Preise für Pastrami, frühere oder zukünftige Reisen nach Israel waren verstummt, und sämtliche Ohren, aus denen das graue Haar büschelweise herauswuchs, waren aufgestellt, um zu hören, was diese bemalte Erscheinung mit Abe vorhatte.

»Laß uns weitermachen«, seufzte Hanrahan, der tief in seine Tasse sah, um sicherzugehen, daß auch nicht ein Tropfen übrig war, wenn Maish zum Nachfüllen rüberkommen würde.

»Es ist ein heißer Tag, und die Cubs führen. Diesen Moment müssen wir genießen, William.«

Hanrahan brummte und winkte zu Maish rüber, der sich mit der halbvollen Kaffeekanne in Bewegung setzte.

Lieberman hatte es nicht eilig. Er fühlte sich recht wohl in seiner kleinen Nische, er mochte den Geruch von dem koscheren Fleisch auf der Anrichte, und die Geräusche der alten Männer, die Nichtigkeiten austauschten. Außerdem wußte er, daß das, was Estralda ihm mitzuteilen hatte, wichtig war. Sie hatte es ihm gesagt und ihn gebeten, sie außerhalb ihres Viertels zu treffen, an einem sicheren Ort, wo man sie nicht erkennen würde.

Lieberman fand, daß das T&L der richtige Ort war, denn es lag nur fünf Querstraßen von seinem Haus entfernt, und die Wahrscheinlichkeit, daß jemand hereinkäme, der Estralda kannte, war gleich Null.

Lieberman wollte Estralda nicht unter Druck setzen – und

sich selbst auch nicht. Er war spät ins Bett gekommen, weil er sich *Zoo in Budapest* mit Loretta Young angesehen hatte. Bess hatte eine Stunde lang gemeinsam mit ihm vor dem Video gesessen, dann verabschiedete sie sich mit den Worten, daß sie Koppel einfangen und anschließend ins Bett gehen würde. Lieberman hatte alleine durchgehalten, bis zum Ende des Films und bis zum letzten Krümel Salzgebäck. Es war schon fast eins gewesen, als er zu Bett gegangen war. Er hatte vier Stunden geschlafen, aber für ihn war das viel.

»Wieviel Uhr ist es?« hatte Bess gefragt, als er am Morgen aufgestanden war. Sie hatte sich auf die Seite gerollt und nach ihrer Brille getastet.

»Halb fünf«, hatte er geantwortet.

»Mußt du los? Gehst du heute zum Amtsarzt?«

»Das ist morgen. Schlaf weiter, Bess. Ich koche dir Kaffee.« Er hatte sich über sie gebeugt und ihr einen Kuß gegeben. Als er die Schlafzimmertür geöffnet hatte, war sie schon wieder eingeschlafen.

Die Kaffeebohnen hatte er in dem neuen elektrischen Ding gemahlen, das Filterpapier in den Trichter getan, die Maschine eingeschaltet und die *Tribune* gelesen, während der Kaffee durchlief. Lieberman liebte den Duft, auf den Kaffee selbst konnte er verzichten.

Um sechs Uhr hatte er im Revier in der Clark Street angerufen, und Nestor Briggs erzählte ihm von Estralda Valdez' Anruf. Darauf hatte Lieberman Estralda angerufen und dieses Treffen vereinbart. Und jetzt saß er hier und sah sie an, seine zuverlässigste Informantin und mit Sicherheit die schönste, mit der er je zu tun gehabt hatte. Wenn sie ihm etwas sagen wollte, würde sie es von sich aus tun.

»Ich habe einen Typen am Arsch kleben, der sich einfach nicht abwimmeln läßt«, fing sie an und kippte ihr zweites Glas Eistee hinunter. Ihre roten Fingernägel spielten mit den Eiswürfeln. Sie machte eine Pause. »Ich sage ihm, daß es vorbei ist. Ich sage es ihm nett. Küsse ihn auf die Stirn, streichle ihm die *cojones*. Ich schenke ihm eine tolle Nacht, du weißt schon, aber er ist unberechenbar. Ich fürchte, daß er wieder auftaucht und durchdreht. Ich verschwinde, *Viejo*.«

»Sag uns, wie er heißt, wir reden mit ihm«, sagte Hanrahan, als Maish sich wieder mit der Kaffeekanne näherte. »Du brauchst nicht zu verduften.«

»Es gibt noch andere Gründe, warum ich weg will.« Sie berührte ihre roten Lippen mit den noch roteren Fingernägeln. »Und außerdem, mit diesem Typen könnt ihr nicht reden«, sagte sie lachend, ihren Blick auf die Eiswürfel gerichtet, die faszinierend schnell dahinschmolzen. »Ich schlage euch einen Deal vor. Ich habe Geld gespart, und das bringt mir heute abend einer. Ihr paßt auf mich auf. Wenn alles gut geht, hau ich morgen früh ab. Und wenn ich da ankomme, wo ich hin will, in Texas, verrate ich euch, wo ihr das Buch mit meinen Freiern findet.«

»Steht da auch der Typ drin, wegen dem du abhaust?« Hanrahan hielt seine Kaffeetasse mit beiden Händen fest.

»Der auch, aber sein Name wird euch nichts bringen. Und ich sagte es doch bereits, ich habe noch andere Gründe, von hier zu verschwinden.«

»Die ganze Aktion wird uns nichts bringen«, sagte Hanrahan. »Nehmen Sie es nicht persönlich, Señorita, aber was sollen wir mit der Kundenliste einer Hure anfangen?«

»Zum Beispiel eine Beförderung oder eine dicke Auszeichnung absahnen, *Borrocho*«, sagte sie. »Ihr versprecht den Freiern, daß ihr das Buch verschwinden laßt, und die machen euch beide zu Polizeichefs.«

»Ich bin zu alt, um Polizeichef zu werden, Estralda«, sagte Lieberman. »Glaubst du wirklich, daß dieser Typ gefährlich ist?«

»Ich weiß es.« Sie schob ihr Glas von sich und sah Lieberman an. »Aber selbst wenn er nicht gefährlich wäre, es ist Zeit für mich, irgendwohin zu gehen, wo es warm ist. Es wird bald Winter, weißt du?«

»Du wirst uns fehlen«, sagte Lieberman.

Estralda zog die Schultern hoch.

»Du wirst mir auch fehlen, *Viejo*«, sagte sie. »Ich habe ein paar Dollar gespart. Vielleicht kann ich nach Hause zurückkehren und einen Schönheitssalon oder so was aufmachen.«

Sie drehte sich um und sah aus dem Fenster. Auch Lieberman drehte sich um, um zu sehen, wonach sie suchte. Aber draußen gab es nichts außer dem Verkehr, dem Himmel und der Baulücke, wo sie letztes Jahr das Walgreen's abgerissen hatten.

»Was ist mit Escamillo?« Es war ein Versuch.

Escamillo Silk war ein Boxer, ein Mittelgewichtler mit einem lauten Lachen, der eine gewisse Klasse hatte, solange er seine Finger vom Kokain ließ. Obwohl Silk, der mit richtigem Namen Leon Cascabella hieß, verheiratet war und auch mit seiner Frau zusammenlebte, zeigte er sich gerne mit Estralda in der Öffentlichkeit. Und auch Estralda gefiel es, mit ihm gesehen zu werden. Da sie keine Werbung machen durfte, war ihre Verbindung mit Silk gut fürs Geschäft. Aber vielleicht hatte Escamillo ja noch mehr zu bieten.

»Auf den kann man sich nicht verlassen«, sagte sie und hatte recht damit. »Wir sind nicht wirklich zusammen, verstehst du? Außerdem will ich nicht, daß er es erfährt, wenn ich verschwinde. Ich werde weg sein, und vielleicht merkt er es erst nächste Woche. Ihr müßt vor Mitternacht bei meiner Wohnung sein!«

Wieder sah sie zum Fenster, aber diesmal wußte Lieberman, daß es dort nichts zu sehen gab. Sie suchte nach jemandem oder nach etwas, von dem sie verfolgt wurde.

»Dieser Typ arbeitet jeden Tag bis halb zehn«, sagte sie. »Irgendwann vor eins wird er bei mir auftauchen, vielleicht auch später.«

»Viertel vor neun sind wir da«, versprach ihr Lieberman.

»Gegenüber von dem Apartmenthaus, in dem ich wohne, gibt es ein Motel mit einem chinesischen Restaurant«, sagte Estralda. »Von dort kann man den Haupteingang und die Eingangshalle sehen.«

»In der Eingangshalle sehen wir mehr«, wandte Hanrahan ein.

»Und man sieht mehr von euch«, gab sie zurück. »Ich möchte keinen Ärger mit den anderen Eigentümern. Ich muß das Apartment verkaufen. Ich bin immer sehr vorsichtig gewesen. Bullen, die in der Eingangshalle herumsitzen . . . Das kann ich wirklich nicht brauchen. Außerdem könnt ihr von dem Chinesen aus auch mein Fenster sehen. Von der Eingangshalle geht das nicht. Seid einfach in der Nähe, falls ich euch brauche! Ruft mich an, sobald ihr dort seid! Irgendwann vor halb zehn ist okay. Habt ihr meine Nummer?«

Lieberman sah Hanrahan an, der einen tiefen Seufzer ausstieß und nickte. Lieberman wiederholte das Nicken, obwohl es Estralda nicht entgangen sein konnte.

»Das war's dann«, sagte sie, stand auf und schenkte Lieberman ein blendend weißes Lächeln. »Du glaubst mir nicht, daß ich direkt nach Texas gehe, stimmt's, *Viejo*?«

»Warum denkst du das?«

»Vielleicht gehe ich ja gar nicht nach Texas«, sagte sie, seufzte und strich sich im Stehen das enganliegende Kleid glatt. »Ich bin alles, was ich zu verkaufen habe. Wir bleiben nicht immer jung und werden nicht ewig leben, keiner von uns, *verdad*?«

»Lady«, sagte Hanrahan. »Was ziehen Sie hier eigentlich ab? Wir alle wissen, daß Sie sich irgendeinen Penner von der Straße holen können, der Ihnen den Typ für ein paar Scheine vom Hals schafft.«

»Nein«, sagte sie lachend und machte einen Schritt in Richtung Tür. »Wenn ich jeden Verrückten, mit dem ich zu tun habe, für Geld umbringen ließe, wäre ich bald pleite und hätte den Keller voller Leichen. Sei pünktlich, *Viejo*!«

»Wir werden dasein«, versicherte Lieberman. Dann ging sie, betont langsam für die Alten Knacker und deren nostalgische Erinnerungen. Noch bevor sie die Tür erreicht hatte, begann das Telefon hinter der Theke zu klingeln. Maish ließ sich Zeit und hob erst ab, als Estralda nicht mehr zu sehen war und die Alten Knacker schon mit ihrer Estralda-Nachlese beschäftigt waren.

»Wir brauchen ihr Kundenbuch nicht, Abe«, sagte Hanrahan, setzte sich auf einen anderen Platz und drehte den Ventilator mehr zu sich, um auch etwas von der Luft abzubekommen. »Ich denke, wir können froh sein, wenn die Hälfte der Geschichte über den Freier wahr ist.«

»Laß es uns so sehen: Wir machen ihr ein Abschiedsgeschenk. Wir sind ihr was schuldig«, sagte Lieberman.

»Abe!« schrie Maish. »Für dich!«

Lieberman erhob sich vorsichtig, denn er fürchtete den arthritischen Schmerz in seinen Knien, der nach einstündigem Sitzen in derselben Haltung nicht ausbleiben würde.

»Erzählst du uns was von deiner Freundin, Abelein?« begann der alte Mann mit der Kappe, der an der Theke stand.

»Maish«, rief Henry vom Tisch der Alten Knacker. »Ruf Bess an und sag ihr, daß Abe um Rita Hayworths Tochter herumscharwenzelt, Prinzessin . . .«

». . . Caroline«, ergänzte Howie Chen.

»Jasmine«, sagte Syd Levan, der eine gewisse Ähnlichkeit mit Nikita Chruschtschow nicht verleugnen konnte.

»Abe?« tönte eine Frauenstimme aus dem Apparat.

»Ja, Louise, ich bin dran«, sagte Lieberman.

»Es kam gerade ein Anruf rein«, sagte Officer Louise Jackson. »Der Sohn von José Ruiz behauptet, er habe vor nicht mal einer Stunde Del Sol im Chapultapec gesehen.«

Man sagte, Emiliano »El Perro« Del Sol habe Sylvie Estaban

mit einem Telefonapparat beinahe zu Tode geprügelt, weil sie es gewagt hatte zu telefonieren, während im Radio Julio Iglesias lief. Außerdem hatte El Perro einem der Varga-Brüder die Kehle durchgeschnitten, weil er ihm versehentlich auf den Schuh getreten war. Und Lieberman kannte mehr als einen, der in der Nacht in der Bar Dos Hermanos gewesen war, als El Perro besinnungslos auf zwei Bauarbeiter eingedroschen hatte, die ihm zugeschaut hatten, als er langsam und qualvoll versuchte, einen Brief an seine Mutter in Panama zu schreiben. El Perro war der Anführer der Tentaculos, einer Gang, die glaubte, daß ihr die North Avenue gehörte.

»Danke, Louise. Wir sind schon weg.«

Lieberman legte auf und nickte Hanrahan zu, der sich bereits aus der Nische schob.

»El Perro«, sagte Lieberman. »Das Chapultapec auf der North Avenue.«

»Das wird wieder einer von diesen Tagen, Abraham«, stöhnte Hanrahan.

»Hoffen wir's, Father Murphy«, sagte Lieberman. »Maish, vielleicht schau ich später noch mal rein.«

Maish zuckte die Achseln, und Herschel Rosen sagte, bestärkt von seinem vorherigen Ausflug in die Welt des Kabaretts: »Versuch mal, ohne die Biene mit den langen Beinen zurückzukommen, und Chen wird dich mit einem Kung-Fu-Tritt auf die Straße befördern. Stimmt's, Chen?«

»Mach ich das nicht immer so?« fragte Chen in das allgemeine Gelächter hinein, während die beiden Bullen hinaus auf die Devon Avenue traten.

Lieberman und Hanrahan liefen die Straße runter zu ihrem Wagen, einem stahlgrauen Buick, dessen Bremsen schon bei der leichtesten Pedalberührung quietschten. Sie hatten vor Hinky's Bike Shop geparkt. Hinky war, wie Lieberman und die meisten Juden in der Gegend, schon vor dreißig Jahren nach Norden gezogen, von der Westside nach Albany

Park. Die weiße Unterschicht und die Inder hatten sie weiter nach Norden getrieben, bis nach Rogers Park, und jetzt begann sich auch in Rogers Park einiges zu verändern. East Rogers Park, vom Lake Michigan bis zur Ridge Road, wurde bereits von russischen Einwanderern, Vietnamesen, Latinos und weißen Drop-outs dominiert. West Rogers Park, wo Lieberman wohnte, hatte sich bisher behaupten können. Chinesen und Koreaner trugen zur Stabilität des Viertels bei. Aber trotzdem hielt die jüdische Abwanderung an. Skokie war die Gegend, in die man jetzt zog, wenn man sich Wilmette oder Highland Park, die weiter draußen lagen, nicht leisten konnte.

Mit jedem Schritt durch die Straßen von Roger's Park wurden falsche Erinnerungen an die gute alte Zeit in Lawndale, »Jew Town«, wach, bevor die Schwarzen dorthin gezogen waren. In kleinen weißen Buchstaben stand auf Hinkys Firmenschild: »Früher Roosevelt, Ecke Central Park«. Sam und Harry hatten in ihrem Hotdog-Laden auf der Western Avenue sogar die Kopie eines Straßenschildes aus der alten Gegend aufgestellt.

Lieberman setzte sich ans Lenkrad, denn es war beiden klar, daß Hanrahan nicht bis zum Nachmittag standhaft bleiben würde.

El Perro hatte kein großes Ding gedreht: Er schuldete Sam Resnick zweihundert Dollar. El Perro hatte in Resnicks Eisenwarenhandlung auf der North Avenue eine ganze Reihe von Werkzeugen und Messern »auf Pump« gekauft. Der Schuldschein war schon alt und knittrig, und Resnick mußte das Geld eintreiben. Sonst würde er an Respekt und Ansehen in der Gegend verlieren und wegziehen müssen. Es war weniger der Betrag als das Vorhandensein dieses Schuldscheins, das Resnick Sorgen machte. Eigentlich lag die Gegend, in der er seinen Werkzeugladen hatte, ein gutes Stück außerhalb von Liebermans Revier, aber Resnick war ein alter Freund, den man nicht im Stich ließ. Bis vor fünf Jahren hatte Lieberman auf der West-Side gearbeitet, aber wegen seiner vielen Dienstjahre hatte man ihm ein Revier zugeteilt, das näher bei seiner Wohngegend lag – für eine Beförderung hatte es nicht gereicht.

»Das Leben ist hart«, sagte Hanrahan, der durch das Seitenfenster auf die Sari-Shops und indischen Restaurants blickte, die auf ihrem Weg Richtung Western Avenue vorüberzogen.

»So soll es auch sein«, sagte Lieberman. »Fällt dir kein Lied ein, das dazu paßt, oder hast du heute morgen nur ein besonders starkes Father-Murphy-Feeling?«

»Die Preise gehen in die Höhe, die Waren verderben. Die Leute stehlen, mal einen Apfel, mal eine Tomate. Zusammengenommen ist das der Ruin«, fuhr Hanrahan fort. »Die Heiligen erhören dein Bitten nicht. Und die Kinder? Sie verlassen dich in der Stunde der größten Not. Am Sterbebett werden sie wieder dasein, bei Kerzenschein für dein Seelenheil beten und Tränen vergießen. Und weißt du, was man ihnen dann sagen sollte? Was ich ihnen sagen sollte?«

»Nein, Bill, was solltest du ihnen sagen?«

Lieberman schob seine Brille hoch und steuerte auf der Western Avenue weiter Richtung Süden. Der Duft von glacierten Donuts wehte durchs offene Fenster, und Lieberman spürte einen Rülpser heranrollen.

»Hinweg!« sagte Hanrahan majestätisch. »Wo wart ihr, als ich euch brauchte?«

»Welches Kind?« fragte Lieberman.

»Michael«, seufzte Hanrahan. »Der in Buffalo lebt. Hätte eigentlich für ein paar Wochen kommen wollen, mit seiner Frau und dem Kind. Weißt du, was sie statt dessen tun werden?«

»Nach Australien auswandern?«

»So ähnlich. Disney World. Nichts als Blechmusik und Roboter, die wie Zombies aussehen. Jagen dem Kind eine Heidenangst ein. Wenn ich etwas hätte, womit ich sie enterben könnte ... Wie spät ist es?«

»Fast halb drei«, sagte Lieberman.

»Sollen wir kurz bei Simi's reinschauen?« fragte Hanrahan und blickte gleichgültig in den Ausstellungsraum eines Pontiac-Händlers. »Auf einen Burger und ein Bier?«

»Ich will El Perro nicht verpassen.«

»Verstehe«, sagte Hanrahan ruhig, hob eine Hand und lächelte gequält. »Warum sollten die Freunde zu einem halten, wenn die eigenen Kinder es nicht tun? Und warum sollten sich Pflicht und Treue miteinander vereinbaren lassen? Weißt du, was heute ist?«

»Freitag«, antwortete Lieberman.«

»Sieben Jahre und sechs Tage seit der Sache in der chemischen Reinigung.«

»Bei den Tagen kannst du dir aber nicht sicher sein, Murphy.«

»Einen mehr oder weniger, Rabbi. Kommt es darauf an?«

Der Zwischenfall in der Passage mit den sechs Geschäften war ein Routineeinsatz gewesen. Ein Streit in einer chemischen Reinigung auf der Peterson Road. Der Besitzer des Pizza-Ladens von nebenan hatte die Polizei gerufen und sich beklagt, daß das Geschrei seine Kunden verscheuchte. Lieberman und Hanrahan hatten den Einsatz übernommen, weil sie auf dem Weg zu einer Vernehmung gerade in der Gegend waren. Kurz nach drei waren sie bei dem Laden angekommen. Lieberman hatte geklopft. Keine Reaktion. Lieberman hatte wieder geklopft, und jemand war zur Tür gekommen. Der Jemand hielt eine sehr große Kanone, eine 5schüssige 38er Hopkins & Allen in der sehr kleinen Hand. Die Waffe war auf Lieberman gerichtet. Der Anblick war komisch. Ein kleiner zitternder Mann mit zerzaustem lockigem Haar und einer großen Kanone. Hinter dem Mann stand ein großer schwarzer Mann im Laden, in einer Art Speditionsuniform.

»Legen Sie die Waffe ...« konnte Lieberman noch sagen, aber der erste Schuß hatte ihn unterbrochen.

Lieberman wußte nicht, ob der Mann ihn getroffen hatte. Das einzige, woran er denken konnte, war: »Was ist das wohl für ein Mensch, der mich jetzt töten wird?«

Dann kam der zweite Schuß, aber er traf das Schaufenster der Reinigung und sprühte Glas auf den Gehsteig. Der kleine Mann mit der großen Kanone hatte Lieberman um mindestens zwei Meter verfehlt. Er hatte nicht mehr zielen können, weil ihm ein mächtiges Loch in der Brust klaffte, für das Hanrahans Dienstwaffe verantwortlich war.

Das war lange her, aber noch lange nicht vorbei ...

»Wir gehen zu Simi's, wenn wir mit El Perro gesprochen haben.«

Hanrahan fand sich damit ab und nutzte den Rest der Fahrt, um sich über die Undankbarkeit von Freunden und Angehörigen zu beklagen. Lieberman hörte nicht hin, nickte aber gelegentlich und ließ ab und an ein Wort fallen. Worte, die keine Bedeutung hatten. Solche, wie sie der Typ gebrauchte, der jedes Jahr im Radio Weihnachtsmann mimte und die Anrufe von Kindern beantwortete. Der Weihnachtsmann machte keine Versprechungen, lachte viel und fragte, ob das Kind, mit dem er gerade sprach, auch ein braves Mädchen oder ein braver Junge gewesen sei.

Hanrahan hatte schon getrunken, als er vor fünfzehn Jahren, nach der Pensionierung von Liebermans erstem Kollegen, Xaver Flores, sein neuer Partner geworden waren. Aber das Trinken von damals war nichts, verglichen mit dem, was auf den Auszug seiner Frau Maureen vor fünf Jahren folgte und ihn in dem leeren Haus in Ravenswood allein zurückließ. Von Scheidung war nie die Rede gewesen. Und auch kein Gedanke daran, in eine andere Stadt zu ziehen. Beide waren gute Katholiken. Wenn die beiden Söhne mit ihren Familien zu Besuch kamen, trafen sich Hanrahan und Maureen in ihrem Haus in

Ravenswood, servierten ein Festessen, und wenn dann alle wieder nach Hause gefahren waren, verschwand Maureen auch erneut in ihrem Apartment.

Auf der Höhe der Crawford war die North Avenue breit, stark befahren, und es gab jede Menge Parkplätze. Eine dicke Frau in einem blauen Kostüm wechselte ihre Einkaufstasche von der einen in die andere Hand und redete hektisch auf ihre Freundin oder Schwester ein, die genauso dick war. Als Lieberman den Wagen zuschloß, konnte er den Schweiß der beiden Frauen riechen. Kein angenehmer Geruch, aber unangenehm war er auch nicht.

Das Chapultapec lag auf der anderen Straßenseite. Die beiden Cops liefen zur Kreuzung, warteten, bis die Ampel auf Grün sprang, störten sich nicht daran, daß irgendwo Reifen quietschten, überquerten die Straße und hatten ihre Augen auf einen spindeldürren, ganz in Schwarz gekleideten Jungen gerichtet, der an den dunklen Scheiben des Chapultapec lehnte, die Straße beobachtete und nach einem Angreifer Ausschau hielt oder nach sonst irgendeiner Gefahr. Er war der zweifelfreie Beweis dafür, daß sich El Perro im Restaurant aufhielt. Vielleicht sollte er eine Art Frühwarnsystem sein. Aber er stand da wie ein Wegweiser, auf dem alle feindlichen Krieger in riesigen Buchstaben lesen konnten: »Wer El Perro sucht, ist hier richtig.«

Emiliano wollte sich schützen, aber er machte sich verwundbar. Er wünschte sich, von allen respektiert, geliebt und verehrt zu werden, aber er verletzte die, die ihm zu nahe kamen, und verhöhnte ihren Schmerz.

»Fernandez«, sagte Hanrahan mit einem Grinsen zu dem Jungen. »Wie viele Zwölfjährige hast du diesen Monat schon geschwängert?«

Fernandez grinste nicht zurück. Er musterte Lieberman von den Haar- bis zu den Fußspitzen und wieder zurück. Dann nickte er, und die beiden Cops gingen an ihm vorbei durch die

Tür des Chapultapec, hinein in die stockdunkle Finsternis, aus der ihnen laute Musik entgegendröhnte.

Julio Iglesias sang ein Lied, das Lieberman nicht kannte. Außer undeutlichen Silhouetten konnte Lieberman nichts erkennen. Er mußte sich erst auf die gelb-braunen Tischlampen und das trübe Neonlicht eines Dos-Equis-Schriftzuges einstellen. Der Fritiergeruch aus der Küche rief Erinnerungen wach.

»Sieh mal an, wer da kommt«, hörte er El Perros Stimme sagen. »Der Priester und der Rabbi. Das hier ist nicht mehr euer Bezirk, Leute. Seid ihr gekommen, um den Teufel auszutreiben?«

»Emiliano«, sagte Lieberman.

»Pssst«, machte El Perro. »*No fraga me. La cancion.* Das Lied.«

Mittlerweile hatte sich Lieberman soweit an die Dunkelheit gewöhnt, daß er Menschen und Gesichter unterscheiden konnte.

Neun Tentaculos, Emiliano mitgerechnet, saßen an den winzigen Tischen des Restaurants und lauschten der Stimme von Julio Iglesias. Auf jedem Tisch stand ein Teller mit gebratenen Fleischstücken und ein Berg mexikanischer Brötchen.

Emiliano strahlte Lieberman und Hanrahan an und nickte zur Jukebox hinüber. Hanrahan strahlte zurück und starrte El Perro an. Es war kein schöner Anblick, der sich ihm bot. El Perros Gesicht sah aus wie eine Straßenkarte abenteuerlicher Narben, die alle in Sackgassen mündeten. Eine Narbe, von Gott weiß was für einer Schlacht, verlief von seinem rechten Auge quer über die Nase bis unter seinen linken Mundwinkel. Sie war schlecht verheilt, rot, und es hatte wahrscheinlich einen ganzen Nachmittag gedauert, sie zu nähen. Die Nase war ihm so oft gebrochen worden, daß kaum noch Knochen und gar kein Knorpel übriggeblieben war. Wenn er ins Grübeln geriet, was selten genug vorkam und äußerst beunruhigend war, spielte El Perro mit seinem Nasenfleisch, quetschte es mit dem

Daumen platt oder drückte es gedankenverloren ganz auf eine Seite. Seine Zähne waren weiß und schief. Die spitzen Eckzähne sahen aus, als ob er sie einem Vampir ausgerissen hätte. Emilianos Haar war schwarz, und er trug es glatt nach hinten gekämmt.

Lieberman dachte, daß El Perro als Schauspieler nicht die geringste Chance hätte, aber das behielt er für sich. Das Lied war zu Ende, und Emiliano seufzte schwer. Er zückte einen Kamm und fing an, sich die Haare zurechtzumachen.

»Der Mann kann echt singen, *Viejo*«, sagte er. »Ich bin ihm einmal begegnet. Wußtest du das?«

»Dann hast du ja schon alles erreicht, was ein Mann im Leben erreichen kann«, sagte Lieberman.

»Hm.« Emiliano kämmte noch immer verträumt sein Haar. »Ich hätt mich mit ihm fotografieren lassen sollen, stimmt's, Piedras?«

Eine tiefe grollende Stimme echote: »Hättest dich mit ihm fotografieren lassen sollen.«

»Hm.« Emiliano schien dem zuzustimmen und sah zu Lieberman rüber. »Na, wie sehe ich aus? Wie Pat Riley, der Trainer von den beschissenen Lakers, der immer im Fernsehen ist?«

»Gewisse Ähnlichkeit«, sagte Lieberman. El Perro sah überhaupt nicht wie Pat Riley aus, aber Lieberman war ja nicht hergekommen, um sich lynchen zu lassen.

»Verdammtes Arschloch!« Emilianos Ton wurde ernster. »Jeder sagt, daß ich so aussehe wie er. Ich soll diesem Milchgesicht ähnlich sehen? Was steht ihr noch rum? Setzt euch! Scheiße aber auch!«

Lieberman kam das Restaurant noch winziger vor, als er es in Erinnerung gehabt hatte. Bevor Alfonso und Angelica Naranita den Laden übernommen und das Restaurant eröffnet hatten, war hier ein kleiner Blumenladen gewesen. Angelica war eine brauchbare Köchin, aber die Naranitas gaben sich keine große Mühe. Ihre Kinder waren schon groß, und das, was sie erreicht hatten, genügte ihnen. So war es zumindest gewesen, bis Emiliano Del Sol aus ihrem Restaurant sein zweites Zuhause gemacht hatte.

Alles war still. Die Tentaculos warteten, daß El Perro ihnen sagen würde, was sie in Anwesenheit von zwei Bullen denken oder tun sollten.

»Du hast gehört, daß ich hier bin, und da bist du einfach mal wieder vorbeigekommen, um einen alten Freund zu begrüßen.« Emiliano nahm sich Fleisch von der Platte. Er benutzte einen Brocken Brot als Zange und angelte sich das schönste Stück. Dann streckte er es Lieberman hin. »Probier mal! Ich habe Angelica gesagt, sie soll mehr Zucker und etwas mehr Jalapeno-Soße dran tun.«

Lieberman biß ab. Es war süßes Feuer. Schon während er kaute, wußte er, daß er später teuer dafür bezahlen würde. Emiliano beobachtete ihn und grinste wohlwollend. Hanrahan schluckte Brot und Fleisch runter, ohne zu kauen.

»Gut, was?«

»Pikant«, meinte Lieberman.

»Willst du ein Bier?« fragte Emiliano und tauchte wieder Brot ins Fleisch, diesmal für sich selbst. Bevor Lieberman antworten konnte, stellte eine dunkle Hand mit einem tätowierten Skorpion zwei geöffnete Bierflaschen auf den Tisch.

Emiliano beugte sich zu den beiden Polizisten rüber und flüsterte feuerspeiend: »Wie es in der Werbung heißt: Ein Besseres gibt es nicht. Und jetzt will ich wissen, warum ihr hier seid.«

»Resnicks Eisenwaren«, sagte Lieberman.

»Resnicks Eisenwaren!« wiederholte El Perro mit vollem Mund.

»Da gibt's noch eine unbezahlte Rechnung«, erklärte Lieberman, »du schuldest ihm zweihundert Dollar und vierzig Cents.«

»Interessant«, sagte Emiliano und drehte sich zu den anderen Tentaculos um, die das offensichtlich nicht so interessant fanden. »Was, wenn ich sage, daß ich die zweihundert Dollar und vierzig Cents nicht bezahle?«

»Dann können wir verhandeln«, sagte Lieberman.

»Verhandeln, worüber?«

»Über die vierzig Cents«, schlug Lieberman vor.

»Das ist großzügig«, sagte El Perro ernsthaft und nickte.

»Sehr großzügig.«

»Zweihundert Piepen sind Klopapier, mit dem ich mir die *Nalgas* abwische«, flüsterte El Perro. Sein Gesicht war jetzt nur noch wenige Zentimeter von Liebermans entfernt. Er faßte nach unten und tat so, als würde er sich abwischen.

Jemand lachte, aber das war ein Fehler. El Perro spähte in die dunkle Ecke, aus der das Gelächter gekommen war. Der Jemand erhob sich und rumpelte gegen den Tisch, der hinter Lieberman stand. Eine große Gestalt trat auf sie zu und beugte sich zu Emiliano hinunter, flüsterte ihm etwas ins Ohr und zog sich wieder zurück.

»Piedras meint, wir sollten euch die *Cojones* abschneiden und euch im Teich in Garfield Park versenken«, vertraute ihnen El Perro an und richtete sich auf. »Piedras ist ein guter Krieger, aber ein bißchen dumm. Es ist unnötig, euch die Eier abzuschneiden. Wir können euch einfach so hineinwerfen. Da schwimmt soviel Scheiße rum, ihr wärt längst an einem alten Präser erstickt, bevor ihr zum ersten Mal Luft holen könntet.« Er wandte sich zu Piedras, der hinter den Polizisten saß, und bellte: »Hast du gehört, was ich gerade gesagt habe, Carlos? Ich habe gesagt, du kannst kämpfen. Du bist ein mutiger Krieger, aber du bist total bescheuert, hab ich recht? Man bringt keine Bullen um, wenn es nicht sein muß. Außerdem ist der Rabbi was Besonderes. Er war der erste Bulle, der mich geschnappt hat. Ich war ein kleiner Scheißer, gerade mal zehn oder so, stimmt's, Rabbi?«

»Ein kleiner Scheißer«, bestätigte Lieberman.

»Sag, daß du bescheuert bist, Carlos«, befahl El Perro sanft.

»Ich bin bescheuert«, hörte man Piedras kleinlaut sagen.

»Für das Ansehen der Tentaculos ist es schlecht, wenn sie Schulden machen und sie nicht bezahlen«, sagte Lieberman. »Du begleichst deine Schulden, du bezahlst meinen alten Freund Resnick, und in der Gegend, in eurer Gegend, wird es bald heißen, Emiliano Del Sol ist ein *Patron.*«

El Perro gurgelte eine Flasche Bier hinunter und sah sich um.

»Keine Frauen da«, sagte er, »wie kommt es, daß keine Frauen da sind?«

»*Las mujeres están en la casa donde usted diga* . . .«, fing jemand an.

»Ich weiß, ich weiß«, sagte El Perro aufbrausend. »Es war nur ein . . . ein . . .« Er blickte sich hilfesuchend nach Lieberman um.

»Ein Wortspiel«, ergänzte Liebermann, auch wenn das nicht genau das war, wonach El Perro gesucht hatte.

»Ein Wortspiel«, wiederholte El Perro. »Carlos, gib dem *Viejo* das Geld. Du hast Mut, alter Mann. Hier in der Gegend respektiert dich jeder Gauner, jeder Gammler, jeder *Ladron,* jede billige *Ramera,* Rabbi. Und weißt du, warum? Weil es dir scheißegal ist. He«, wandte sich El Perro an die Tentaculos. »Dieser alte Bulle hier, mit dem traurigen Gesicht, marschierte eines Tages in das Mazatlan, ein paar Jahre ist das her, und schoß Pedro ›The Train‹ Ramirez ein Loch in die Hand. Mein Bruder war dabei. Ramirez hatte die Bar zum zweiten Mal innerhalb eines Monats auseinandergenommen und ging mit einer zersplitterten Tequilaflasche auf diesen alten Bullen hier los. Ich war nicht dort, aber mein jüngerer Bruder, der eigentlich auch nicht hätte dort sein sollen, hat mir davon erzählt. Unser *Viejo* hier watete durch die Eingeweide, die am Boden lagen, nahm Ramirez die zerbrochene blutverschmierte

Flasche aus der Hand, strich ihm über die Wange, zog ihm die Geldbörse aus der Tasche, nahm alles Geld raus und gab es Manuel Ortega, dem Barkeeper des Mazatlan. Mein Bruder hat gesehen, daß Ortega das Geld in die eigene Tasche steckte, anstatt es in die Kasse zu tun. Das hast du nicht gewußt, Lieberman, stimmt's?«

»Das hab ich nicht gewußt«, gab Lieberman zu und tat, als würde er aus seiner Bierflasche trinken.

»Aber der *Viejo* hat Pedro Ramirez nicht festgenommen«, fuhr El Perro fort. »Wie gefällt euch die Geschichte?«

»*Bueno*«, ertönte ein Chor aus der Dunkelheit. El Perro lächelte zufrieden. Aber seine Geschichte ging noch weiter.

»Einen Monat später, der Verband war noch nicht runter, hat Ramirez, als er völlig besoffen war, einen Briefträger namens Perez erstochen. Er hielt ihn für Manuel Ortega. Was lernen wir daraus?«

»Man muß sie gleich beim ersten Mal fertig machen!« antwortete Hanrahan.

»Ich werde vergessen, daß ich das gehört habe. Du hast Glück, du hast mich an einem meiner gutmütigen Tage erwischt.«

»Glück, daß wir dich erwischt haben«, pflichtete ihm Hanrahan bei.

Eine Hand erschien über Liebermans Schulter und hielt ihm zweihundert Dollar hin.

»Kleingeld habe ich nicht«, ertönte die Stimme von Piedra.

»Noch vierzig Cents von jemandem«, sagte El Perro.

Nun tauchten aus allen Richtungen Hände auf und ließen Münzen auf den Tisch fallen.

El Pedro lachte. Alle lachten. Lieberman klaubte vier Zehner von der Tischplatte und steckte sie in die Tasche.

»Willst du wissen, wofür wir das Zeug benutzt haben, das wir bei deinem Amigo Resnick gekauft haben?« fragte El Perro.

»Nein«, antwortete Lieberman und erhob sich.

El Perro zuckte mit den Schultern, und als Hanrahan ausgetrunken hatte und ebenfalls aufgestanden war, fragte er: »Werden es die Cubs dieses Jahr schaffen?«

»Sie werden es jedes Jahr schaffen«, gab Lieberman zurück. »Etwas anderes darf man nicht denken.«

»Aber beim Pitchen brauchen sie Verstärkung. Sie brauchen den kleinen fetten Typen.«

»Valenzuela«, sagte Lieberman. »Ist auch nicht mehr das, was er mal war.«

»Zu schade aber auch«, meinte El Perro.

Zwei Minuten später standen Hanrahan und Lieberman wieder auf der Straße.

»Ich hab mir ernsthaft überlegt, den Bastard umzulegen«, sagte Hanrahan.

»Das hast du nicht.«

»Nicht leicht, einen Mann zu erschießen, der einem an einem heißen Tag ein Bier spendiert«, meinte Hanrahan. »Die Geschichte, wie du auf den Mex in der Bar geschossen hast, kannte ich noch gar nicht.«

»Ist nie geschehen«, sagte Lieberman, während sie die Straße hinunterliefen.

Es roch nach Menschen, Benzin und mexikanischem Essen. Wenn man eine gute Nase hatte, konnte man auch das Blut in den polnischen Würsten und vor sich hin bratende Kielbasa riechen. Der Geruch, der über der Straße lag, war genauso gemischt wie die Menschen, die hier wohnten – die meisten dunkelhäutig oder Latinos, dazwischen zumeist ältere, runde, weiß-rosige Gesichter mit schweren Körpern, die nicht aus dem Viertel wegziehen wollten oder konnten, das einmal ihrs gewesen ist.

»Früher wohnte ich nur einen Block weiter unten«, sagte Hanrahan im Gehen. »Ich war oft in St. Leonhard, direkt hinter dem Park. Wenn meine Mutter mich nach St. Leonhard zur Messe schickte, waren da immer diese stummen, alten Iren mit den runden Gesichtern, und die saßen alle beieinander, rechts vom Altar in den ersten fünf oder sechs Reihen. Als ich noch ein Kind war, gehörte die gesamte rechte Hälfte von St. Leonhard diesen rosa Gesichtern. Jedes Jahr wurden es weniger, und jedes Jahr wurden sie älter. Father Colon hatte einen irischen Akzent, der für die Polen genauso rätselhaft war wie für meine Mutter und die anderen Iren, und er hat sich immer mehr an diese Gesichter gewandt als an uns. Aber ich glaube, er hat das nicht gemacht, weil er sie lieber mochte oder weil er selbst auch so ein Gesicht hatte. Er hat nur gedacht, sie sind schwerer zu erreichen.«

Sie gingen an Slovotnys Metzgerei vorüber, vor der auf einer Tafel mit Kreide stand, daß heute Blutsuppe im Angebot war, und dann öffneten sie die Tür zu Resnicks Eisenwarenhandlung.

Lieberman verzog seinen Mund, als ob er ein Grinsen oder einen Rülpser unterdrücken wollte. Er steckte eine Hand in die Jackentasche und zog eine kleine Flasche mit Tums Magentabletten heraus.

»Hier«, sagte er und legte das Geld, das El Perro ihm gegeben hatte, vor Resnick auf den Tresen. Ein Schein segelte in den kleinen Plastikständer mit verschiedenen Schlüsselanhängern.

Resnick nahm strahlend die Scheine an sich, dann blickte er Hanrahan und Lieberman freudestrahlend an. Liebermans Lider, die seine Augen auch normalerweise fast ganz verdeckten, hatten sich vom Herumkauen auf der Magentablette noch ein Stück tiefer gesenkt.

»Wie habt ihr es angestellt?« wollte Resnick wissen.

»Wir haben ihn höflich darum gebeten«, sagte Hanrahan. »Abe und El Perro sind alte Kumpel.«

»Und ihn kennen heißt ihn lieben«, fügte Lieberman hinzu.

»Ist auch egal«, murmelte Resnick, öffnete die Kasse und ließ die Scheine unter dem falschen Boden der Schublade verschwinden, neben der 32er, von der Lieberman wußte, daß sie dort lag.

»Was soll ich sagen?« Resnick strahlte Lieberman an, der sich an seinem haarigen Ohr zu schaffen machte. »Wie wär's mit einem Schraubenschlüssel oder mit irgendwas, das du im Haus gebrauchen kannst?«

»Besorg uns 'n paar Cheeseburger von Solly's, wenn wir das nächste Mal vorbeikommen!«

Als sie wieder im Wagen saßen und Richtung See fuhren, warf Lieberman noch ein paar Tums ein und sagte: »Valdez.«

»Soll ich sie übernehmen?« fragte Hanrahan.

»Es ist Freitag«, erinnerte ihn Lieberman.

Hanrahan nickte und sagte: »Ich hab nichts Besseres vor, Abraham.«

»Dann nehm ich die nächste«, sagte Lieberman.

»Wir nehmen sie, wie sie gerade kommen«, sagte Hanrahan. »Wie sie gerade kommen.«

2

Als Abe nach Hause kam, spürte er gleich, daß Bess über einem »Thema« brütete. Ein »Thema« war nicht bloß »Etwas, worüber man sprechen mußte«. Nein, schon Stunden bevor ein »Thema« soweit war, daß es am Küchentisch ausgebreitet werden konnte, bekam Bess schmale Lippen, und sie lächelte zu allem, was Lieberman zu erzählen hatte, sei es nun die Körperverletzung des Tages oder eine Anekdote, die er bei Maish's aufgeschnappt hatte. Er wußte auch, daß das »Thema« unter der Oberfläche ihrer Gespräche weiter brodeln würde, bis die Gebete gesprochen waren und Lieberman sein Glas Wein bekommen hatte.

Es gab noch andere verräterische Zeichen, die sehr eindeutig waren – zumindest für einen Detective mit dreißig Jahren Berufserfahrung: das dunkle Haar seiner Frau war kurz geschnitten, ihr graues Kostüm sorgfältig gebügelt, ihr Lächeln eine Spur zu milde und das, was sie sagte, zu irdisch.

Am festlich gedeckten Tisch hatte sie ihm über die Flammen der beiden Kerzen hinweg einen Blick zugeworfen, der sagte: »Mach dich auf was gefaßt!«

Bess war fünf Jahre jünger als Abe. An einem schlechten Tag sah sie fünfzehn Jahre jünger aus. An einem guten konnte man sie für seine Tochter halten. Sie war so groß wie ihr Ehemann, dunkelhaarig und schmal. Keine Schönheit, aber doch eine gutaussehende Frau, fand Lieberman. Und eine echte Dame. Ihr Vater war Metzger auf der Southside gewesen, aber sie hatte ein Auftreten wie die Tochter eines Bankers und eine Stimme, von der jede Telefonistin nur träumen konnte.

Nachdem er den Wein gesegnet und gemeinsam mit ihr aus dem Kiddusch-Becher ihres Vaters getrunken hatte, schnitt ihm Bess ein großes Stück vom Rinderbraten ab und sagte:

»Ich muß dir etwas erzählen. Es gibt ein Thema, über das wir sprechen müssen.«

»Ich höre«, sagte er und steckte sich ein kleines zartes Stück vom dunklen Braten in den Mund.

»Lisa und Todd kommen nicht miteinander aus.«

Lieberman nickte und schenkte sich mehr als großzügig Wein nach.

»Ich sagte«, wiederholte Bess, »Lisa und Todd kommen nicht miteinander aus.«

»Ich hab's gehört«, sagte Lieberman. »Das ist normal.«

»Es ist ernst«, sagte Bess.

Vom Tag ihrer Geburt an war die einzige Tochter der Liebermans »ernst« gewesen. Sie war ein schönes Kind, das alles in sich aufnahm und nur selten laut lachte. Sie war eine ausgezeichnete Schülerin an der Mather Highschool gewesen und hatte nur einmal eine Zwei unter all den Einsen, und diese Zwei hatte Nächte voller Qualen, Kummer und Tränen nach sich gezogen und schließlich zu dem Entschluß geführt, der Lehrerin in Naturwissenschaft, Miß Landis, zu beweisen, daß sie einen schweren Fehler begangen hatte: Lisa schrieb sich für Biochemie an der University of Chicago ein, lernte einen ernsten jungen Dozenten für alte Sprachen namens Todd Croswell kennen, heiratete ihn und hatte jetzt zwei Kinder: Barry, dessen Bar-Mizwa kurz bevorstand, und Melisa, die bald acht wurde. Barry und Melisa waren – Gott sei Dank! – weder ernst, noch waren sie ausgezeichnete Schüler.

»Worüber sind sie denn verschiedener Meinung?« fragte Lieberman und leerte sein erstes Glas Wein.

»Sag das nicht so!« Bess schloß die Augen.

»Ich will ja nur ein bißchen die Stimmung heben, um nicht in abgrundtiefer Verzweiflung zu versinken«, sagte er und prostete seiner Frau zu.

Bess bemühte sich um ein freundliches Lächeln, aber es wirkte gequält.

»Tut mir leid«, sagte Lieberman. »Was für ein Problem haben die beiden?«

»Das übliche«, antwortete Bess achselzuckend. »Du ißt gar keine Bohnen. Und ich habe extra deine Lieblingssorte gemacht.«

»Ich esse ja welche«, sagte er und schöpfte sich Bohnen mit Buttersoße auf den Teller. »Siehst du, ich esse Bohnen. Was ist das übliche? Hat er was mit anderen Frauen? Nimmt er Drogen? Schlägt er sie?«

»Du bist schon zu lange bei der Polizei«, sagte Bess.

Lieberman dachte ernstlich darüber nach und begann, sein zweites Glas Wein zu leeren.

»Nein«, fuhr Bess fort. »Er kümmert sich nicht genug, sie will wieder arbeiten und noch andere Sachen.«

»Noch andere Sachen?« wiederholte Lieberman und nahm sich eine Scheibe Challa.

»Abe, bist du ein Echo oder ein Vater?«

»Ich höre zu«, sagte er. »Ich höre zu, und ich tunke meine Challa in eine köstliche Soße. Schau her. Ich tunke, ich esse, und ich trinke einen guten Wein. Ich freue mich auf einen friedlichen Abend mit meiner Frau. Und ich warte darauf, daß du mir sagst, was ich deiner Meinung nach tun soll.«

»Sprich mit ihr«, sagte Bess. »Auf dich hört sie.«

»Sie hört nicht auf mich, Bess«, sagte er. »Sie läßt mich reden und hört mit ernster Miene zu. Dann tut sie das, was sie sowieso getan hätte. So war sie schon mit sechs. Und jetzt, mit sechsunddreißig, ist sie nicht anders.«

»Dann laß *sie* mit dir reden«, sagte Bess.

»Das kann sie jederzeit«, sagte er.

»Ruf sie an!« sagte Bess.

»Morgen«, sagte er lächelnd, hob sein Glas und prostete ihr zu.

»Morgen ist es vielleicht schon zu spät«, sagte Bess. »Aber

meinetwegen auch morgen, wenn es nicht anders geht. Wenn du zu müde bist ...«

»Es geht nicht anders«, sagte Lieberman.

»Magst du zum Nachtisch Milchreis oder Möhrenkuchen?«

»Ich will dich zum Nachtisch.« Lieberman begann den Wein zu spüren.

»Wir werden sehen, wie du später darüber denkst«, sagte sie und schüttelte den Kopf.

»In diesem Fall«, antwortete Lieberman, »nehme ich beides: Reis und Kuchen.«

Lisa und Todd wurden mit keinem Wort mehr erwähnt. Aber Lieberman wußte, daß er mit einer empfindlichen Strafe zu rechnen hatte, wenn er seine Tochter am nächsten Tag nicht anrufen würde. Das »Thema« würde zwischen ihnen stehen wie ein grinsender Zwerg.

Sie erledigten den Abwasch gemeinsam, und Bess kam auf ein anderes Thema zu sprechen, das Lieberman noch unbehaglicher war als die Aussicht, mit Lisa über ihre Eheprobleme zu reden.

»Hast du darüber nachgedacht?« fragte Bess, während sie das Geschirr abtrocknete.

»Darüber? Worüber?« fragte er, obwohl er genau wußte, was sie meinte.

»Über den Umzug«, sagte sie. »Nach Skokie. Eine kleine 2-Zimmer-Eigentumswohnung.«

»Bess, ich bin Polizist. Ich muß in der Stadt wohnen.«

»Du kannst in Rente gehen. Du hast genügend Dienstjahre beisammen. Spül das noch mal! Sieh her. Das ist noch Fett.«

Er nahm die Schüssel und tauchte sie wieder in das schaumige Wasser.

»Noch drei Jahre. Dann reden wir über die Pensionierung.«

»Unsere Gegend ist nicht mehr wie früher«, sagte sie.

»Alle Viertel verändern sich. Auch Skokie verändert sich«,

antwortete er. »Mir gefällt es hier, und ich mag unser Haus. Und wo sollten Barry und Melisa schlafen, wenn sie uns besuchen? In Schlafsäcken auf dem Wohnzimmerboden?«

Bess und Abe wohnten seit dreißig Jahren in ihrem Haus auf der Jarvis Street. Sie wußten beide, daß sie es für das Achtfache dessen verkaufen konnten, was sie damals dafür bezahlt hatten. Für das Geld konnten sie in ein neues Apartment in Skokie ziehen, und es bliebe immer noch genug übrig für die seit langem geplante Reise nach Israel – eine Reise, an der Lieberman gar kein Interesse hatte. Er war sich ziemlich sicher, daß Bess, wenn er zugab, über einen Umzug nachzudenken, wieder davon anfangen würde. Die Mehrzahl ihrer Freunde war schon weggezogen, aber einige waren auch geblieben. Die Liebermans kannten sich hier aus. Vielleicht würde sie ja, wenn er nachgab, den Plan aufgeben.

»Eine Veränderung würde uns gut tun«, sagte Bess.

»Ich kriege meine Veränderung jeden Tag«, sagte er. Er spülte den letzten Topf und nahm sich ein Geschirrtuch, um ihr beim Abtrocknen zu helfen. »Kriminelle sind in der Veränderungsbranche tätig. Ich genieße es, nach Hause zu kommen und zu wissen, daß alles da ist, wo es immer gewesen ist, und daß sich nichts verändert.«

»Wir werden noch mal drüber reden«, sagte Bess. Sie streichelte ihm zärtlich über die Wange, und er konnte etwas Süßes an ihren Fingern riechen. Lieberman wußte, daß sie ihn, wenn sie so weitermachte, schließlich doch rumkriegen würde. Seine beste Taktik war Spielverzögerung. Um sieben Uhr erreichten sie die Synagoge Mir Shavot. Sie lag an der California Avenue, nur ein paar hundert Meter von ihrem Haus entfernt. Sie kamen rechtzeitig, um sich noch gute Plätze für den Sabbat-Gottesdienst zu sichern. Am Eingang zupfte Bess Liebermans Kippa fest, die auf seinem krausen Haar schaukelte. Sie grüßte die Rosens, die hinter ihnen die Treppen hinaufgestiegen waren.

»Hat er dir schon von seiner Freundin erzählt?« fragte Herschel Rosen Bess, als sie durch die Doppeltür hineingingen.

Herschel zwinkerte. Herschel Rosen war ein Giftzwerg, und Lieberman dachte, daß ihm ein Schlag auf den sommersprossigen Kopf guttun würde.

»Welche?« fragte Bess.

»Die Latinobraut von Manhattan«, sagte Herschel, dessen Frau Bess entschuldigende Blicke zuwarf. »Ein echter mexikanischer Vulkan. War heute morgen bei Maish's – auf der Suche nach Abe.«

An den Wänden des Gangs, der zum Versammlungssaal führte, hingen pastellfarbene Darstellungen biblischer Szenen, die Schüler der Sabbat-Schule gemalt hatten. Auch Lisa war in die Sabbat-Schule gegangen. Und auch ihre sauberen und ordentlichen Bilder hatten einmal diese Wände geziert. Lieberman fragte sich, was wohl mit all den Bildern passierte, wenn sie abgehängt wurden.

»Sie ist eine Informantin«, sagte er und nickte Leuten zu, die an ihnen vorübergingen. Die meisten Mitglieder der immer kleiner werdenden Gemeinde kannte er. Resnick, der Besitzer des Eisenwarenladens, ging mit Frau und Mutter vorbei und winkte Lieberman zu.

»Ich bin nicht so schnell eifersüchtig«, sagte Bess und drückte Liebermans Arm. »Sarah, dein Mann hat eine schmutzige Phantasie.«

»Das brauchst du mir nicht zu sagen«, sagte Sarah kopfschüttelnd und zog Herschel schnell hinter sich her in den Gemeindesaal.

»Abe«, fragte Bess mit einem Lächeln. »Machst du irgendwelche Dummheiten?«

»Wenn ich Dummheiten machen wollte, würde ich *sie* dann mitten am Tag bei Maish's treffen, mit all den alten Knakkern?«

Bess lächelte, und als gerade zwei Paare vorbeigingen, drückte sie ihm einen Kuß auf den Mund.

Der Gottesdienst am Sabbat war Abe Liebermans Meditationsstunde. Lieberman hatte in seiner Einstellung zu religiösen Zeremonien eine ganz normale Entwicklung durchlaufen. Als Zwanzigjähriger war er ein schweigsamer Atheist gewesen und hatte zehn Jahre lang alle Gottesdienste boykottiert – zu deren Besuch ihn sein Vater als Junge gezwungen hatte. Nach weiteren zehn Jahren – mittlerweile war er verheiratet – hatte er sich mit dem Gedanken getragen, Buddhist zu werden. Ein geheimer Buddhist zwar, aber ein Buddhist gleichwohl. Als Bess darauf bestand, daß Lisa mit religiösen Lehren und Bräuchen erzogen werden sollte, war Lieberman nur mit zum Gottesdienst gegangen, wenn es sich nicht vermeiden ließ. Ihn ärgerten die ständigen Lobpreisungen Gottes. Dann aber, während eines Jom-Kippur-Festes, änderte sich seine Einstellung. Er entdeckte, daß man sich in den Gebeten ebenso verlieren konnte wie in der buddhistischen Meditation und daß sich das eine gar nicht so sehr vom anderen unterschied. Die hebräischen Gebete, die von der Gemeinde und Rabbi Wass gesprochen und von Kantor Fried gesungen wurden, wurden zu seinem Mantra.

Nachdem Liebermann im Alter von fünfzig Jahren diese Entdeckung gelungen war, gab er es auf, sich gegen die Tradition zu stemmen – auch wenn er sich immer noch nicht so sicher war, was er vom Universum halten sollte. Aber den Gottesdienst ertrug er nicht nur, er freute sich sogar darauf: sich in Gebete zu vertiefen und mit den anderen an einem gemeinsamen Ritual teilzunehmen. Zwar zweifelte er, ob er diese Veränderung seiner Weisheit oder seinem Alter zu verdanken hatte. Aber er wollte und brauchte darauf keine Antwort zu finden. Daß er Trost fand, genügte ihm völlig.

Rabbi Wass war der Sohn des alten Rabbi Wass, der wiederum der Sohn von Rabbi Wass aus Kliesmer war, einer

Stadt nördlich von Kiew. Seit über neun Jahren war er der Rabbiner ihrer Gemeinde, und, so sah es zumindest Lieberman, ein wesentlicher Fortschritt gegenüber seinem Vater. Der alte Rabbi Wass, der jedes Jahr ein paarmal aus Florida anreiste, um dem Gottesdienst vorzustehen, war ein Mann, der ununterbrochen lächelte und dessen Predigten fast immer von seiner Säuglingszeit in Polen und seiner Kindheit in New York City handelten. Er kannte unendlich viele Geschichten über seine mitfühlende Mutter und seinen weisen Vater. Seine Geschichten entbehrten jeder vernünftigen Aussage, und Lieberman hatte sich schon manches Mal die Frage gestellt, wie es wohl wäre, den alten Rabbi Wass zum Verhör vorzuladen, um ihm ein Geständnis zu entlocken und einmal seinen Panzer aus Klischees und Lächeln zu knacken. Kurz bevor der alte Rabbi Wass sich zur Ruhe gesetzt hatte, war Lieberman zu dem Schluß gekommen, daß der alte Rabbi weder jetzt noch in seinem früheren Leben besonders helle gewesen war.

Nach Wass' Pensionierung hatten sich Lieberman und Bess überlegt, die Gemeinde zu wechseln. Der Rabbi der Synagoge Beth Israel war jung, intelligent und fortschrittlich, und zu seiner Gemeinde gehörten viele Familien mit kleinen Kindern. Aber schließlich hatte die Loyalität gesiegt, und selbst als sich zeigte, daß der neue Rabbi Wass nicht unbedingt heller war als sein Vater, blieben sie, weil es bequem war, weil sie ihre Freunde nicht im Stich lassen und dem neuen Rabbi nicht weh tun wollten.

Rabbi Wass hatte allerdings einen großen Vorteil: Sein Thema war die Gegenwart: Israelische Politik, arabischer Terrorismus, ethnische Konflikte, jüdische Politiker auf Stadt-, Staats- und Bundesebene, davon handelten seine Predigten, und jedesmal schloß er mit der Aufforderung an seine Gemeinde, sich dazu zu äußern. Das war der Moment, wenn Abe den Gemeindessaal verließ und in der Eingangshalle auf Bess wartete. Dem Geschwätz zuzuhören, das dann folgte, war mehr, als er ertragen konnte.

Die heutige Predigt jedoch war für Lieberman von größerem Interesse.

»Mit dem Thema«, sagte der junge Rabbi Wass mit seinen achtundvierzig Jahren, »hat sich schon unser Baukomitee beschäftigt. Immer mehr junge Leute ziehen aus unserer Gemeinde weg, und es ist kein Ende in Sicht. Können wir ohne frisches Blut überleben? Was sollen wir tun? Mit den jüdischen Familien wegziehen oder warten, bis wir uns aufgelöst haben? Zusehen, wie wir immer weniger werden, bis wir vielleicht nicht einmal mehr einen Minjan zusammenbekommen? Fragen über Fragen. Können wir es uns leisten, dieses Gebäude mit immer weniger Mitgliedern zu unterhalten? Die jährlichen Beiträge steigen Jahr für Jahr, und trotzdem haben wir kaum noch Geld für Veranstaltungen.«

Es war offensichtlich: Bess hatte sich mit Rabbi Wass gegen Lieberman verschworen. Sie hatten ein Komplott geschmiedet, das ihn dazu zwingen würde, an der Diskussion teilzunehmen: Er mußte irgendwie reagieren, widersprechen oder zumindest den Lauf der Dinge bremsen. Vielleicht würde es ja nicht so schlimm kommen. Ein geeignetes Baugrundstück zu finden würde einige Zeit dauern. Vielleicht ein paar Jahre. Außerdem mußten sie das Geld für den Neubau erst auftreiben.

Die fünfundachtzigjährige Ida Katzman, die wie immer in der ersten Reihe saß, stützte sich auf ihren Stock und drehte sich um. Sie ließ ihren Blick über die Gemeinde schweifen, und dann sah sie Lieberman direkt in die Augen. Die Witwe Ida Katzman, die von ihrem Ehemann Mort vor fast zwanzig Jahren zehn Juweliergeschäfte geerbt hatte, war die große Gönnerin der Gemeinde. Im Grunde genommen richteten sich alle Spendenaufrufe an sie, aber jedesmal sah sich Ida nach den anderen um, auf der Suche nach jemandem, der sie bei ihrem philanthropischen Tun unterstützen sollte. Lieberman war mulmig zumute.

»Erst diese Woche hat mir das Baukomitee berichtet«, fuhr Rabbi Wass mit einem weisen Lächeln fort, »daß das Gebäude der *Fourth Federal Saving* an der Dempster Street zum Verkauf steht – zu einem sehr moderaten Preis. Es ließe sich schnell und wunderschön renovieren. Außerdem liegt für das Gebäude, in dem wir uns gerade befinden, ein großzügiges Angebot der koreanischen Baptistenkirche vor. Und das Geld vom Verkauf dieses Gebäudes übersteigt die Aufwendungen für den Kauf des neuen und deckt den Großteil der notwendigen Renovierungskosten.«

Die Leute in der Synagoge fingen an, miteinander zu tuscheln. Die meisten Stimmen, die Lieberman aufschnappen konnte, klangen nach Zustimmung.

»Nehmen wir einmal an, daß wir uns für diese schwerwiegende Veränderung entscheiden . . .«, fuhr Rabbi Wass fort. »Ich bin mir bewußt, daß man ausgiebig darüber diskutieren muß . . . Aber ich möchte euch alle daran erinnern, daß das Angebot der koreanischen Baptisten und der Preis für das Gebäude der *Fourth Federal Saving* nur eine begrenzte Zeit Gültigkeit haben. Wir müssen uns also schnell entschließen. Wir brauchen ein Spendenkomitee, das sich um die Finanzierung der Renovierungsarbeiten an unserm neuen Standort kümmert. Wir brauchen einen Vorsitzenden und . . .« Lieberman hatte die Nase voll. Dreißig Jahre lang hatte er kein Wort gesagt, weder während einer Predigt noch danach, aber Rabbi Wass war drauf und dran, das Ding durchzupeitschen.

Lieberman hob die Hand, sah Rabbi Wass in die Augen, und stand auf. Ida Katzman konzentrierte sich darauf, sich kein Wort entgehen zu lassen.

Lieberman wollte gerade loslegen, da spürte er, wie ihn jemand am Ärmel zupfte. Sicher war es Bess, die ihm zu verstehen gab, er solle sich hinsetzen und die Klappe halten. Aber jetzt war der Moment zu handeln. Er war Mister Smith, und der Kongreß würde ihn anhören. Rabbi Wass, der wie eine dickliche Version des Schauspielers Claude Rains aussah, würde ihm zuhören. Wieder spürte er das Zupfen und drehte sich um.

»Mister Lieberman, Telefon«, sagte ein alter, schwarzer Mann. Whitlock betrat den Gemeindesaal sonst nur, um zu putzen. Die Anwesenheit der Gemeinde war ihm sichtlich unangenehm. Alle starrten ihn an.

»Der Mann sagte, es ist ein Notfall«, erklärte Whitlock.

»Lisa!« stieß Bess hervor. »Es ist etwas passiert ...«

Lieberman und Bess folgten Whitlock zur Tür, und Lieberman hörte undeutlich, wie Rabbi Wass sagte: »Vielen Dank! Damit haben wir einen Vorsitzenden für das Renovierungskomitee.«

Die Gemeinde applaudierte.

»Mister Lieberman«, sagte Rabbi Wass. »Wenn Sie irgendwelche Hilfe benötigen, können Sie sich gerne jederzeit an mich oder ein Mitglied des Baukomitees wenden.«

Einen Moment lang blieb Lieberman am Eingang stehen, wollte protestieren, wurde aber von Bess weitergezogen.

Das Telefon stand im Büro des Rabbiners, einem holzgetäfelten Kabuff, dessen Regale mit dicken Büchern vollgestopft waren. Durch das Fenster blickte man auf den Parkplatz. Lieberman hielt den Hörer ans Ohr und nahm Bess' Hand.

»Lieberman.«

»Sie ist tot, Abe«, hörte er Hanrahan sagen.

»Lieberman sah seine Frau an.

»Sie?« wiederholte er.

»Estralda Valdez.« Bill Hanrahan hatte Mühe, den Namen richtig auszusprechen. Er war betrunken. »Ich denke, es ist besser, wenn du herkommst.«

»Es ist Bill«, sagte Lieberman und hielt die Sprechmuschel zu. »Die Frau, die Herschel erwähnt hat, ist tot.«

»Gott sei Dank«, sagte Bess und sank auf den Drehstuhl des Rabbiners. Dann merkte sie, was sie gesagt hatte. »Das wollte ich nicht ... Ich bin nur froh, daß Lisa und den Kindern nichts ...«

Lieberman tätschelte ihr sanft die Schulter.

»Wo steckst du, Bill?«

»Wo? In ihrem Apartment!«

Lieberman legte auf und nahm Bess' Gesicht in beide Hände.

»Ich muß weg«, sagte er. »Die Rosens werden dich nach Hause begleiten.«

Bess sah zu ihm auf und lächelte, ihre Augen waren feucht.

»Sprichst du morgen mit Lisa?«

»Ja. Ich spreche morgen mit Lisa. Du solltest ein paar Minuten hier sitzen bleiben, bevor du wieder reingehst!«

»Das werde ich tun«, antwortete Bess.

Draußen war es noch immer heiß. Auf dem Weg nach Hause, zu seinem Wagen, stieg Lieberman der Curry-Duft vom Bombay Restaurant in der California Avenue in die Nase. Vielleicht war es Zeit, sich zu überlegen, von hier wegzuziehen, aber er hatte keine Lust, darüber nachzudenken. Keine Lust, über die Probleme seiner Tochter nachzudenken oder darüber, daß er jetzt Vorsitzender des Renovierungskomitees der Synagoge war. Aber all das war noch besser als der Gedanke an Estralda Valdez' Tod. Er dachte an ihr letztes Zusammentreffen am Morgen. Schön war sie gewesen, gut gelaunt und voller Pläne. Neben ihm in der Nische hatte er ihren Körper riechen können. Er erinnerte sich daran, wie er sie zum ersten Mal gesehen hatte: schön, trotzig, und schlecht Englisch sprechend. Er war nicht darauf erpicht, sie jetzt noch einmal zu sehen.

Genau vier Minuten bevor Hanrahan Estralda Valdez' Apartment im sechsten Stock betrat, lag Jules Van Beeber betrunken und offenbar schlafend dicht neben Estraldas Leiche. Jemand, das wußte er, hatte ihm einen Drink gegeben und ihn damit lahmgelegt. Aber dieser Jemand kannte Jules Van Beebers Bedürfnisse nicht. Jules hatte sich erhoben, die Küche aufgesucht und den Großteil einer am Boden liegenden Flasche Scotch in sich hineingekippt. Danach war er, mehr als nur leicht desorientiert, durch Estraldas Wohnzimmer auf den Balkon getorkelt und hatte dabei eine kleine blaue Nachttischlampe mitgenommen. Die Nachtluft und die kräftige Brise, die vom Lake Michigan herüberwehte, hatten Jules zum Geländer gelockt.

Jules lehnte sich über die Brüstung und stürzte genau in dem Moment in die Tiefe, als Hanrahan durch die Tür kam. Dreimal überschlug sich Jules in der Luft, und das Kabel der Lampe machte wie ein Drachenschwanz jede Drehung mit. Dann landete er weich in einem Berg aus Müllsäcken, die mit Heu gefüllt waren.

Er lag zwischen grünen Plastiksäcken, die im Mondlicht glänzten, und sah hinauf zu den Sternen. Er lächelte sanft, dann war er weg.

Im selben Moment, in dem Jules Van Beeber über das Geländer fiel und Hanrahan durch die Tür kam, sperrte keine fünf Blocks entfernt der Barkeeper Ernest Ryan, der unter dem Namen Irish Ernie bekannt war, seine Kneipe auf der Clark Street ab. Er stolperte, fiel zwei Stufen hinunter und schlug, nüchtern wie ein Zeuge Jehovas am Tag seiner Geburt, mit dem Kopf gegen die Bürgersteigkante und war sofort tot. Die Wege des Herrn sind unergründlich.

Jules drückte im Schlaf die Lampe wie einen schützenden Teddybären an sich, hörte keine Einsatzwagen, keine Sirenen, keine Fernsehteams und keine Schaulustigen. Er träumte von einer Batterie gelber Flaschen, einem zornigen Mann, einem weichen Bett und einer schönen Frau, die in einer komischen Sprache mit ihm redete. Er sah die Frau nackt vor sich liegen, spürte, wie er zu einer Tür ging, wie ihm der Nachtwind um die Nase wehte und er die toten Fische vom Seeufer riechen konnte. Und wie er flog.

Die Müllsäcke, auf denen Jules Van Beeber gelandet war, lagen auf der Pritsche eines Trucks, der Sol Worth gehörte. Worth hatte eine Gartenbaufirma, die nach acht langen Jahren zum ersten Mal Gewinn abwarf, was einerseits daran lag, daß die Brüder seiner Frau nicht mehr als Rasenpfleger für ihn arbeiteten, und andererseits daran, daß er einen demokratischen Stadtrat bezahlte, der jetzt einigen Hochhäusern am Seeufer Druck machte, Sols Dienste in Anspruch zu nehmen.

Niemand war Augenzeuge von Jules wundersamem Nachtflug geworden, und als er Sol am nächsten Morgen seine Geschichte vorlallte, glaubte der ihm natürlich kein Wort. Die Einsatzwagen der Polizei waren verschwunden, und die Fernsehteams machten Aufnahmen von einem Riesenlachs, der beim Navy Pier angespült worden war. Nichts deutete darauf hin, daß sich nachts etwas Ungewöhnliches ereignet hatte.

»Vielleicht ist es eine Wunderlampe«, murmelte Van Beeber und sah verträumt auf seine Lampe, die er noch immer an sich preßte.

»Vielleicht breche ich dir beide Arme, wenn du noch mal auf meinem Truck pennst«, brüllte Worth, schmiß den Besoffenen von der Ladefläche und beschloß, seinen Truck nachts zukünftig mit nach Hause zu nehmen.

Sol mußte zwei koreanische Arbeiter abholen, um die Grünflächen von sieben Hochhäusern zu mähen. Als er losfuhr, sah er im Rückspiegel den Penner auf dem Bordstein sitzen und seine Lampe anstarren.

Als Sol verschwunden war, erhob sich Jules Van Beeber. Früher hatte er einmal einen Ansichtskartenladen in Holland, Michigan, besessen, aber da war etwas vorgefallen, woran er nicht gerne dachte. Dann lief er los Richtung Lawrence Avenue. Er erinnerte sich oder glaubte sich zu erinnern, daß es dort einen Pfandleiher gab. Er hatte eine Wunderlampe zu verkaufen und ein seltsames Märchen zu erzählen – wenn ihm nur jemand zuhören würde.

Sol konnte sich keinen Reim auf das Geschwätz des Penners machen, bis er am Abend nach Hause kam, mit leerem Truck, schmerzendem Rücken und heiserer Kehle. Er hatte den ganzen Tag mit seinem Schwager herumgeschrien, der zwar keinen Rasen mehr mähte, statt dessen aber im Büro saß und aufs Telefon aufpaßte. Während Sol schon am Wegdämmern war, schnitt seine Frau noch Sonderangebote aus verschiedenen Zeitungen und sah sich dabei die Zehn-Uhr-Nachrichten an. Sol hörte nur halb hin, als die blonde Reporterin von einer Frau sprach, die nur zwei Straßen weiter ermordet worden war. In dem Gebäude, vor dem er in der Nacht seinen Truck geparkt und am Morgen den Penner mit seiner völlig verrückten Geschichte entdeckt hatte.

Sol sprang auf, und die Coupons seiner Frau segelten durch die Luft. Sie schlug ihm verärgert gegen die Schulter, aber er spürte nichts.

»Ich glaube, ein Penner hat mir erzählt, daß er die Frau umgebracht hat.«

»Wirklich?«

»Direkt neben dem Gebäude. Hat es mir einfach erzählt. Und ich hab ihn laufen lassen!«

»Und jetzt?«

»Jetzt rufe ich die Bullen an.«

Zwei Stunden bevor Jules Van Beeber über das Geländer von Estralda Valdez' Apartment gestürzt war, hatte William Hanrahan Estralda angerufen, um sicherzugehen, daß sie zu Hause und daß alles in Ordnung war. Er hatte sie vom chinesischen Restaurant im Lakefront Motor Inn aus, gegenüber der Michigan Towers, angerufen. Vom Fenster des *Black Moon* hatte man tatsächlich eine gute Sicht auf den Haupteingang des Hochhauses. Aber es mußte mindestens zwei weitere Eingänge geben: einen zur Tiefgarage und einen zu den Versorgungsleitungen.

Estralda hatte ihm gesagt, alles sei in Ordnung, und Hanrahan hatte ihr versprochen, die ganze Nacht dazubleiben. Er hatte ihr gesagt, sie solle zum Fenster gehen, die Jalousien hochziehen und wieder runterlassen, damit er wußte, wo sich das Fenster befand. Als sie wieder am Apparat war, vereinbarten sie, daß sie die Jalousie nur hochziehen sollten, wenn sie Hilfe brauchte.

Dann hatte er der hübschen Chinesin, die ihn mit Reis und Schweinefleisch und einem doppelten Bourbon auf Eis versorgte, seine Marke gezeigt und gesagt, daß er an dem Tisch sitzen bleiben werde, bis das Restaurant schließe.

Auf den doppelten Bourbon folgte ein zweiter und die Bestellung eines Omelett Fu Yung. Gäste kamen ins *Black Moon* und gingen wieder. Hanrahan beobachtete, wie sie von dem schwarzen Pförtner gegrüßt wurden. Kein Verdächtiger war darunter. Er behielt Estraldas Fenster im Auge. Die Jalousie blieb unten.

Als der letzte Gast das Restaurant verlassen hatte, winkte Hanrahan die Chinesin zu sich.

»Bist du irisch?«

»Ja«, sagte sie verdutzt.

»Du bist irisch?« wiederholte Hanrahan und musterte die Frau, deren Alter er nicht schätzen konnte, genauer.

»Iris«, sagte sie. »Ich heiße Iris.«

»Dachte ich mir gleich, daß du nicht irisch bist«, sagte er und schielte nach seinem leeren Glas. »Iren und Chinesen haben viele Gemeinsamkeiten.«

Die Frau sagte nichts. Sie war nicht nur hübsch, sie war sogar außergewöhnlich hübsch, und er dachte, daß sie etwa so alt sein mußte wie seine Frau. Aber da lag er falsch, Iris war zehn Jahre älter als Maureen. »Willst du wissen, welche Gemeinsamkeiten sie haben, die Iren und die Chinesen?«

»Ja.« Iris lächelte den betrunkenen Polizisten an.

»Kinder«, sagte er. »Familie. Wir heiraten spät und bleiben zusammen. Wie die Chinesen.«

Ein Paar betrat die Eingangshalle des Hochhauses. Hanrahan warf einen flüchtigen Blick auf die andere Straßenseite. Ein paar Sekunden später hielt ein Taxi in der Einfahrt. Der Fahrer stieg aus und ging hinein.

»Aber heirate nie!« sagte Hanrahan. »Nie einen Iren! Bist du vereiratet?«

»Nein!«

»Schon mal mit 'nem Iren ausgegangen?«

»Nein«, antwortete sie und lachte verlegen. Auf die Idee war sie noch nicht gekommen.

»Hättest du Lust? Ich bin noch nie mit einer Chinesin ausgewesen. Ich meine, mit einer . . . Mit einer Siamesin schon, aber nie mit einer Chinesin. Zuviel Curry.«

Sie fing an, seinen Tisch abzuräumen, rief etwas auf chinesisch in die Küche, und die Stimme eines alten Mannes antwortete ihr – ebenfalls in chinesisch.

»Rufst du um Hilfe?« fragte Hanrahan und starrte aus dem Fenster.

Der Taxifahrer, der im Hochhaus verschwunden war, kam wieder raus, verstaute zwei Koffer im Kofferraum und setzte sich ans Lenkrad. Der Pförtner hielt einer Frau die Tür auf. Sie trug dieselben Kleider, die Estralda am Morgen angehabt hatte, und dazu einen Schlapphut mit breiter Krempe wie Diane Keaton in Woody Allens »Stadtneurotiker«. Sie stieg in das wartende Taxi und winkte Hanrahan zu. Hanrahan grüßte freundlich zurück.

»Ich versteh's nicht«, murmelte er. »Erst bittet sie uns um Hilfe, dann packt sie ihre Sachen und verschwindet.«

»Wer bittet um Hilfe?« fragte die Chinesin.

»Um Hilfe . . .«, wiederholte Hanrahan und sah hoch zu Estraldas Fenster. Die Jalousie war hochgezogen. Er sah zur

Einfahrt, erinnerte sich, daß das Taxi auf der Sheridan Richtung Süden gefahren war. Vielleicht war es aber schon auf dem Lake Shore Drive. Er sprang auf, ihm war leicht schwindlig.

»Ich habe mit meinem Vater gesprochen«, sagte Iris und errötete, was Hanrahan aber entging.

»Muß weg«, sagte Hanrahan. »Ich nehme eine Karte vom Restaurant mit. Ich ruf dich an.«

»Ich heiße Iris«, rief sie dem Polizisten hinterher, der auf dem Weg zur Tür eine Zwanzig-Dollar-Note auf die Theke warf und eine Karte einsteckte.

»Ich heiße William, und ich glaub, ich stecke bis zum Hals in der Scheiße.«

Iris sah ihm nach, wie er die Straße überquerte und auf das Hochhaus zutrabte. Sie fragte sich, ob er wohl anrufen würde und ob sie das wirklich wollte. Dann hörte sie die ärgerliche Stimme ihres Vaters aus der Küche und wußte, daß sie, wenn sie aufgeräumt und abgesperrt hatten, wie immer in ihr gemeinsames Apartment fahren würden und daß ihr Vater zu Hause Duftstäbchen anzünden und sich über die zu geringen Tageseinnahmen beklagen würde. Und dann, wenn er nicht zu müde war, würde ihr Vater noch eins seiner Charles-Bronson-Videos ansehen.

Iris war sich sicher: Sie wollte, daß der Ire sie anrief.

Hanrahan rannte über die Straße, aber Schnelligkeit war nicht seine Stärke, und nach zwei doppelten Bourbon schon gar nicht. Früher einmal war er der schnellste Läufer im Football-Team der Chicago Vocational Highschool gewesen. Dick Butkus, der ein paar Jahre nach »Hardrock« Hanrahan mit der Schule fertig geworden war, hatte ihm einmal beim Treffen der Ehemaligen gestanden, er sei sein Idol gewesen. Im letzten Schuljahr hatte sich Hanrahan beim Training das Knie verrenkt. Von einem Tag auf den anderen hatte er seine Schnelligkeit verloren. Und trotzdem war er mit einem Football-Stipendium an die Southern Illinois University gegangen. Er hatte sich Hoffnungen auf Notre Dame oder Illinois gemacht, aber selbst mit einem gesunden Knie wäre es bei diesem frommen Wunsch geblieben. Zwei Jahre saß er auf der Reservebank und hatte mit seiner Schnelligkeit auch seinen Spitznamen verloren. Mittlerweile waren fünfundzwanzig Jahre und drei Monate vergangen, seit Bill Hanrahan Carbondale verlassen hatte und wieder nach Chicago zurückgekehrt war. Er war in die Fußstapfen seines Vaters getreten und Bulle geworden – so, wie schon sein Vater und Großvater.

Aber damals das war die gute alte Zeit, und das hier die böse neue. Hanrahan hatte die erste Tür aufgestoßen und Ausweis und Marke hochgehalten, bevor der schwarze junge Mann in der Pförtneruniform etwas sagen konnte. Er, der seinem goldfarbenenm Namensschild zu Folge Billy Tarton hieß, wollte keinen Ärger.

»Valdez«, keuchte Hanrahan.

»Sechs-zehn«, antwortete der Pförtner und betätigte den Türöffner.

»Soll ich Sie anmelden?« fing Billy Tarton an, aber der Blick des stämmigen Polizisten ließ ihn verstummen.

Hanrahan stürmte in den Fahrstuhl und rempelte dabei fast drei Frauen um, die aussteigen wollten. Er drückte auf den Knopf, um die Lifttür zu schließen. Mit der linken steckte er seinen Ausweis weg, während er mit der rechten seine 38er Cobra aus dem Schulterhalfter zog.

Der Fahrstuhl hielt auf der Fünf. Ein alter Mann wollte einsteigen. Hanrahan hielt den Colt hinter sich und schob den Mann zurück. Zunächst sah es aus, als wollte der protestieren, aber dann sah er, daß der Besoffene im Aufzug eine Hand hinter dem Rücken hatte, und gab auf. Noch bevor die Tür im sechsten Stock ganz aufging, war Hanrahan draußen. Er hielt die Cobra im Anschlag und sah nach beiden Richtungen den Korridor hinunter.

Niemand zu sehen. Am linken Ende stand eine Tür offen,

aus der laut südamerikanische Musik drang und ein Lichtstrahl auf den Gang fiel. Der Aufzug gongte, und die Türen schlossen sich hinter ihm.

Hanrahan bewegte sich vorwärts, den Rücken dicht an der Wand, die Waffe auf die offene Tür gerichtet.

Als er den Eingang zu Estralda Valdez' Wohnung erreicht hatte, ließ er sich auf den Boden gleiten, die Kanone weiter auf die Tür gerichtet. Das kaputte Knie und die beiden doppelten Bourbon brachten ihn fast zur Strecke. Plötzlich hatte er Angst, umzukippen.

»Nicht jetzt!«, sagte er laut. »O Gott, bloß nicht jetzt!«

Musik dröhnte ihm entgegen. Schon vom Eingang sah Hanrahan so viel, daß es ihm den ohnehin angeschlagenen Magen umdrehte. Die 2-Zimmer-Wohnung hatte eine Kochnische gleich neben dem Eingang. Die Kühlschranktür stand weit auf, zerbrochene Flaschen, ein Glas Hellman's kalorienarme Mayonnaise, noch gefrorene Ministeaks und Eiswürfel lagen herum. Es war eine heiße Nacht, und Hanrahan schwitzte. Die Hängeschränke über der Spüle standen ebenfalls offen, Packungen waren aufgerissen. Michael Jordan grinste von einer Schachtel Cornflakes zu ihm herunter.

Hanrahans Hände waren feucht. Er wischte sie an seinem schweißnassen Hemd ab. Dann schob er sich am offenen Badezimmer vorbei, sah hinein. Auch hier standen die Schränke offen, Tablettenröhrchen und Flaschen lagen auf dem Boden und in der Wanne. Der Toilettendeckel war abgerissen, und die beiden Teile lagen zerbrochen in der Ecke. Die Schranktür neben dem Bad war offen, Stange und Regale leer. Kleider auf dem Boden, die Bügel guckten aus dem Haufen wie schwarze Rippen.

Die Stimme eines Mannes, die aus dem Radio oder vom Plattenspieler kam, sang immer und immer wieder *»Todos vuelven«*. Sie pochte in Hanrahans Schädel wie ein Migräneanfall.

Dann trat er ins Wohnzimmer und fand, was er vermutet und befürchtet hatte: Lampen am Boden, der Teppich umgedreht. Der Ecktisch mit gähnenden schwarzen Löchern, wo die Schubladen fehlten. Sie lagen daneben, kreuz und quer aufeinander gestapelt, der Inhalt im ganzen Raum verteilt. Ein roter BH hing von der Deckenleuchte. Und der Mann sang immer weiter, auch als Hanrahan das umgekippte Bett sah und die aufgeschlitzte Matratze. Er ging um das Bett herum und blieb vor der Matratze stehen.

»Heilige Maria«, seufzte er und bekreuzigte sich. Mit seiner freien Hand hob er die Matratze an und starrte auf den nackten Körper von Estralda Valdez.

In seinen vierundzwanzig Jahren als Bulle hatte Hanrahan schon so manche Leiche gesehen, und seine Reaktion war immer die gleiche gewesen. Etwas in ihm leugnete das, was er sah. Der tote Körper lag vor ihm, aber einen Moment lang hatte das keine Bedeutung. Dann war der Moment vorüber, und seine Eingeweide krampften sich zusammen. Es war ihm zum Heulen zumute, aber wenn andere dabei waren, mußte er so tun, als sei ihm der Tod gleichgültig. Sein Vater hatte ihm einen Trick verraten, um diese ersten Sekunden zu überstehen.

»Du darfst sie dir nicht als Menschen vorstellen«, hatte ihm Liam Hanrahan geraten. »Stell sie dir als identische Doppelgänger vor, die ihnen bis aufs Haar gleichen. Gott hat die echten zu sich geholt und an ihrer Stelle diese verblüffend ähnlichen Zwillinge geschaffen. Was du siehst, ist ein Beweis, den Gott der Polizei gibt, um die Mörder vor ihren irdischen Richter zu bringen, bevor sie Ihm gegenübertreten müssen. Auf diese Weise bleibst du gesund und machst keine Dummheiten.«

Mehr oder weniger hatte dieser Trick funktioniert. Wenn Hanrahan eine Leiche sah, bekreuzigte er sich gehorsam. Einmal hatte er eine Familie mit einem Baby gesehen, die bei einem Kampf zweier rivalisierender Gangs in Stücke gerissen worden war. Er hatte die Leiche eines Mannes gesehen, der seine Frau immer wieder mißbraucht hatte und der von ihr, als sie es nach zehn Jahren nicht mehr ertragen hatte, mit Zähnen und Nägeln zerfleischt worden war. Er hatte ... Hanrahan hielt inne, als er plötzlich merkte, daß die Frau vor ihm noch lebte. Gott hatte sie nicht ersetzt. Seine Schutzvorstellung funktionierte nicht mehr. Blut floß aus ihren Wunden, und ihre Wunden waren zahlreich und tief.

Hanrahan steckte die Waffe weg und kniete sich neben sie.

»Ich hole Hilfe«, sagte er, während die spanische Stimme immer weiter sang. Er griff nach einer Decke und legte sie über Estralda.

Ihr Kopf war zur Seite gedreht, aber ihre Augen sahen ihn an, als wollten sie sagen: »Wo warst du?«

Er wußte keine Antwort darauf.

»Ich hole Hilfe«, wiederholte er.

Ihre Lippen bewegten sich. Vielleicht war es ein Atemzug, vielleicht der Versuch zu sprechen. Aber er konnte nichts verstehen.

»Das Telefon«, sagte Hanrahan und fing zu suchen an. »Das Telefon!«

Er fand es auf dem Boden, neben dem Bett. Die Musik hatte plötzlich aufgehört. Hinter sich hörte er ein Geräusch, und er wußte: Es war der Tod. Er bekreuzigte sich, sah sich aber nicht um. Er erledigte seinen Anruf, gab die Adresse an, die Art der Wunden, und daß es sich um Fremdeinwirkung handelte. Er wußte, daß es jetzt auch Mord war, aber er ließ trotzdem die Sanitäter kommen. Für einen Abend hatte er genug Fehler gemacht.

Dann versuchte er, Lieberman zu erreichen. Beim zweiten Mal, in der Synagoge, hatte er Erfolg. Als er aufgelegt hatte, ging er zum Spülstein, drehte mit Hilfe eines Löffels – um keine Fingerabdrücke zu verwischen – das Wasser an und ließ es sich über die Hände laufen. Er tauchte den Kopf unter den Hahn und spürte, wie ihm das Wasser über Hals und Kinn lief. Es half nicht. Er griff nach den schmelzenden Eiswürfeln und rieb sie sich übers Gesicht. Eine Sekunde – und keinen Moment länger – wollte er nach einer Flasche suchen, nach irgendeiner Flasche, und einen Schluck nehmen, um wieder zu sich zu kommen und das durchzustehen, was ihn jetzt erwartete. Er entdeckte eine umgekippte Flasche Scotch ohne Verschluß, ihr gelber Inhalt tropfte zu Boden. Eine Stimme sagte ihm, daß ein Drink jetzt keine gute Idee war, und Hanrahan hörte auf sie.

Er drehte den Wasserhahn zu und stieg über die Trümmer zum kleinen Balkon. Der Vollmond stand am Himmel, ein weißer, glühender Ball, der einen breiten Strahl auf den gekräuselten See warf. Es sah wunderschön aus, aber Hanrahan war nicht in der richtigen Stimmung. Er lehnte sich übers Geländer und sah auf den Verkehr hinunter. In einem benachbarten Hochhaus war eine Party in vollem Gang. Direkt unter ihm stand ein Truck mit einer grün glänzenden Ladung. Jules Van Beeber, der unter drei dieser Müllsäcke an seine Lampe gekuschelt lag, sah er nicht. Van Beeber schlief und träumte von einer nackten Frau, die mit ihm gesprochen und ihm etwas geschenkt hatte. Plötzlich hörte Hanrahan ein Geräusch. Sofort hatte er die Waffe raus und auf die Tür gerichtet. Auf die Person, die er jetzt am allerwenigsten sehen wollte: Captain Dale Hughes. Hughes stand da, sah sich den Tatort an, sah sich Hanrahan an und fluchte: »Was zum Teufel geht hier eigentlich vor?«

3

Lieberman parkte in der Einfahrt der Michigan Towers zwischen einem blinkenden Krankenwagen und einem blauweißen Fahrzeug der Chicago Police, stieg aus, schloß ab und ging auf die Eingangshalle zu. Ein uniformierter Polizist namens Clevenger sprach mit dem Pförtner, der betont cool wirken wollte, damit aber genau das Gegenteil erreichte.

»Sechs-zehn«, sagte Clevenger, als er Lieberman entdeckte.

»Ich weiß.« Lieberman ging an ihm vorbei durch die zweite Tür des Foyers, die jetzt offen stand. Er war noch nie in Estralda Valdez' Apartment gewesen. Sie hatte nicht sehr lange dort gewohnt, aber er hatte ihre Adresse, Apartment- und Telefonnummer in seinem Buch notiert. Und er war sich sicher, daß er keine dieser Nummern je vergessen würde.

Lieberman marschierte direkt durch das mit Teppichboden ausgelegte Foyer auf den Fahrstuhl zu. Gerade wollte er auf den Knopf drücken, da öffneten sich die Türen, und zwei Männer, beide Mitte zwanzig, in kurzärmeligen blauen Kitteln, schoben eine Bahre heraus. Sie hatten es nicht eilig. Die Tür des Aufzugs schloß sich hinter ihnen, und Lieberman trat ihnen in den Weg.

»Sind Sie ihr Rabbi?« fragte der vordere und sah Lieberman ins Gesicht.

»Ihr . . .« Lieberman griff nach oben und merkte, daß er die Kippa noch auf dem Kopf trug. Er nahm sie ab und steckte sie in die Tasche.

»Nein.«

Lieberman hielt dem Mann seine Dienstmarke unter die Nase. Dann zog er den Reißverschluß des Plastiksacks auf und sah Estraldas weißes Gesicht. Die Sanitäter ließen ihn gewähren.

Ein Ehepaar in Abendkleidung kam aus der Tür neben dem Aufzug, die zur Tiefgarage führte. Die Frau machte eine Bemerkung über Genevieve, worauf ihr Mann lachte. Als sie die Bahre bemerkten, verstummten sie. Lieberman hielt inne, aber das Paar verschwand im Treppenhaus, statt auf einen anderen Aufzug zu warten. Dann zog Lieberman den Sack ganz auf. Er besah sich Estraldas Wunden, und die Worte des Kaddisch, des Totengebets, fielen ihm ein. Einen Moment lang schloß er die Augen, öffnete sie wieder und gab den Sanitätern mit einem Kopfnicken zu verstehen, sie könnten sie wegbringen.

Lieberman stieg in den Aufzug, drückte auf die Sechs und fuhr hoch.

». . . vierzig neue Bullen, alle Dienstgrade«, hörte er eine Stimme, die aus Estralda Valdez' Apartment kam.

Die Stimme gehörte einem uniformierten jungen Polizisten, auf dessen Namensschild Witten stand. Witten stand direkt hinter der Tür, die Arme verschränkt, ohne Mütze. Er redete auf einen Mann von der Spurensicherung ein, den Lieberman kannte, dessen Namen er sich aber nicht merken konnte. Er steckte unter der Spüle und nahm Fingerabdrücke von der Unterseite der Abdeckung.

»Und nicht nur in Tampa, sondern auch in Orlando«, fuhr Witten fort. »Florida boomt. Top-Gehälter und gute Altersvorsorge.«

Witten sah Lieberman an, erkannte ihn und ließ ihn durch. An Witten vorbei, konnte Lieberman hinten im Wohnzimmer Hanrahans Rücken und Captain Hughes Gesicht sehen, die Köpfe zusammengesteckt. Hanrahan ließ die Schultern hängen.

»Hughes quetscht gerade Ihren Partner aus«, murmelte der Typ von der Spurensicherung, ohne aufzusehen. »Passen Sie auf, wo Sie hintreten. Da liegt alle mögliche Scheiße rum.«

Lieberman stieg vorsichtig über den Schutt im Wohnzimmer Richtung Balkon. Hinter sich hörte er Officer Witten: »Also, wie ich gesagt habe, warum soll man sich auch nur noch ein einziges Mal durch den Winter quälen. Man muß seine Chance nutzen, und was kann ich schon verlieren, wenn ich ein paar Urlaubstage darauf verwende, mich in Florida zu bewerben?«

Vor sich hörte Lieberman die Stimme von Captain Dale Hughes: »Bist du jetzt nüchtern genug, um hier mitzuhelfen?«

»Ich war nicht betrunken«, antwortete Hanrahan gelassen.

»Du warst nicht ...«, sagte Hughes und hörte auf zu lachen und in die Nacht zu glotzen.

Hughes war schwarz und von massiver Gestalt. Er war schwerer als Hanrahan, hatte aber nicht dessen Bauchansatz. Lieberman kannte Hughes jetzt fast schon dreißg Jahre. Sie hatten zusammen angefangen, aber Hughes war ehrgeiziger und hatte mehr politisches Geschick. Außerdem war er, das erkannte Lieberman neidlos an, ein guter Polizist. Es hieß, jeden Morgen vor der Arbeit verbringe Hughes eine Stunde im Kraftraum. Lieberman wußte nicht genau, wo er das gehört hatte, aber er glaubte es. Hughes war nie unrasiert und trug immer Jacke und Krawatte. Dale Hughes stand für große Aufgaben zur Verfügung, in der Politik oder bei irgendeinem Fernsehsender.

»Lieberman«, kläffte Hughes. »Was zum Teufel geht hier vor?«

Hanrahan drehte sich zu Lieberman um und machte eine abfällige Handbewegung.

»Die Frau ist tot«, sagte Lieberman und trat auf den Balkon.

»Das weiß ich auch«, sagte Hughes. »Erzählen Sie mir lieber, was ich nicht weiß! Verraten Sie mir, wieso Sie beide das Gebäude beobachtet haben! Verraten Sie mir, wer Ihnen das Okay gegeben hat, einer stadtbekannten Nutte Personenschutz zu geben! Verraten Sie mir, wie Sie vor den Augen Ihres Partners ermordet werden und der Mörder abhauen konnte! Verraten Sie mir, wie ich Golluber und den Fernsehfritzen gegenübertreten soll, wenn die mir diese Fragen stellen? Ich weiß nicht, was los ist, und meine eigenen Leute haben mir die Scheiße eingebrockt!«

»Es ist eine schwere Last, die Sie zu tragen haben«, sagte Lieberman mit ernster Stimme.

»Was soll das denn sein? Chassidischer Humor?« Hughes strich sich mit dem Handrücken über die Krawatte. »Halt mich nicht für blöder, als ich bin, Abe! Du weißt genau, wer in diesem verdammten Haus wohnt!«

»Ja. Genau eine Person weniger, als vor einer Stunde«, sagte Lieberman mit einem Blick ins Wohnzimmer.

»*Ich* wohne in diesem Haus«, schrie Hughes. »Meine Frau und ich. Zwei meiner Leute observieren das Haus, in dem ich wohne, und ich weiß nichts davon!«

Er schüttelte den Kopf, kam auf Lieberman zu und funkelte ihn böse an.

»Wir haben das nicht in unserer Dienstzeit gemacht«, sagte Lieberman, »sondern in unserer Freizeit. Estralda Valdez war eine Informantin. Morgen wollte sie die Stadt verlassen. Wir sollten ein bißchen auf sie achtgeben, wegen eines verrückten Kunden.«

»Ich glaub, ich hab's verstanden.« Hughes sah seine beiden Leute scharf an. »In unserer Freizeit bieten wir Prostituierten kostenlos Personenschutz an. Wißt ihr, was die Zeitungen darüber schreiben werden? Wißt ihr, was dieser kleine Glaubensbruder von dir, dieser Rosenberg, im Fernsehen sagen wird? Er wird sich laut fragen, ob Estralda Valdez euch nicht für ihren Schutz entlohnt hat.«

»Nein, wird er nicht«, sagte Lieberman, stellte sich neben Hanrahan und starrte in die Tiefe. Er sah den Truck von Sol Worth inmitten der anderen Wagen und hatte den Eindruck, daß sich die Plastiksäcke bewegten.

»Wird er nicht!« nahm Hughes den Faden wieder auf.

»Ich kenne Walter Rosenberg und seine Familie, seit er sechs ist«, sagte Lieberman. »Wir waren auf seiner Bar-Mizwa. Meine Tochter Lisa war eine Weile mit ihm befreundet. Er wird nie glauben, daß ich Geld angenommen habe. Er ist ein anständiger Kerl. Bei Allen vom Kanal Sieben bin ich mir da nicht so sicher.«

Larry Allen, ein Schwarzer, war Nachrichtenchef bei Kanal Sieben. Larry Allen haßte den Bürgermeister, den Feuerwehrchef, den Polizeichef, jede Stadträtin und jeden Stadtrat und ganz besonders Captain Dale Hughes, weil der Allens Bruder einmal irrtümlich als Vergewaltiger festgenommen hatte.

»Es ist völlig klar, was Allen machen wird«, sagte Hughes. »Die Frage ist: Was machen wir?«

»Ich hab's dem Captain schon erzählt«, sagte Hanrahan. »Kurz bevor ich hier hochkam, ist eine Frau in Estraldas Kleidern in ein grünweißes Taxi gestiegen. Der Fahrer war oben, um ihre Sachen zu holen.«

Liebermans Partner sah nicht gut aus. Hughes hatte unrecht, Hanrahan war nicht mehr betrunken, und er hatte auch keinen Kater. Er bemitleidete sich selbst und fühlte sich schuldig. Lieberman sah ihn nicht zum ersten Mal in dieser Verfassung.

»Witten hat beim Taxiunternehmen angerufen«, sagte Hughes.

»Die prüfen das nach. Viel los heute nacht. Du und Hanrahan, ihr könnt mit den Nachbarn reden, Clevenger hat sich den Pförtner vorgeknöpft. Was haben wir bisher?«

»Sie hat erst seit drei Monaten hier gewohnt«, sagte Lieberman. Er sah sich noch einmal um: Die Wohnung war ein Schlachtfeld.

»Sie hat nicht hier gelebt«, erklärte Hughes und zeigte mit der rechten Hand aufs Bett. »Sie hat hier gearbeitet. Alles ist neu. Sieht aus, als hätte sie die Nächte hier verbracht, aber woanders gewohnt. Schau dich um, was meinst du?«

»Ich seh's genauso«, mußte Lieberman zugeben.

»Jemand hat hier was gesucht«, fuhr Hughes fort und fing an, im Wohnzimmer rumzulaufen. »Und er oder sie haben es nicht gefunden, was, Lieberman?«

»Sie haben es nicht gefunden«, gab ihm Lieberman recht. Wenn der Mörder gefunden hätte, wonach er suchte, hätte sich die Wohnung wahrscheinlich nicht in einem solchen Zustand befunden. Ein Teil der Zerstörung war mutwillig, und Estraldas Leiche sah aus, als habe der Killer versucht, sie zum Reden zu bringen. Außerdem war er, indem er so lange geblieben war und so viel Lärm gemacht hatte, ein großes Risiko eingegangen. Nein, wer immer es war, hatte wahrscheinlich nicht gefunden, wonach er suchte. Hughes hatte recht.

»Wonach haben sie gesucht, Abe? Drogen? Hat sie was gesagt?«

»Ein Buch«, sagte Hanrahan.

»Eine Kundenliste«, präzisierte Lieberman.

Hughes sah von einem zum anderen. »Schwachsinn«, sagte er. »Niemand würde so was tun, nur weil sein Name im Notizbuch einer Nutte steht!«

Hughes warf seinen beiden Kollegen einen wütenden Blick zu und betrachtete dann eingehend Liebermans unbewegliche Miene.

»Naja, vielleicht habt ihr recht«, gab Hughes widerwillig zu. »Hanrahan, sind Sie soweit okay, daß Sie an ein paar Wohnungstüren klopfen können?«

»Ist er«, antwortete Lieberman.

»Ich hab deinen Partner gefragt, Abe! Das einzige, was seinen Arsch retten kann, ist, daß er nicht im Dienst war.«

»Ich kann an Türen klopfen«, sagte Hanrahan. Er stieß sich vom Balkongeländer ab und kam in die Wohnung.

»Dann tun Sie das«, sagte Hughes. »Vielleicht können wir ja

die Öffentlichkeit raushalten. Hure ermordet! Ist nichts Besonderes. Vielleicht interessieren sich die von der Presse und vom Fernsehen gar nicht dafür.«

»Nichts Besonderes«, sagte Lieberman leise vor sich hin.

Hughes stocherte mit dem Schuh nach einem pinkfarbenen Slip.

»Sie ist mir ein paar Mal über den Weg gelaufen. Gutaussehende Frau. Gibt nicht so viele davon – Huren oder andere. Und draußen rennt einer frei rum, der sie ausknipst. Du hast den Fall, Lieberman! Wenn es soweit kommt und du den Leuten von der Presse Lügen erzählen willst, dann tu das! Aber halt mich auf dem laufenden. Und vor allem, mach es schnell und leise, damit wir es bald hinter uns haben. Den ganzen Medienscheiß kriegt ihr auf den Tisch. Ihr habt ihn euch redlich verdient!«

»Wir wissen dein Vertrauen zu schätzen«, sagte Lieberman.

»Ich geh jetzt nach Hause«, sagte Hughes. Ich wohn im dritten Stock, drei-null-acht. Klingelt nicht bei mir! Verschont mich mit euren Problemen! Ich erwarte euch morgen um zehn in meinem Büro. Mit Ergebnissen!«

»Ich muß morgen um neun zum Tauglichkeits-Check«, sagte Lieberman. »Ich weiß nicht, ob ich rechtzeitig . . .«

»Dann kommt ihr danach. Gleich danach! Scheiße, wir wollten das Apartment verkaufen. Wenn das publik wird, will hier nicht mal mehr einer zum Scheißen reinkommen.«

Hughes marschierte an Witten und dem Mann von der Spurensicherung vorbei und verließ die Wohnung.

»Der Mann hat Charme«, sagte Lieberman. »Das muß man ihm lassen.«

»Ich hab Scheiße gebaut, Rabbi«, sagte Hanrahan. »Sie hat mir das Zeichen gegeben, aber ich war sturzbesoffen und habe die Bedienung im *Black Moon* angebaggert.«

Lieberman setzte sich auf ein freies Stück Matratze und griff zum Telefon.

»Du hast recht, Father Murphy«, sagte Lieberman. »Du hast Mist gebaut. Wir setzen es auf die Liste mit all der Scheiße, die wir im Lauf der Zeit gebaut haben. Meine mitgerechnet, auch den Fall Mideano im letzten Jahr, erinnerst du dich? Dann teilen wir das durch das Alter meiner Enkelin und addieren die Meilen von hier bis Kankakee, und was kommt dann raus?«

»Eine tote Frau«, sagte Hanrahan.

»Und was machen wir?«

»Wir finden das Schwein«, sagte Hanrahan, als Lieberman schon die Telefonnummer eintippte.

»Bess, ich bin's. Ich komme spät, falls ich überhaupt komme. Willst du Kitty anrufen und fragen, ob sie die Nacht bei dir bleiben kann?«

»Ich habe schon Gesellschaft«, sagte Bess. »Lisa und die Kinder waren hier, als ich nach Hause kam. Lisa hat Todd verlassen. Sie will mit dir sprechen!«

»Es ist ein ungünstiger Zeitpunkt«, sagte Lieberman.

»Gibt es einen günstigen Zeitpunkt für solche Gespräche?« Ihre Stimme klang traurig. »Sie ist deine Tochter!«

»Gib sie mir!«

»Dad?« sagte Lisa, als sie gleich darauf ans Telefon kam.

»Erinnerst du dich noch, als deine Freundin Mary weggezogen ist?« fragte Lieberman.

»Meine Freundin Ma ... Du meinst Miriam«, sagte Lisa. »Da war ich neun oder zehn. Was hat das damit zu tun?«

»Ich weiß es nicht«, sagte Lieberman. »Es fiel mir gerade so ein. Willst du einen Rat, den du nicht befolgen wirst, oder lieber reden, und ich höre dir zu?«

»Ich glaube, ich will lieber reden«, sagte sie.

»Hat das Zeit, bis ich zu Hause bin? Ich sitze in dem verwüsteten Apartment einer Frau, die vor einer Stunde ermordet wurde. Ich würde gerne losziehen und ihren Killer finden, bevor ich nach Hause komme, um die Ehe meiner Tochter zu retten.«

»Du kannst meine Ehe nicht mehr retten«, sagte Lisa, und es klang endgültig.

»Entschuldige, ich meine natürlich, bevor ich nach Hause komme, um mir die sehr guten Gründe meiner Tochter anzuhören, warum sie ihren Mann nach mehr als dreizehn Jahren Ehe verläßt.«

»Vierzehn Jahre an unserem nächsten Hochzeitstag«, sagte Lisa.

»Am sechsten September«, sagte Lieberman.

»Am sechzehnten Mai, Dad«, sagte Lisa seufzend. »Wir haben im Frühling geheiratet. Du hast die Hochzeit bezahlt. Du müßtest dich daran erinnern. Am sechsten September hat Melisa Geburtstag.«

»Ja, ich erinnere mich. Mord schlägt sich mir manchmal aufs Gedächtnis.«

»Mach keine Witze, Dad«, sagte Lisa.

»Ich werde keine Witze machen«, versprach ihr Lieberman. »Ich rede mit dir, wenn ich nach Hause komme. Aber warte nicht auf mich! Sind die Kinder okay?«

»Nein«, sagte Lisa. »Wie sollten sie auch okay sein?«

»Wir reden später«, sagte Lieberman und legte auf. Er sah seinen Partner an, aber Hanrahan zeigt nicht das geringste Interesse für den Anruf.

»Lisa hat Todd verlassen«, sagte Lieberman.

»Meine Söhne könnten sich fünfmal scheiden lassen und wieder heiraten, und ich würde es nicht einmal mitkriegen«, sagte Hanrahan. »Du kannst froh sein, daß deine Tochter und die Enkel in derselben Stadt wohnen.«

»Ich bin froh«, sagte Lieberman. »In was für einem Taxi ist die Frau weggefahren, die Estraldas Kleider anhatte?«

»Grün und weiß«, sagte Hanrahan. Er sah auf die Stelle am Boden, wo die Leiche gelegen hatte.

Lieberman zog ein rotes Notizbuch aus der Jackentasche und wählte eine Nummer.

»Hallo, ich will Leo Gedvilas sprechen«, sagte Lieberman. »Leo? Abe Lieberman ... Wieso fünf Scheine? Ich rufe nicht wegen der fünf Dollar an. Ich kann mich nicht erinnern, daß du mir fünf Dollar schuldest. Eins von deinen Taxis hat eine Frau abgeholt, vier-vier-vier-fünf Lake Shore Drive um ...«

Lieberman sah Hanrahan an, der immer noch auf den Fleck starrte, wo er Estralda Valdez gefunden hatte.

»Viertel nach elf«, sagte Hanrahan.

»Viertel nach elf«, wiederholte Lieberman. »Jetzt ... Er sucht.«

Hanrahan stöhnte und drehte sich zu Lieberman um – das erste Zeichen von Interesse. Drüben unter der Spüle schrie der Typ von der Spurensicherung: »Rühr das nicht an!« Und Officer Witten antwortete kleinlaut: »Okay, okay.«

Nach zwei Minuten war Leo Gedvilas wieder in der Leitung.

»Abe? Der Fahrer war ein Typ aus dem Süden, Name Francis Dupree. Hab gerade über Funk mit ihm gesprochen. Er erinnert sich. Rothaarige Frau. Hat nichts geredet, außer daß er sie zur Ecke Lawrence und Broadway fahren sollte. Sie hat gezahlt, ist ausgestiegen und weggegangen.«

»Frag ihn, ob er sie wiedererkennen würde«, sagte Lieberman.

»Hab ich schon. Was glaubst du eigentlich, was ich hier mache? Er meint eher nicht. Großer Schlapphut, Sonnenbrille. Elf Uhr nachts. Er glaubt, sie hatte irgendwas eingeworfen. Wenn du mich fragst, unter uns, ich glaube, *Francis Dupree* hat heute nacht was eingeworfen.«

»Wer hat ihn gerufen, Leo?« fragte Lieberman und blickte Hanrahan an.

»Hab ich gerade nach gesucht, während wir quatschten. Ich hab's im Computer gefunden. Hier ist es: Der Anruf kam von vier-neun-zwei-null-neun-neun-neun. Name des Kunden war Valdez. Dupree hatte gerade einen Fahrgast ein paar Häuserblocks weiter auf der Foster abgesetzt.«

Lieberman betrachtete den Hörer in seiner Hand. Die Nummer war: 492-0999.

»Kannst du rauskriegen, ob der Anrufer eine Frau oder ein Mann war?«

»Wenn sich die in der Zentrale dran erinnern«, sagte Gedvilas. »Aber bei fünfzig Anrufen in der Stunde . . .«

»Danke, Leo. Wir würden gerne mit Francis Dupree sprechen. Also schmeiß ihn nicht gleich raus!«

»Wir schmeißen niemanden raus«, sagte Gedvilas. »Wir brauchen die Fahrer. Themawechsel! Ich habe dir geholfen. Jetzt hilfst du mir. Wie wär's dieses Jahr mit einer Spende für die Aktion von St. Anthony ›Kinder in Not‹?«

»In Ordnung, Leo. Schreib mich mit fünf Dollar in die Liste. Dann nimm das Geld aus der Hosentasche, steck's in den richtigen Umschlag und behalte mich in guter Erinnerung!«

»Du hast vielleicht Humor, Abe«, sagte Gedvilas lachend. »Dupree wohnt vier acht fünf eins North Kedzie.«

»Grüß mir deine reizende Frau«, sagte Lieberman und schrieb Duprees Adresse in sein Notizbuch.

»Geht klar«, sagte Gedvilas, und Lieberman legte auf.

»Der Anruf kam von hier«, sagte Lieberman und erhob sich. »Der Fahrer hat sie zur Ecke Lawrence und Broadway gebracht. Zehn Straßen von hier, Uptown Chicago.«

Hanrahan blickte auf ein zerknittertes Bild an der Wand. Der Holzrahmen baumelte über dem Teppich wie eine steife, tote Schlange.

»Für mich sieht das nicht nach einer Frau aus«, sagte Hanrahan.

»Soll ich das mal meiner Tochter erzählen?« fragte Lieberman seufzend. »Sexistische Bemerkungen, daß Frauen zu solch mutwilliger Zerstörung und brutalem Mord nicht fähig sind?«

»Abe«, sagte Lieberman. »Es war ein Mann. Du weißt es, ich weiß es, Hughes weiß es.«

»Okay«, sagte Lieberman und ging zur Tür. »Laß uns mal bei den Nachbarn klingeln.«

Hanrahan und Lieberman waren schon im Flur, da schwärmte Witten noch immer vom goldenen Florida.

Lieberman nahm sich die geraden, Hanrahan die ungeraden Zahlen vor. Als sie bei der ersten Wohnung klingelten, war es fast Mitternacht.

»Wer sind Sie?« hörte Lieberman eine ängstliche Frauenstimme.

»Polizei!«

»Wer?« fragte die Frau zurück.

»Polizei. *Die* Polizei. Ich bin Inspektor Lieberman vom Chicagoer Police Department. Ich würde Ihnen gern ein paar Fragen stellen.«

»Ich bin alleine«, sagte die Frau.

»Das tut mir aufrichtig leid.«

»Ich habe keinen Besuch.«

»Sehr löblich.«

»Aber ich habe einen sehr großen Hund.«

»Das ist gut«, sagte Lieberman. »Können wir uns kurz unterhalten?«

Die Tür wurde einen Spalt geöffnet. Die Kette war vorgelegt. Lieberman sah eine winzig kleine Frau in einem blauen Kleid.

»Weiter mache ich nicht auf«, sagte sie. »Mein Hund steht direkt neben mir.«

»Dann können Sie sich ja sicher fühlen«, sagte Lieberman. »Tut mir leid, Ihnen das mitteilen zu müssen, aber nebenan ist ein Unfall passiert. Bei Miss Valdez. Haben Sie irgend etwas gehört, Miss ...?«

»Mrs. Warnake«, sagte die Frau. »Klar hab ich was gehört. So ein Krach! Sachen wurden geworfen. Meine Katze ist davon aufgewacht.«

»Sie meinen Ihr Hund.«

»Mein Hund«, verbesserte sie sich.

»Haben Sie Stimmen gehört? Oder verstanden, was geredet wurde?«

»Musik. Lärm«, sagte sie. »Es tut mir leid, wenn ihr etwas passiert ist. Aber ich beschwere mich lieber morgen früh bei Mister Silver.«

»Sie ist tot!«

»Oh«, machte sie.

»Haben Sie Leute gesehen, die sie besucht haben?«

»Ich gehe um zehn ins Bett«, sagte Mrs. Warnake. »Ich sehe mir Johnny an. Und dann schlafen Caroline und ich ein und scheren uns nicht um das, was andere Menschen tun.«

»Caroline?«

»Meine ... mein Hund.«

»Ungewöhnlicher Name für einen großen Hund«, sagte Lieberman.

»Das gehört zur Tarnung. Wurde sie ermordet?« fragte Mrs. Warnake.

»Ja.«

»Sie haben gesagt, es war ein Unfall. Ein Mord ist aber kein Unfall.«

»Sie sind in Sicherheit«, sagte Lieberman. »Ein Polizist paßt die ganze Nacht auf. Wir sind überzeugt, daß es etwas Privates war und der Mörder schon lange weg ist.«

»Das ist ja sehr beruhigend. Ich werde nicht in diesem Haus bleiben«, sagte Mrs. Warnake, und damit schloß sie die Tür.

Der Rest von Liebermans Reise durch die geraden Nummern brachte ihm eine Reihe von Informationen, die er um Viertel vor eins im Foyer des Gebäudes an Hanrahan weitergab: In fünf Wohnungen war niemand zu Hause, zumindest wurde ihm nicht geöffnet. Ein Mann namens Martin Franklin mit verbitterten Gesichtszügen und einer Teilglatze kannte Estralda immerhin vom Sehen. Und er war der Meinung, daß jemand, der so rumlief wie sie, genau das verdient hatte – was es auch sei. Seine Frau war derselben Meinung. Mrs. Yavonovitch im Apartment 620 war Ende Fünfzig, sehr einsam und hatte eine Menge Kekse, die sie mit Lieberman teilen wollte. Mrs. Yavonovitch erinnerte sich nicht an Estralda Valdez, war aber Inspektor Lieberman und der Polizei ganz allgemein sehr dankbar.

Hanrahan hatte etwas mehr herausgefunden, obwohl er ebenfalls fünf Nieten dabei hatte. Er las Lieberman seine Notizen vor: ein Mann names Culp, der wirklich einen Hund hatte und keine Scherereien mit der Polizei wollte, drei Damen, alle zwischen sechzig und siebzig, die in einer Sprache redeten, die Hanrahan als »Skandinavisch« identifizierte. Ein englisches Wort wollte ihnen nicht über die Lippen. Der Erfolg kam mit Apartment 619.

»Das Ehepaar war im Kino und danach essen gewesen. So um halb zehn sind sie wieder nach Hause gekommen«, sagte Hanrahan und strich sich übers Kinn. Hanrahans Gesicht wurde zusehends stoppeliger. Er sieht aus wie Edward G. Robinson am Schluß von *Der kleine Cäsar,* dachte Lieberman. Aber er bemerkte auch den begeisterten Unterton in Hanrahans Stimme. »Beide haben einen schmuddeligen Typen in einem langen Mantel gesehen. Einen Säufer, hier aus der Gegend. Sind ihm begegnet, als sie den Müll rausgebracht haben. Die Frau sagt, sie hat den Pförtner angerufen, als sie wieder in der Wohnung waren. Ich hab schon mit Clevenger geredet und mit dem Pförtner, Billy Tarton.«

Hanrahan machte eine Pause und sah Lieberman an. Ein gutes Zeichen: Father Murphy wartete auf eine Reaktion seines Publikums.

»Und der Fall ist gelöst, Bill«, sagte Lieberman.

»Nicht ganz, aber ich habe einen Namen: Jules, der Walker. Hängt bei den Hochhäusern hier rum, geht rein, wenn jemand die Tür offenläßt, sucht sich ein lauschiges Plätzchen, meistens ein Auto in der Tiefgarage. War nicht zum esten Mal hier. Der Pförtner sagt, er hat einen Nachtwächter hochgeschickt. Hat Jules aber nicht gefunden.«

»Laß uns zurückfahren und den Bericht fertigmachen«, sagte Lieberman.

»Was hältst du davon, wenn du das alleine machst, Abe?« schlug Hanrahan vor. »Ich werde noch ein bißchen nach Jules suchen. Leg mir den Bericht auf den Tisch. Ich unterschreibe dann später. Hughes hat ihn morgen, wenn er in sein Büro kommt.«

»Ist alles in Ordnung?« fragte Lieberman.

»Nein«, antwortete Hanrahan. »Was meinst du?«

»Wir sind ihr was schuldig, Father Murphy!«

»Wir sind ihr was schuldig«, stimmte Hanrahan zu.

Die beiden gingen zur Tür des Foyer. Ein neuer Pförtner saß da, Clevenger war verschwunden. Die Ambulanz mit Estraldas Leiche stand mittlerweile wahrscheinlich vor der Gerichtsmedizin auf der Polk Street. Vielleicht waren sie ihr was schuldig, aber Estralda Valdez konnte diese Rache nicht mehr fordern. Nein, dachte Lieberman auf dem Weg zum Auto, wir machen das für uns selbst. Wir machen es und versuchen uns einzureden, wenn wir den Mörder haben, sei alles wieder ausgeglichen. Wir werden zumindest versuchen, uns das einzureden.

Es war fast halb zwei, und Lieberman mußte noch einen Bericht schreiben und mit seiner Tochter reden – falls sie noch auf war, wenn er nach Hause kam.

Hanrahan bog um die Ecke und stieg in seinen Wagen. Ein paar Minuten zögerte er, weil er nicht wußte, in welche Richtung er fahren sollte. Er saß da und betrachtete einen Truck, der mit grünen Müllsäcken beladen war. Vom Balkon im sechsten Stock hatten sie wie eine glänzende Seidenbettdecke ausgesehen.

Er griff in seine Hemdtasche und zog die Karte vom *Black Moon* heraus. Ihr Name, sie hat mir ihren Namen gesagt, dachte Hanrahan: Iris. Wie Irisch. Hübsche Frau, dachte er. Und dann dachte er an eine andere hübsche Frau, deren Körper ... Er ließ den Motor an und fuhr los, auf der Suche nach Jules Van Beeber, dem Walker, der gerade einen Wagen davonfahren hörte, sich im Schlaf umdrehte und sich an einen Plastiksack kuschelte.

4

Kurz vor drei Uhr nachts kam Lieberman nach Hause. Weil sonst nirgends ein Parkplatz frei war, stellte er den Wagen vor einem Hydranten ab. Das war der bescheidene Luxus, den man sich als Bulle leisten konnte. Lieberman hatte zwar eine Garage hinter dem Haus, aber die stand voll mit Gerümpel, das er wegwerfen, der Heilsarmee geben oder in eine Ecke räumen wollte – bevor der Winter kam.

Auf Zehenspitzen stieg er die drei Stufen zur Eingangstür hoch, ließ seine Hand über die Mesusa gleiten, steckte den Schlüssel ins Schloß und drehte ihn vorsichtig um. Der Bericht hatte ihn mehr Zeit gekostet als erwartet. Es hatte ihn viel Mühe gekostet, Hanrahan und sich selbst zu decken. Eine platte Lüge wollte er nicht abliefern. Zwar gab es immer noch ein paar Punkte, mit denen Hughes sie drankriegen konnte, wenn er es darauf anlegte, aber mehr war nicht drin gewesen: Er hatte einen sechs Seiten langen Bericht geschrieben, in der Hoffnung, Hughes würde ihn bloß überfliegen und nicht von Anfang bis Ende durchlesen. Das war nicht sehr wahrscheinlich, aber eine geringe Chance bestand doch, und die hatte Lieberman nicht ungenutzt lassen wollen.

Leise zog er die Tür hinter sich zu. Barry und Melisa schliefen im Wohnzimmer, Melisa auf dem aufgeklappten Sofa und Barry in einem roten Schlafsack auf dem Boden. Es war Samstag: Barry hatte keine Sommerkurse und Melisa kein Ferienlager. Lisa, die Perfektionistin, hatte den idealen Wochentag abgewartet, um ihren Mann zu verlassen.

Lieberman zog die Schuhe aus, klemmte sie unter den Arm und schlich zur Schlafzimmertür. Er würde sich nicht rasieren oder die Zähne putzen, sondern sich im Dunkeln ausziehen und dann endlich . . .

»Dad?«

Lisa saß am Tisch in der Küche. Sie hatte leise nach ihm gerufen, als er an der Tür vorbeikam. Lieberman blieb stehen. Das einzige Licht im Raum kam von der Schalttafel des Herds. Er ging rein, schloß die Tür und machte das Licht an.

Lisa trug ein rosa Kleid mit einem Rüschenkragen, ihr schwarzes Haar hatte sie zusammengebunden. Vor ihr stand ein Glas Milch und ein Teller mit Keksen. Sie tauchte gerade einen Schokokeks in die Milch, genauso, wie sie es als Kind immer getan hatte.

Lieberman stellte seine Schuhe neben die Küchentür, ging zum Kühlschrank und nahm seine Packung Sojamilch raus, setzte sich und tauchte einen gefüllten Keks hinein.

»Mama schläft«, sagte Lisa.

»Das will ich hoffen«, antwortete Lieberman, den weichen Keks kauend.

»Ein Mord?«

»Ja.«

»Willst du mir davon erzählen?«

»Nein. Reden wir lieber von dir!«

Eine Stunde lang unterhielten sie sich flüsternd über Lisas unerfüllte Träume, zerstörte Illusionen, schwere Enttäuschungen, über ihre Erinnerungen und Zukunftsängste. Lieberman aß Kekse, sagte fast nichts, nickte, wenn es angebracht war, hörte aufmerksam zu. Es gab Ungereimtheiten in ihrem Monolog. Es war Liebermans Beruf, auf solche Ungereimtheiten zu achten. Er hörte Beteuerungen und ehrlich gemeinte Beteuerungen, die ein bißchen zu ehrlich klangen. Instinktiv, aber mehr noch aus Erfahrung wußte er, daß es meistens nichts brachte, die Verdächtigen auf die Widersprüche in ihren Aussagen hinzuweisen. Man machte sie dadurch nur mißtrauisch. Bei vielen kam irgendwann der Moment, wo Verunsicherung das richtige Mittel war, aber bei seiner Tochter würde dieser Zeitpunkt nie kommen. Also hörte er zu, machte sich in

Gedanken ein paar Notizen, bemühte sich, wach zu bleiben und der Erinnerung an Estralda zu entkommen. In gewisser Weise fand er die Lebenskrise seiner Tochter sogar tröstlich: Was mit Estralda geschehen war, gehörte ins Reich des Chaos. Mord war Chaos. Ehekrach und sogar Scheidung hingegen waren Teil der normalen Welt. Lisas Worte fügten sich ihm zu einer Formel, wie die Gebete am Freitagabend.

Als Lisa um vier Uhr morgens sichtlich erschöpft war, sagte Lieberman, sie könnten sich später weiter unterhalten, aber nicht morgen. Dabei war es schon morgen, und das seit vier Stunden. Er küßte sie auf die Stirn, ließ sie Gläser und Reste wegräumen und ging zu Bett.

Bess bewegte sich im Schlaf, als er seine Waffe und den Schultergurt ablegte. Den Gurt legte er über die Nachttischlampe, die sie extra für ihn angelassen hatte, verstaute die Pistole in der Kommode neben dem Bett, verschloß die Schublade und hängte den Schlüssel an den kleinen Haken am Kopfende des Betts. Dann zog er die Kleider aus und den Pyjama an, den Bess für ihn bereitgelegt hatte.

Als er im Bett lag, hörte er das Summen der Klimaanlage. Sie war gerade erst repariert worden, aber der Klimaanlagenmensch hatte keine Garantie für das kommende Jahr geben wollen.

Lieberman knipste die Nachttischlampe aus und warf einen Blick auf die rot leuchtenden Ziffern der Digitaluhr auf dem Kleiderschrank. Er hatte ungefähr drei Stunden Schlaf vor sich und war sich sicher, er würde nicht einschlafen können. Doch er konnte.

Lieberman hatte einen Traum, an den er sich um sieben, als er wie immer von selbst die Augen aufschlug, nicht mehr erinnerte. Er wußte nur noch, daß er geträumt und daß er schlecht geträumt hatte.

Er stand auf, gab Bess einen Kuß, ging ins Bad, duschte und rasierte sich, zog ein frisches Hemd und eine Krawatte an. Er entschied sich für eine blaue Stoffhose und seine graue Lieblingsjacke. Als er vor den Spiegel trat, blickte er in das Gesicht eines total übermüdeten Mannes – ein Leichengräber auf dem Weg zur Arbeit.

Lisa schlief in ihrem alten Zimmer. Die Tür war geschlossen. Lieberman schlich auf Zehenspitzen durchs Wohnzimmer. Die Schuhe zog er erst an der Haustür an.

»Opa!« hörte er Barry rufen.

»Wie geht's, alter Pirat?« fragte Lieberman so leise es ging.

»Du brauchst nicht zu flüstern«, sagte Barry. »Melisa tut nur so, als würde sie schlafen.«

»Tu ich nicht!« sagte Melisa und kniff die Augen noch fester zu.

»Gehst du zur Arbeit?« fragte Barry.

»Erst zum Amtsarzt, dann zur Arbeit«, sagte Lieberman und musterte seinen Enkel, der auf dem Fußboden saß. Barry glich seinem Vater aufs Haar, das heißt, er sah überhaupt nicht jüdisch aus. Er hatte strohblondes glattes Haar, und er war groß, größer als Lieberman – fast schon so groß wie sein Vater. Lieberman fand, daß er wie der junge Spencer Tracy aussah.

»Weißt du, was passiert ist?« fragte Barry. »Zwischen Mum und Dad?«

»So ungefähr«, antwortete Lieberman.

»Sie wollen sich scheiden lassen«, sagte Melisa mit geschlossenen Augen. Und Lieberman fiel plötzlich auf, daß Melisa genauso aussah wie Lisa.

»Wer weiß«, sagte Lieberman.

»Gehen wir noch zum Spiel am Montag?« fragte Barry.

»Klar«, versicherte Lieberman.

»Ich auch?« fragte Melisa.

»Du interessierst dich doch gar nicht für Baseball«, stöhnte Barry.

»Ich finde Baseball toll«, widersprach sie. »Michael Jordan.«

»Jordan ist Basketball, Dummi!«

»Wenn deine Mutter es erlaubt, kannst du mitkommen«, sagte Lieberman.

Barry brummte wieder. »Nach dem dritten Inning will sie wieder nach Hause.«

»Stimmt doch gar nicht!« sagte Melisa. »Ich versprech's. Da gibt es Hotdogs.«

»An was für 'nem Fall arbeitest du, Opa?« fragte Barry. Er hatte genug von seiner Schwester.

»Mord«, antwortete Lieberman.

»Erzählst du's mir später?«

»Mir auch?« Melisa hatte noch immer die Augen geschlossen. »Kannst du uns von Onkel Maish Bagels und Frischkäse mitbringen?«

»Das ißt man sonntags, Dummi«, sagte Barry.

»Ich bin überhaupt nicht dumm«, sagte Melisa. »Ich schlafe. Weck mich, wenn *PeeWee* anfängt!«

»Bis später«, sagte Lieberman. »Ich bring Bagels und Frischkäse mit.«

Der Morgen war sonnig, und es war schon warm. Es sah nach einem schwülen Augusttag aus.

Lieberman war früh dran. Statt auf der Peterson nach Osten zu fahren, fuhr er auf der California Avenue in südlicher Richtung, runter bis zur Foster, dann weiter nach Westen bis zur Kedzie Avenue, bog Richtung Süden ab und fing an nach Nr. 4851 Ausschau zu halten. Hoffentlich war Fancis Dupree zu Hause: Dupree, der die Frau abgeholt hatte, die behauptete, Estralda Valdez zu sein. Die Adresse lag in Albany Park, der Gegend, wo Lieberman früher gewohnt hatte. Ein paar Straßen weiter hatte Maish damals sein erstes Deli eröffnet, mit zwei Tischen und Platz für zehn Personen. Sein Vater hatte hier auf der Lawrence Avenue eine kleine Schneiderei besessen. Und auch die Synagoge Mir Shavot war nicht weit von hier gewesen. Lieberman stellte den Wagen vor einer Polsterei ab.

Im Viertel wohnten jetzt vor allem Inder, arme russische Juden und Einwanderer aus Haiti und Jamaika. Auch ein paar Leute aus den Südstaaten waren hierhergezogen – wie Dupree. Der Stadtrat von Albany Park war ein Parteiloser namens Lester Sax. Viermal war er mit beträchtlicher Mehrheit wiedergewählt worden, in einem der Viertel mit der geringsten Wahlbeteiligung von ganz Chicago. Keine Behörde hatte es je für nötig gehalten, sich mit Sax abzustimmen, weil seiner Macht ja die Basis fehlte. Und deswegen war die Kedzie Avenue eine der letzten Straßen, die im Sommer gekehrt und im Winter geräumt wurde. Die Nebenstraßen wurden ignoriert.

Das Haus Nr. 4851 lag zwischen einem Hotdog-Laden, der nach den Zwiebeln vom Vortag roch, und einem Antiquariat, das fremdsprachige Bücher im Fenster stehen hatte. Duprees Name stand mit Bleistift geschrieben auf einem Briefkasten im Eingang. Die anderen Namensschilder reichten von krakeligen Großbuchstaben bis zu arabischer Schönschrift.

Lieberman drückte auf den Klingelknopf und meinte, in der Ferne ein Läuten zu hören. Nichts. Er klingelte wieder. Diesmal hörte er, wie eine Tür geöffnet wurde und jemand die Treppen runterkam. Lieberman ging vor bis zur zweiten Tür und versucht, durch die schmutzige Scheibe zu sehen. Ein hagerer Mann in schwarzweißem Bademantel und mit nackten Füßen erschien und fragte: »Was gibt's?«

»Francis Dupree?«

»Ja, und?«

Lieberman zeigte ihm seine Dienstmarke.

»Kommen Sie rein«, sagte Dupree. »Die scheiß Tür schließt nicht richtig.«

Lieberman folgte Dupree die Treppe hoch in eine Wohnung im ersten Stock. Dupree schloß die Tür hinter ihnen ab und legte die Kette vor.

»Wie finden Sie's?« fragte Dupree. Er hustete und ließ den Blick durch die eigene Wohnung schweifen.

Lieberman musterte Dupree. Er schätzte ihn auf fünfzig, vielleicht jünger. Das Leben hatte ihm mit Golfschuhen ins Gesicht getreten. Er hatte schlechte Haut, seine Augen waren trübe, sein Haar gelblichgrau, und es sah aus, als hätte er es früher einmal gefärbt und dann nie wieder. Das Zimmer war einigermaßen ordentlich. Das Mobiliar war mitgemietet, es paßte nicht zusammen und war billig. Wenn ein Mieter was mitnahm, ließ es sich für ein paar Dollar ersetzen.

Ein kleiner Fernseher stand auf einem Tisch, ein ungemachtes Bett in der Ecke, und auf einem kleinen Tisch mit einer rissigen weißen Resopalplatte und Chromfüßen lag, fein säuberlich poliert, eine Geige.

»Spielen Sie?« fragte Lieberman.

»Hab früher in der Band von Louisiana Fonso gespielt«, sagte Dupree und fuhr sich mit der Hand durch die Haare – völlig umsonst. »Hab nie Geld damit verdient, aber 'ne Menge Spaß gehabt. Dann ist das passiert.«

Er hob seine linke Hand. Der kleine Finger und der Ringfinger fehlten.

»Ich kann nichts Vernünftiges mehr spielen. Nur noch für mich«, sagte Dupree. »Ich rede zuviel. Was wollen Sie wissen? Die Fahrt letzte Nacht? Die Zentrale hat angerufen und gesagt, daß irgendwas Komisches los ist. Wollen Sie sich setzen? Ein Bier?«

»Nein, vielen Dank. Eine Frau wurde gestern nacht ermordet«, sagte Liebermann.

»Und das hat was mit meiner Fahrt zu tun?« fragte Dupree, strich über das Holz der Violine und ließ sich auf einem Küchenstuhl nieder. Seine Knie waren knorrig, und er hatte Einstiche an den Knöcheln. Lieberman wußte, wie Flohbisse aussahen.

»Wo haben Sie ihr Gepäck abgeholt?« fragte Lieberman. »Auf welchem Stockwerk?«

»Weiß ich nicht mehr so genau«, antwortete er, sah auf

seine Füße und spreizte die Zehen. »Glaube, es war der sechste. Sie hate alles schon vor die Tür gestellt, bevor ich ankam. Sagte, sie hätt's eilig. Ich hab sie zur Ecke Broadway und Lawrence gefahren. Sie hat gezahlt, mir ein Trinkgeld gegeben und nicht viel geredet.«

»Hatte sie einen Akzent?«

»Nein. Sie hat so geredet wie ... also wie Sie. Manchmal glaube ich, die Arthritis in meinen Beinen kommt vom Taxifahren. Immer auf die Pedale treten, die Füße schwitzen. Verstehen Sie?«

»Ich glaub nicht, daß man vom Schwitzen Arthritis bekommt«, sagte Lieberman. »Aber vielleicht haben Sie recht. Ich hab's in den Knien – vom Laufen.«

»Tatsächlich?« fragte Dupree und sah Lieberman an, als erwarte er die amtliche Bestätigung durch einen Spezialisten.

»Eine echte Tatsache«, sagte Lieberman. »Meinen Sie, Sie würden die Frau wiedererkennen?«

»Weiß nicht. Vielleicht.« Dupree zuckte die Achseln. »Sie hatte 'nen riesigen Hut auf.« Mit den Händen zeigte er, wie groß die Krempe gewesen war. »Und eine dunkle Brille. Ich glaube aber, sie sah gut aus. Jedenfalls hat sie *très bon* gerochen. Ich denke, das Parfum würde ich wiedererkennen.«

»Danke«, sagte Lieberman. »Vielleicht brauchen wir Sie noch.«

Dupree spielte wieder mit der Geige herum.

»Sie finden mich hier oder im Taxi«, sagte Dupree. »Sonst gehe ich kaum irgendwohin.«

Lieberman steckte sein Notizbuch ein und trat hinaus auf die Kedzie Avenue. Er sah auf die Uhr und stieg in seinen Wagen.

Die Praxis von Dr. Ernest Hartman lag im Norden in der Bryn Mawr, direkt neben der Haltestelle der E l. Dr. Hartmans Patienten konnten, während sie warteten oder während ihnen Körperflüssigkeiten abgezapft oder welche aufgefüllt wurden, seltsame Vögel beobachten. Die Züge ratterten direkt vor dem Praxisfenster in den Bahnhof, und manchmal hatte eine adleräugige Frau mit einem Grippevirus oder ein Mann mit einem entzündeten Hals das Glück, im Gewühle auf dem Bahnsteig den schwarzbejackten Tagedieb zu Gesicht zu bekommen, obwohl der schnellfüßige Handtaschentaucher weiter verbreitet war.

Dr. Hartmans Praxis war klein und alt und roch nach verrottetem Holz. In der Bryn Mawr war es sogar für einen Polizisten schwer, einen Parkplatz zu finden, und im Wartezimmer gab es nur vier Stühle. Hartman hatte noch andere Praxisräume, im Fullbright Building, im Zentrum von Chicago am Wacker Drive gegenüber von Marshall Fields, und im Carlson Building in Evanston gegenüber der Bibliothek. Die Edgewater-Praxis war vor allem für Polizisten und sozial Schwache und diente hauptsächlich zum Zweck, Hartmans Gewissen zu beruhigen. Lieberman war fünf Minuten zu spät gekommen, hatte die Tests gemacht, was eine Viertelstunde gedauert hatte, und jetzt wartete er.

»Ergebnisse«, sagte Hartman, als er das kleine Sprechzimmer betrat, in dem Lieberman einen alten Artikel über Prinzessin Diana las.

Eine Elektrische rumpelte in die Station, und Lieberman sah Hartman über den Schreibtisch hinweg an. Hartman war um die vierzig und brachte entschieden zuviel Gewicht auf die Waage. Das spärliche Haar trug er wie eine Napoleonkarikatur in die Stirn gekämmt, und er hatte immer ein gönnerhaftes Lächeln auf dem Gesicht, selbst wenn er seinem Gegenüber die Kunde von nicht operierbaren Tumoren und tödlichen Krankheiten überbringen mußte. Hartman trug einen blauen Laborkittel über dem Anzug. Er sah weniger wie ein Arzt aus, sondern eher wie ein Schauspieler in einem Werbespot für Magentabletten.

Hinter Hartmans Tisch stand ein Röntgenschirm, an den er

nun die Aufnahmen von Liebermans verborgensten Körperregionen heftete. Dann nahm Hartman auf seinem Drehsessel Platz und betrachtete sie eingehend.

Er pfiff leise durch die Zähne und sagte: »Sehen Sie! Genau da!«

Lieberman versuchte zu erkennen, worauf Hartman zeigte, und fragte: »Was?«

»Die Knie. Beide«, sagte Hartman. »Arthritische Gelenke. Die Knorpel, das weiße Zeug zwischen den Knochen. Genau da, alles verschlissen.«

»Ich weiß«, sagte Lieberman. »Das haben Sie mir letztes Jahr schon erzählt.«

»Dieses Jahr ist es schlimmer. Nicht viel, aber immerhin. Haben Sie Schmerzen?«

»Wenn ich viel rumlaufe.«

»Laufen Sie viel rum?«

»Ich laufe.«

»Belastung ist schlecht«, sagte Hartman und sah Lieberman an. »Sie spielen Volleyball, Basketball, gehen Joggen oder so was?«

»Nein.«

»Gut. Aber Sie müssen sich wahrscheinlich operieren lassen«, sagte Hartman und wandte sich wieder den Röntgenbildern zu.

»Wann?«

»Kann man nicht genau sagen. Wenn Sie Schmerzen haben. Oder Schwierigkeiten beim Gehen. Zehn Jahre, vielleicht zwanzig. Vielleicht auch nie, wenn es nicht allzu schlimm wird und Sie die Knie nicht so stark belasten.«

»Und sonst?«

»Blutdruck normal«, sagte Hartman und ging die Checkliste durch, die vor ihm auf dem Tisch lag. »Sie nehmen jeden Morgen das Tenormin?«

»Jeden Morgen«, versicherte Lieberman.

»Leberwerte sind noch zu hoch«, sagte Hartman. »Ihr Hepatitis-Test ist immer noch positiv, und die Leber ist leicht vergrößert.«

»Das ist sie seit dreißig Jahren.«

»Und das wird wahrscheinlich so bleiben, bis Sie sterben. Sie können kein Blut spenden!«

»Kann ich welches bekommen?«

»Brauchen Sie welches?«

»Was noch?«

»Mal sehen.« Dr. Hartman ging weiter seine Liste durch. »Mit dem Knöchel im kleinen Finger der linken Hand stimmt was nicht. Da auf der nächsten Aufnahme. Hätte man sich besser mal drum gekümmert, als es passiert ist.«

»Das war 1969«, sagte Lieberman. »Habe ich gebrochen, als ich einer Frau namens . . .«

»Lassen wir es, wie es ist. Es scheint Ihnen ja nichts auszumachen, daß Sie den Finger nicht bewegen können«, sagte Hartman mit einem Blick auf die Aufnahme.

»Machen Sie weiter«, sagte Lieberman.

»Herz, Lunge okay. Halten Sie sich irgendwie fit?«

»Nein«, antwortete Lieberman.

»Ich auch nicht«, sagte Hartman vertraulich. »Sollte ich aber. Stoffwechsel. Sie haben einen leichten Bauchansatz, aber Ihr Gewicht ist in Ordnung. Immer noch Schmerzen in der Brustwirbelsäule?«

»Wenn es kalt wird«, sagte Lieberman.

»Allergien unverändert.« Hartman war am Ende der Liste angekommen. »Milchunverträglichkeit.«

»Ich trinke keine mehr«, log Lieberman.

»Das wär's dann.« Hartman war aufgestanden. »Wenn man das Klima, Ihr Alter und Ihren Beruf bedenkt, sind Sie kerngesund. Und jetzt gebe ich Ihnen noch einen Rat. Wenn Sie das Pensionsalter erreicht haben, sollten Sie alles verkaufen und nach Florida ziehen. Ich habe gehört, Fort Myers soll immer noch erschwinglich sein. Das werde *ich* jedenfalls tun.«

»Ich werde darüber nachdenken.« Lieberman war ebenfalls aufgestanden. »Darf ich Sie was fragen?«

»Fragen Sie«, sagte Hartman. »Draußen warten nur ein paar Sozialfälle.«

»War Hanrahan schon bei Ihnen?«

Hartman nahm die Aufnahmen vom Röntgenschirm und schaltete ihn aus.

»Hanrahan ...« Hartman drehte sich zu Lieberman um und sah ihn an. »Hanrahan. Ja.«

»Er ist mein Partner«, sagte Lieberman.

»Richtig. Ich erinnere mich«, sagte Hartman. »Ich habe ihm gesagt, er soll auf seine Leber aufpassen, auf sein Gewicht und seine geistige Gesundheit. Ich habe ihm geraten, eine Diät zu machen, mit dem Trinken aufzuhören und sich einen Termin beim Polizeipsychologen geben zu lassen. Ich habe ihm gesagt, daß er das dieses Jahr noch selber entscheiden kann. Falls er aber nichts macht und nächstes Jahr noch lebt, werde ich es anordnen. Wollten Sie das wissen?«

»Genau das wollte ich wissen.«

Der Termin bei Hartman hatte nicht so lange gedauert, wie Lieberman gedacht hatte. Er hatte noch Zeit, und so fuhr er etwa zehn Querstraßen südlich bis zur Wilson und dann in die vom See abgewandte Sackgasse in Ravenswood, in der Hanrahans Haus stand. Kinder spielten auf der Straße. Lieberman ging die Stufen hoch und klopfte an die Tür. Für jedes dritte Wort, das die Kinder sagten, hätten sie von Liebermans Mutter vor einem halben Jahrhundert eine saftige Ohrfeige bekommen. Keins von ihnen war älter als zehn. Nach dem zweiten Klopfen kam Hanrahan zur Tür. Er trug ein sauberes Hemd mit Krawatte und hatte offensichtlich gerade erst geduscht und sich rasiert. Nur die rötlich Gesichtsfarbe und die blutunterlaufenen Augen verrieten ihn.

»Komm rein!« sagte er und ging ein Stück zur Seite. »Ich mach gerade Kaffee.«

Es war mindestens fünf Jahre her, seit er das letzte Mal hier gewesen war. Damals hatte Maureen noch hier gewohnt. Vom Haus war Lieberman nicht weniger überrascht als von seinem Partner. Es war sauber und aufgeräumt. Sie gingen in die Küche, wo frischer Kaffee durch die Maschine lief.

»Sieht nett aus«, sagte Lieberman, nahm sich eine Tasse und stellte dabei fest, daß kein Geschirr in der Spüle stand.

»Abraham«, sagte Hanrahan. »Ich kann trotz deiner tiefhängenden Lider in deinen Augen lesen. Du hast gedacht, ich hätte gesoffen und hier würde es aussehen und stinken wie auf einer Müllkippe, wie in Strewbeckis Apartment oder irgendeiner Bude aus einer Krimiserie im Fernsehen.«

»Guter Kaffee«, sagte Lieberman. Er saß am Küchentisch. Auf der Tischplatte war nicht ein Fleck zu sehen.

»Ich sehe zu, daß es immer so bleibt«, sagte Hanrahan, trank einen Schluck und sah sich in der eigenen Küche um. »Ich mache die Wäsche, räume sie weg, sauge die Teppiche und lasse Mrs. Boyer alle zwei Wochen kommen. Das ist meine Therapie, Rabbi. Ich denke immer, daß Maureen vielleicht eines Abends an die Tür klopft. Dann werde ich hier sitzen, mit einer Schüssel selbstgemachtem Irish Stew ... Ich bin ein ganz guter Koch geworden ... und ... verstehst du?«

»Ja«, sagte Lieberman.

»Gebe ich das Haus auf, gebe ich mich selbst auf«, fuhr Hanrahan fort. Er trank seinen Kaffee aus, ging zum Spülbecken, wusch die Tasse gründlich aus und stellte sie danach in den Geschirrspüler.

»Ich war eben bei Doc Hartman«, sagte Lieberman und trank ebenfalls seinen Kaffee aus. »Abgesehen von meinen schlechten Knien, dem Bluthochdruck, dem kaputten Rücken, dem steifen Finger und dem schwachen Magen bin ich gesund und darf noch ein Jahr schuften.«

»Hatte ich nie dran gezweifelt«, sagte Hanrahan lachend und nahm Liebermans Tasse.

»Er sagt, du sollst zum Psychiater gehen.«

»An die glaube ich nicht«, sagte Hanrahan. »Noch weniger als an den Gott meiner Vorfahren. Laß uns von was anderem reden.«

»Das neue Thema heißt: ›Gestern nacht‹«, sagte Lieberman. »Wie fühlst du dich jetzt?«

»Verantwortlich«, sagte Hanrahan. »Und ich will das Gefühl nicht verlieren. Unseren Freund Jules, den Walker, habe ich nicht gefunden. Hab bis drei nach ihm gesucht, dann bin ich ins Bett. Nüchtern. Ich bin müde, aber ich kann loslegen.«

»Meine Tochter hat mit mir geredet. Bis nach vier«, sagte Lieberman. »Ich bin müde, und ich weiß nicht, ob ich loslegen kann, aber es wird schon irgendwie gehn.«

Jeder nahm seinen Wagen, und um kurz vor zehn erreichten sie das Revier in der Clark Street. Es war ein hektischer Samstag. Menschen warteten in Schlangen, um Anzeige zu erstatten, die große Halle war voll – vor allem mit Latinos aus der direkten Nachbarschaft. Sie saßen da, stumm, verängstigt, wütend.

Mel Hobson sah aus, als würde er gleich einen seiner Anfälle bekommen. Das letzte Mal war er im Winter ausgerastet und hätte fast einem Straßenräuber namens Jonas ein Ohr abgerissen, weil er die Fragen fürs Protokoll nicht beantworten wollte. Allen Bootes und Joanna Mishkowski standen in der Ecke und sprachen mit einem zitternden kleinen schwarzen Mädchen, das immer wieder zu einem ebenfalls zitternden schwarzen Mann hinüber sah, der mit Handschellen an eine Bank am anderen Ende des Raumes gekettet war.

»Anrufe«, sagte Connie Parish und hielt die Sprechmuschel zu. »Auf Ihrem Tisch. Und die ersten Ergebnisse der Autopsie.«

»Tolle Frisur!« rief Lieberman. »Wirklich sehr schick!«

Connie war von der Natur mit einer schlimmen Haut bedacht worden, aber ihre Uniform saß perfekt und war immer frisch gebügelt. Sie strahlte Lieberman an, strich sich über das blond gefärbte Haar und kümmerte sich wieder um den Anrufer. Als Hanrahan reinkam, saß Lieberman bereits an seinem Schreibtisch, telefonierte und las gleichzeitig im Autopsiebericht von Estralda Valdez.

»Richtig«, hörte Hanrahan, als er sich Liebermans Tisch näherte. »Ich verstehe dich, Sol. Ja, du hast recht ... Ich weiß nicht ... Ich werd's versuchen. Vielleicht brauche ich eine Aussage von dir ... Maish geht es gut. Sein Sohn, mein Neffe Joe, erinnerst du dich? Der Anwalt, der für den Stadtrat kandidiert. Warum sollte ich das erfinden? Du meldest dich einfach wieder, dann erfährst du's ... Das wird Bess gefallen ... Ich bin wahrscheinlich nicht da, aber du kannst dich trotzdem um den Rasen kümmern. Du kannst einfach klopfen. Vielleicht hast du ja Glück. Sieh zu, daß dein Schwager keinen Mist mehr baut.«

Lieberman legte auf und studierte die Notizen, die er sich während des Gesprächs gemacht hatte. Nicht alles, was er da las, ergab Sinn. Er erzählte Hanrahan, was er wußte, und drückte ihm den Autopsiebericht in die Hand. Dann gingen sie hoch in Hughes' Büro. Hanrahan klopfte, Lieberman öffnete die Tür. Hughes sah auf und klappte den Bericht zu, in dem er gerade gelesen hatte. Sein Büro sah nicht wie das eines Hauptkommissars aus, sondern eher wie das eines Anwalts oder Politikers. Die schweren dunklen Holzmöbel hatten dankbare Geschäftsleute aus der Nachbarschaft des Reviers gestiftet. In den Regalen standen Gesetzestexte, Waffenbücher, Verwaltungsverordnungen und dazwischen ein Synonymwörterbuch, ein Rechtschreibelexikon und eine Sammlung mit geflügelten Worten. Eine Wand des Büros bestand aus einem Panoramafenster mit Blick auf den Parkplatz, durch das Hughes seine Leute kommen und gehen sah. Die anderen drei Wände waren weiß gestrichen, und an jeder hing eine einzelne Fotografie. Das Foto hinter Hughes zeigte ihn händeschüttelnd mit dem verstorbenen Bürgermeister Washington. Er hatte seinen linken Arm um Hughes' Schultern gelegt. Auf dem Foto an der Wand zum Flur sah man Hughes, Senator Ted Kennedy und Adlai Stevenson III mit schwarzer Krawatte bei einer Spendenveranstaltung der Demokraten.

Das Foto gegenüber von Hughes' Schreibtisch zeigte die Verkleinerung einer Titelseite der Chicago *Sun-Times* vom 16. März 1969: eine Aufnahme des Streifenbeamten Hughes, und darunter stand in fetten Buchstaben: POLIZIST SIEGT IN SCHIESSEREI MIT BANDENMITGLIEDERN. ZWEI TOTE. SECHS VERLETZTE.

Es war beeindruckend – es sollte beeindrucken.

Lieberman und Hanrahan saßen auf den beiden Besucherstühlen vor Hughes' Schreibtisch.

»Ich hab's gelesen«, sagte Hughes und bohrte den Zeigefinger in den Report. »Steht nichts drin. Wo ist dieser Jules Van Beeber? Habt ihr ihn erwischt?«

»Nein«, sagte Lieberman. »Wir haben aber eben die Aussage von einem Gartenbauunternehmer bekommen, der sagt, er habe jemanden gefunden, auf den die Beschreibung von Van Beeber paßt. Lag heute morgen schlafend auf seinem Truck, direkt unterm Fenster des Opfers. Der Mann hatte eine Lampe in der Hand und behauptet, er ist vom Balkon gefallen. Er hat dem Gärtner Solomon Worth eine seltsame Geschichte erzählt.«

»Willst du mir weismachen, daß dieser Van Beeber vom Balkon der Valdez gefallen und dann einfach davonspaziert ist?«

»Gefallen oder gesprungen«, sagte Lieberman. »Er ist auf lauter Gras- und Laubsäcken gelandet.«

»Ich hab schon Komischeres gehört.« Hughes glotzte Hanrahan an, der nevös auf seinem Stuhl herumrutschte.

»Schnappt ihn euch, und die Sache ist erledigt! Ein beknackter Obdachloser kann doch nicht so schwer zu finden sein.«

»Wie kommt Ihre Frau damit klar, Captain?« fragte Hanrahan.

»Meiner Frau geht's gut. Sie will immer noch umziehen. Ihr findet den Typ, und zwar schnell, dann können wir das Apartment vielleicht noch verkaufen. Beeilt euch! Liefert mir den Typen ab, zusammen mit einem sauberen Geständnis! Dann kriegt dieses Stück Scheiße von Report hier meinen Segen, und es gibt kein Disziplinarverfahren. Schnell heißt heute. Haben wir uns verstanden?«

»Haben wir«, sagte Lieberman. »Hier ist der vorläufige Autopsiebericht: Acht Stichwunden im Unterleib. Dünne Klinge, fünfzehn Zentimeter lang. Tony V und seine Jungs sagen, es war kein Geld im Apartment, keine Bankpapiere, kein Adreßbuch.«

»Ich habe die Berichte gelesen«, sagte Hughes. »Erinnert ihr euch, was ich gestern nacht gesagt habe? Es ist euer Fall. Findet diesen Van Beeber! Fragt ihn, was er mit dem Messer gemacht hat – oder was es war. Macht das Ding wasserdicht! Und jetzt verschwindet! Ich hab zu tun.«

Hughes griff zum Telefonhörer und sah die beiden Kommissare auffordernd an. Sie standen auf und gingen.

»Ich glaube, er mag uns nicht, Abraham«, sagte Hanrahan.

»Ich glaube, es ist einfach seine Art, mit den Gerechten wie mit den Ungerechten«, sagte Lieberman darauf. »Ich muß noch mal telefonieren. Und dann suchen wir Jules, den Walker.«

Lieberman rief Maish an und bestellte ein Dutzend frische Bagels, geräucherten Lachs und einen Becher Frischkäse mit Schnittlauch.

»Lisa und die Kinder werden eine Zeitlang bei uns wohnen«, sagte Lieberman.

»Einfach so?« fragte Maish.

»Weiß man's?«

»Ich kann Toddy gut leiden«, sagte Maish. »Ich weiß nicht immer, was er mit seinem griechischen Zeug sagen will, über das er immer redet, aber er ist ein guter Kerl. Ich mag ihn.«

»Ich auch«, sagte Lieberman. »Vielleicht ist noch nicht alles verloren.«

»Ich weiß nicht, ob ich kleine Kinder noch ertragen könnte.«

»Mich hat keiner gefragt.«

»Rosen will mit dir sprechen«, sagte Maish.

»Ich hab keine ...«, fing Lieberman wieder an, aber Herschel war schon am Apparat.

»Ein paar Alte Knacker hier wüßten gerne, wann du deine Freundin wieder mitbringst«, sagte er. Aus dem Hintergrund hörte man Gelächter. »Sie hat ein paar schlaffe Gemüter in Wallung gebracht ...«

»Sie kommt nicht mehr«, sagte Lieberman. »Du mußt mit Gert Bloombach vorliebnehmen.«

»Du willst die Süße ganz für dich alleine behalten?«

Herschel spielte offensichtlich vor großem Publikum.

»Sie ist tot, Hershy«, sagte Lieberman.

»Soll das ein Witz sein?« fragte Rosen mit ernster Stimme.

»Leider nicht. Gib mir noch mal Maish«, sagte Lieberman.

Herschel gab den Hörer weiter.

»Was hast du zu ihm gesagt?«

»Spendier den Knackern ein Stück Schokokäsekuchen auf meine Rechnung«, sagte Lieberman. »Ich komm später vorbei und hole die Bagels ab.«

5

Weil Jules, der Walker, von Sol Worth zuletzt mit einer Lampe im Arm gesehen worden war, beschloß Lieberman, zunächst die Pfandleiher abzuklappern, die von den Michigan Towers aus zu Fuß zu erreichen waren. Er wollte mit denen auf der Devon Avenue anfangen und sich dann systematisch weiter nach Norden bis zur Howard durcharbeiten. Hanrahan würde es in St. Bart's probieren. Die Kirche lag nur sechs Straßen entfernt und hatte eine Obdachlosenunterkunft mit zwölf Betten. Vielleicht war Jules dort bekannt, und jemand konnte ihnen sagen, wo er normalerweise rumhing. Um eins wollten sich Lieberman und Hanrahan zum Lunch im *McDonald's* auf der Howard Avenue treffen. Sollten sie nichts gefunden haben, würden sie sich was Neues einfallen lassen müssen.

St. Bart's lag so nahe am Broadway, daß die Obdachlosen dort hinfinden konnten, ohne sich zu verlaufen, aber auch so nahe an Little Saigon, daß die meisten Gemeindemitglieder von St. Bart's Asiaten waren. Ein Redakteur der *Sun-Times* hatte als erster das skurrile Schauspiel beschrieben, wie vietnamesische Einwanderer sich um schwarze und weiße Obdachlose kümmerten.

Hanrahan stellte den Wagen auf dem kleinen Parkplatz der Kirche ab und ging hinein. Die Tür stand offen, aber es schien niemand dazusein. Beim Anblick des Kruzifixes im Eingangsbereich bekreuzigte er sich. Durch das Bleiglas über der Tür fiel ein blauroter Lichtstrahl auf den Holzfußboden. Hanrahan drehte sich zu dem Fenster um. Das Glasmosaik zeigte die Abnahme Christi vom Kreuz. Mit den Augen folgte Hanrahan der Linie aus schwarzem Blei, aus dem die Dornenkrone geformt war. Eine der vier Frauen in dem Fenster hatte entfernte Ähnlichkeit mit Maureen.

»Kann ich Ihnen helfen?« hörte Hanrahan die Stimme eines Mannes hinter sich. Erschrocken drehte er sich um. Vor ihm stand ein etwa dreißigjähriger Schwarzer in einem verschwitzten Sweatshirt der University of Illinois.

»Ich suche einen Priester.«

»Sie haben einen gefunden«, sagte der Mann, trat näher und streckte ihm die Hand hin. »Sam Parker.«

»Father Parker«, sagte Hanrahan und schüttelte ihm die Hand. »Ich bin Detective Hanrahan.«

Hanrahan zeigte ihm seine Marke, und Parker studierte sie aufmerksam.

»Wollen Sie mit in mein Büro kommen?« bot er Hanrahan an und zeigte in die Richtung, aus der er gekommen war. »Ich war gerade Joggen. Normalerweise betrete ich die Kirche nicht in diesem Outfit«, entschuldigte er sich.

»Ist mir egal, Father«, sagte Hanrahan. »Ich glaube nicht, daß wir Ihr Büro brauchen. Ich habe nur ein paar Fragen.«

Parker wischte sich mit dem Ärmel den Schweiß von der Stirn. »Fangen Sie an!«

»Ein Mann, ein Obdachloser, Name Jules Van Beeber, oder Jules, der Walker. Kennen Sie den?«

»Ja«, antwortete Parker.

Die Wände der Eingangshalle warfen ein leichtes Echo zurück. Hanrahan wußte, daß gleich hinter den Holztüren ein hoher Gang war und am Ende des Gangs der Altar und über dem Altar ein Kreuz und ...

»Detective?«

»Entschuldigung«, sagte Hanrahan. »Ich bin nur ... Ich habe letzte Nacht nicht viel geschlafen. Hier in der Nähe ist eine Frau ermordet worden.«

»Estralda Valdez«, sagte Parker. »So was spricht sich schnell rum. Glauben Sie, daß Jules etwas damit zu tun hat?«

»Wir würden gerne mit ihm sprechen.«

»Ich habe ihn schon eine Weile nicht mehr gesehen«, sagte

Parker. »Wenn es kalt wird, sucht er manchmal unsere Gesellschaft, teilt eine Mahlzeit mit uns . . .«

»Wissen Sie, wo ich ihn finden kann?«

»Fragen wir Waco Johnny«, sagte Parker. »Er war gestern nacht hier und ist, glaube ich, immer noch da. Kommen Sie!«

Parker ging voraus, den Korridor entlang in die Dunkelheit, dann ein paar Stufen in den engen Keller hinab. Er blieb vor einer Tür auf der linken Seite stehen und stieß sie auf. Ein abgewetztes Heilsarmee-Sofa stand in der Ecke, gegenüber von zwei durchgesessenen Stühlen, einem aus blauem Vinyl und einem mit einem orangenen Stoffbezug. An den Wänden standen sechs Betten, und in der Mitte des Raums zwei ramponierte Resopaltische, einer blau, einer weiß, mit Chromstühlen. An einem der Tische saß eine klapperdürre Gestalt in einem viel zu weiten Jeansoverall und starrte in eine Tasse, in der einmal Kaffee gewesen sein mußte. Der Mann war verbraucht, seine Haut runzlig, sein Gesicht eine zerklüftete Kraterlandschaft, sein Mund zahnlos, aber seine Augen hatten das leuchtendste Blau, das Hanrahan je gesehen hatte.

»Waco Johnny«, sagte Father Parker. »Das ist Detective Hanrahan. Er sucht Jules. Kannst du ihm helfen?«

Waco Johnny sah auf und musterte Hanrahan.

»Was hat der Walker angestellt?« fragte Waco.

»Wahrscheinlich gar nichts«, antwortete Hanrahan. »Wir brauchen seine Hilfe.«

Hanrahan überlegte, wie er Waco Johnny zum Sprechen bringen konnte, wollte dann aber in einer Kirche doch nicht lügen.

»Können Sie mir 'n Dollar borgen?« fragte Waco Johnny.

»Hey!« ermahnte ihn Father Parker. »Sprich oder schweig, aber hier drin werden keine Geschäfte gemacht!«

»Ich hab dreißig Cents«, sagte Hanrahan. »Dreißig Kupferstücke. Die kannst du haben.«

Wacos blaue Augen funkelten.

»Ich bin nicht blöd, Mr. Cop. Ich verkauf den Walker nicht. Und was für 'ne Art Cop sind Sie überhaupt? Sie wollen was von mir und beleidigen mich erst mal.«

»Ein müder Cop«, sagte Hanrahan. »Warum nennt man dich Waco Johnny?«

»Weiß ich nicht mehr. Hat was mit dem zu tun, was ich früher gemacht habe. Zirkus vielleicht. Ich glaub, ich hab auf'm Pferd gesessen und auf irgendwas geschossen.«

»Jules!« erinnerte ihn Father Parker.

»Jules hängt in der Nähe vom Strand rum, auf der Chase Avenue, unter den Wellenbrechern bei den Felsen, wenn das Wetter gut ist«, sagte Waco Johnny. »Wissen Sie, wo der Spielplatz ist? Manchmal schläft er da, in diesem Röhrending, das wie ein Laster aussieht. Da sehen ihn die Bullen nicht und treten ihm nicht in den Arsch. Mehr weiß ich nich'.«

»Danke«, sagte Hanrahan. »Ich werde Father Parker fünf Dollar für dich geben. Für deinen Kaffee oder für irgendwas anderes.«

»Okay«, sagte Waco Johnny. »Ich werd's in meiner Steuererklärung als milde Gabe aufführen.«

Father Parker lachte, und Waco Johnny grinste zahnlos. Seine Augen funkelten noch immer hell. Hanrahan war nicht nach Lachen zumute. Er drehte sich um, ging hinaus und die Treppe hoch. Father Parker folgte ihm.

Als sie wieder im Eingang standen, zögerte Father Parker einen Moment. »Darf ich Sie etwas fragen?«

»Ich muß los, Father«, sagte Hanrahan und sah ungeduldig auf seine Uhr. Nicht zu früh für ein Bier.

»Sie sind Bill Hanrahan, stimmt's?«, fragte der Priester.

»Stimmt.«

»Kommen Sie mit«, sagte Parker und stieß die Holztüren auf. Hanrahan überlegte kurz und folgte ihm dann. Father Parker machte einen Kniefall und bekreuzigte sich. Hanrahan tat dasselbe, nur schneller. Sie schritten den Gang hinunter und bogen vor dem Altar rechts ab. Jesus blickte auf sie herunter. Jesus weinte.

Rechts vom Altar gab es eine Tür. Parker ging vor und hielt Hanrahan die Tür auf. »Mein Büro.«

Das Büro war groß und unordentlich. So muß Lieberman sich meins vorgestellt haben, dachte Hanrahan.

»Hier drüben«, sagte der Priester.

An den Wänden hingen überall Fotos, vor allem von Football-Spielern. Die meisten mit Autogrammen. Hanrahan betrachtete die Fotos, während Father Parker nach etwas Bestimmten zu suchen schien.

»Hier«, rief Parker, und Hanrahan sah in die angezeigte Richtung. Es war ein Foto von vier Männern, drei weißen und einem schwarzen. Hanrahan erkannte erst nur sich selbst.

Dann sagte er plötzlich: »Das sind ja Sie. *Sie* sind Whiz Parker?«

»Ich *war* Whiz Parker«, sagte der Priester. »Kaputtes Knie, wie Sie. Haben Sie mir an dem Tag erzählt, als das Foto gemacht wurde. Beim Treffen der Ehemaligen 1978.«

»An die anderen kann ich mich gar nicht erinnern«, sagte Hanrahan und sah sich das Bild genauer an.

»Ich auch nicht«, sagte Parker. »Aber an Sie erinnere ich mich.«

»Lange her«, sagte Hanrahan.

»So lang' auch wieder nicht«, entgegnete Parker. »Sie sind katholisch, hab ich recht?«

»War nicht schwer zu erraten.« Hanrahan grinste. »Mein Name zum Beispiel. Ich muß los, Father. Vielleicht komm ich wieder mal vorbei. Dann können wir uns über Football unterhalten.«

»Sie sehen erschöpft aus, Hanrahan«, meinte Parker.

»Kummer. Aber jetzt muß ich los.«

Hanrahan ging raus und zog die Tür hinter sich zu. Einen

Moment blieb er im Gang stehen. Dann seufzte er schwer, drehte sich um und klopfte.

»Herein«, sagte Parker.

Parker saß vor dem mit Papieren übersäten Tisch und wischte sich mit einem zerknüllten Handtuch die Stirn ab.

»Father«, sagte Hanrahan. »Ich möchte beichten.«

»Warten Sie einen Moment«, sagte der Priester. »Ich muß duschen und mich umziehen. Wir treffen uns oben.«

Hanrahan nickte und ging zurück in die Kirche. Sie war noch immer leer. Er lief durch den Mittelgang und mußte immer weiter laufen. Seine Knie zitterten – so wie früher, wenn seine Mutter ihn zur Beichte geschickt hatte. Dann setzte er sich in die hinterste Reihe und versuchte, seine Gedanken zu ordnen, aber Personen und Bilder, Wut und Trauer ließen ihn nicht zur Ruhe kommen. Die tote Frau, Maureen, seine Söhne, Lieberman, sogar die Chinesin aus dem Restaurant, die ihm – da war er sich sicher – seinen merkwürdigen Auftritt verzieh.

William Edward Hanrahan war seit fast zwanzig Jahren nicht mehr zur Beichte gewesen. Er sah auf die Uhr. Maureen hatte sie ihm vor sechs Jahren zum Geburtstag geschenkt. Er hatte sie immer wieder reparieren lassen, obwohl es sich schon lange nicht mehr lohnte. Der Priester brauchte zu lange. Hanrahan hatte keine Zeit mehr. Jules, der Walker, lief irgendwo da draußen herum. Hanrahan wollte gerade gehen, als Father Parker im Meßgewand und mit Schultertuch neben dem Altar erschien. Er kam auf ihn zu und fuhr sich mit der Rückseite der rechten Hand über die Stola. »Sie kriegen das volle Programm.«

Hanrahan zögerte.

»Gott wartet«, sagte Parker.

Lieberman fing mit dem Golden Earring Pawn Shop in der Devon Street an. Der Inhaber war Koreaner und hieß Park – so wie neunzig Prozent aller Koreaner, denen Lieberman in seinem Leben begegnet war. Park sagte, er habe Jules nie gesehen. Andererseits habe er schon so viele von dieser Sorte kennengelernt, daß er sie gar nicht mehr unterscheiden könne. Heute sei aber keiner reingekommen, um eine Lampe zu verticken.

»Kein Interesse an Lampen«, sagte Park. »Nicht mal an funktionierenden. Kein Platz. Haben Sie irgendwas mit Gold oder Silber? Elektrische Geräte, die's noch tun. Radios, Uhren, Rasierer? Keine Gitarren mehr! Haben Sie einen CD-Player? Kaufe ich Ihnen ab, auch wenn er nicht gut läuft.«

Lieberman klapperte alle Läden ab und fand nichts. Raw Izzy hatte er sich bis zum Schluß aufgehoben.

Izzy saß auf seinem Polstersessel vor der vergitterten Theke und las ein Buch. Er war klein, dick, weiß und bleich – so bleich wie die tote Estralda Valdez. Ein Büschel brauner Haare wuchs auf seinem ansonsten kahlen Schädel. Mit Brille sah er aus wie der Intellektuelle aus der Muppets Show.

»Izzy«, sagte Lieberman, als er den Laden betrat und die kleine Türglocke zu bimmeln anfing. »Wie geht's?«

Izzy sah ihn über Buch und Brillenränder an.

»Seit dem letzten Mal habe ich einen Schrittmacher bekommen. Weißt du was über das Buch?« fragte Izzy und hielt das Buch hoch. »Über das Buch von H. L. Mencken?«

»Soll ein fanatischer Antisemit sein«, sagte Lieberman.

»Das überrascht dich?« Izzy hatte zwei Doktortitel der University of Chicago, einen in Philosophie und einen in Theologie.

»Ich weiß nicht viel über Mencken«, sagte Lieberman.

»Total überschätzt«, sagte Izzy. »Schreiben kann er. Ist auf der liberalen Welle mitgesurft. Hat mich nicht überrascht. Eigentlich paßt es ganz gut zu der Vorstellung, die ich von denen habe: Wenn sie Mencken akzeptieren, dann akzeptieren sie wirklich jeden. Man darf ihnen nicht trauen. Das ist auch das Motto von meinem Geschäft, deshalb bin ich bis heute so ungeheuer erfolgreich – wie du sehen kannst. Weißt du noch, wann du das letzte Mal hier warst, Lieberman?«

»Der Fall Hansford.« Lieberman mußte raten.

»Der Fall, der Fall . . . Du hast eine Trompete für deinen Enkel gesucht«, sagte Izzy, immer noch auf seinem Sessel. »Hast du jemals eine gefunden?«

»Nein, aber dann wollte er sowieso ein Schlagzeug, und jetzt spielt er Klavier.«

Lieberman war ein Regal mit Mundharmonikas aufgefallen, mit einer dicken Glasscheibe davor und einem Schloß. Als Kind hatte er eine besessen. Er hatte sich *»Tara«* aus *Vom Winde verweht* beigebracht und damit einen halben Dollar verdient, den ihm seine Mutter vor lauter Rührung gegeben hatte. Sie liebte Abraham und MGM wie Abe die Cubs. Später, mit Anfang Zwanzig, hatte er sich eine chromatische Mundharmonika gekauft und nachts, wenn er mit Tuna Kingsford im Streifenwagen saß, darauf gespielt. Er hatte *»Cherry Pink«* gelernt, *»River of No Return«* und die Melodie von *Mein Freund Shane.* Tuna war geduldig, und Lieberman war mit der Zeit besser geworden. Aber eines Nachts, als sie nach einem Familienstreit im Norden Chicagos wieder zum Auto kamen, war die Harmonika verschwunden.

»Du bist aber nicht auf der Suche nach einem Klavier«, sagte Izzy. »Wonach suchst du – außer nach Erinnerungen?«

»Einen Penner, den sie den Walker nennen.«

»Lampe?«

»Das ist er.«

»Da drüben.« Izzy zeigte in eine Ecke, hinter eine Vitrine mit Uhren.

Lieberman ging um die Vitrine herum, zu einem vor Dreck fast schwarzen Tisch, auf dem eine Lampe stand. Genau so eine hatte er auf dem Boden in Estralda Valdez' Apartment gesehen.

»Das ist sie«, sagte Lieberman. »Erzähl mal!«

»Da gibt's nicht viel zu sagen«, antwortete Izzy und nahm

die Brille ab. »Der Mann kommt rein und drückt die Lampe an sich wie ein krankes Baby. Er erzählt mir was von einer Wunderlampe. Ich sehe, in welchem Zustand er ist, und biete ihm zwei Dollar, was offensichtlich zwei Dollar mehr ist, als ihm alle anderen geboten haben.«

»Hat er noch was gesagt?« wollte Lieberman wissen.

»Daß er seine Geschichte dem Wundermann erzählen wollte.«

»Dem Barkeeper im Blarney Inn?«

»Sollte man meinen, aber dein Mann war von einem anderen Stern oder auf einer anderen Umlaufbahn. So kam er rein, und so ist er wieder gegangen.«

»Als Beweisstück könnte ich die Lampe umsonst mitnehmen«, sagte Lieberman. »Sie ist Diebesgut.«

»Ich könnte meinen Anwalt anrufen«, sagte Izzy und zeigte mit der Brille auf Lieberman.

»Wegen einer Zwei-Dollar-Lampe?«

»Nein. Aus Prinzip!«

»Vier«, bot Lieberman.

»Kompromiß ist moralischer Bankrott«, sagte Raw Izzy.

»In Odnung. Fünf!« Lieberman zückte seine Brieftasche. Izzy blieb sitzen und nahm die fünf Scheine entgegen. Dann gab er Lieberman einen Schlüssel. »Die Vitrine mit den Harmonikas, die du dir angeschaut hast. Nimm eine! Als Bonus. Ist im Preis für die Lampe drin. Hattest Glück – gilt nur heute.«

Lieberman sperrte die Vitrine auf, nahm sich eine Hohner in C, steckte sie in die Tasche, schloß wieder ab und gab Raw Izzy den Schlüssel zurück.

»Das Leben ist eine Folge seltsamer und scheinbar sinnloser Geschichten«, fing Raw Izzy wieder an. »Sinn und Bedeutung sind Ableitungsfunktionen der Verbindung von Geschichte, Erzähler und Zuhörer. Aber die schwierigste Rolle darin hat der Zuhörer.«

Lieberman griff die Lampe und ging zur Tür.

»Bis bald«, sagte er.

»Komm vorbei, wenn du *›Smoke Gets in Your Eyes‹* spielen kannst«, sagte Izzy und widmete sich wieder seiner Lektüre. Walker Jules war an diesem Morgen tatsächlich im Blarney Inn gewesen, aber schon lange weg, als Lieberman dort ankam. Er hatte die zwei Dollar versoffen und war gegangen. Der Wundermann, die Taschenausgabe eines Barkeepers, erinnerte sich, daß Jules auf der Chase nach Osten gelaufen war. Lieberman bedankte sich, ging raus und so schnell, wie es mit seinen steifen Knien möglich war, zurück zu seinem Auto.

Fünf Minuten vorher war Hanrahan am Seeufer in Höhe der Chase Street angekommen. Walker Jules steckte nicht in der Röhre und auch nicht unter oder bei den Felsen. Hanrahan lief die Chase Street nach Westen in der vagen Hoffnung, Jules zu erspähen oder wenigstens jemanden, der aussah, als könnte er mit Jules bekannt sein.

Hanrahan war noch keine hundert Meter gelaufen, als ihm Jules Van Beeber entgegenkam. Van Beeber sah Hanrahan an und wußte instinktiv, daß der große Ire ein Bulle war. Jules, der Walker, machte kehrt und rannte los. Genau in die Arme von Lieberman. Auch er hatte den Walker gesehen, als er auf der Chase Street zum See runtergefahren war, hatte geparkt, war ausgestiegen und hatte sich ihm genähert. Da hatte Jules plötzlich Hanrahan entdeckt.

»Ich hab nichts getan«, stieß Jules hervor. Van Beeber und Lieberman lagen auf dem Bürgersteig, der Verdächtige oben, der Cop unten.

Hanrahan sprang hinzu und riß Jules von seinem Partner runter.

»Ich hab nichts gemacht«, wiederholte er noch einmal für den großen Bullen.

»Hast du Hunger?« fragte Lieberman, als er sich aufgerichtet hatte.

»Ich könnt was vertragen«, gab Jules zu.

»Dann gehen wir jetzt einen Big Mac essen.«

Keine zehn Minuten später saßen sie in einer Nische im fast leeren McDonald's in der Howard Street. Am Nachbartisch saß eine dicke Frau mit drei Kindern. Egal, was die Kinder sagten, die Frau antwortete immer nur: »Iß deine Fritten auf!«

»Das ist nicht gut für Sie«, sagte Jules, der Walker, als Lieberman in seinen Big Mac biß.

»Ich habe Grund zum Feiern«, sagte Lieberman. »Wisch dir den Mund ab, wenn du ißt!«

Jules biß ein großes tropfendes Stück von seinem Burger ab und fuhr sich mit der Serviette über den Mund.

»Feiern?« fragte Jules.

Jules war eingekeilt zwischen Hanrahan und der Wand. Lieberman saß den beiden gegenüber. Jules hatte eine Coke, einen Cheeseburger ohne Senf und eine große Portion Pommes bestellt. Hanrahan hatte sich für einen Kaffee entschieden, Lieberman für einen Big Mac und eine Cola Light. Jules' Cheeseburger hatte fünf Minuten länger gedauert, weil er extra zubereitet werden mußte.

»Ich habe zwei Dinge zu feiern«, erklärte Lieberman und nahm sich von Jules' Fritten. »Ich war bei der Vorsorge. Und wir haben dich geschnappt.«

»Ich bin geflogen«, sagte Jules mitten im Kauen. »Ich bin geflogen. Das ist die Wahrheit.«

»Kau vernünftig und schluck runter«, sagte Hanrahan. »Das ist ja widerwärtig!«

»Schon gut«, sagte Jules und aß weiter, was ohne Zähne nicht ganz einfach war. »Leichter, die Burger ohne falsche Zähne zu essen.«

»Gut zu wissen«, sagte Lieberman. »Kann ich dich was fragen?«

»Ich weiß nicht«, sagte er und sah Hanrahan an.

»Warum hast du Estralda Valdez umgebracht?«

»Ich habe ...«, sagte Jules, wieder mit vollem Mund.

»Erst schlucken!« sagte Hanrahan.

Jules kaute weiter.

»Du warst gestern in ihrer Wohnung«, sagte Lieberman. »Sie war zu Hause, du gingst rein, hast sie umgebracht, die Lampe genommen und ...«

»Hab die Kurve gekratzt«, sagte Jules.

»Hast du ein Messer?« fragte Hanrahan.

»Nein«, antwortete Jules. »Früher hatt' ich eins. Nein. Glaub nicht, daß ich gestern wen umgebracht hab.«

»Wann *hast* du denn jemanden umgebracht?« fragte Hanrahan.

»Im Krieg«, sagte Jules zwischen zwei Bissen.

»In welchem Krieg?« wollte Lieberman wissen.

»Weiß ich nicht mehr ... Doch, da waren Leute. Australier, auf die wir geschossen haben«, sagte Jules. »Ja, Australier.«

»Wir haben nie gegen Australien Krieg geführt«, sagte Lieberman.

»Dann weiß ich auch nicht, welcher Krieg«, sagte Jules. »Kann ich was zu trinken haben?«

»Cola«, sagte Hanrahan.

»Einen Drink«, sagte Jules. »Dann rede ich.«

»Iß deine Fritten auf!« schrie die dicke Frau mit den Kindern.

»Was hast du uns zu erzählen?« fragte Lieberman.

»Alles, was ihr wollt.«

»Du hast sie umgebracht«, sagte Hanrahan.

»Ich ... nein. Glaub ich nicht. Diesmal nicht.«

»Diesmal nicht«, wiederholte Lieberman.

Plötzlich war Jules' Blick auf ein anderes Universum gerichtet, sein Mund klappte auf, Käsebrocken fielen auf den Tisch.

Hanrahan klopfte ihm leicht auf die rechte Schulter, um ihn wieder nach Chicago zu holen. Jules zuckte zurück und schlug mit dem Kopf gegen die Wand. Die dicke Frau und die drei Kinder hörten auf zu kauen und begafften die drei Männer.

»Ich habe ihn kaum berührt«, erklärte Hanrahan der Frau, ihren Kindern und seinem Partner, der die Achseln zuckte und weiteraß.

»Ich bin hier«, sagte Van Beeber.

»Gut zu wissen«, sagte Lieberman und reichte ihm eine Serviette. »Wisch dir den Mund ab!«

»Ich weiß, wo ich bin«, sagte Van Beeber und sah Lieberman aufmerksam an. »Ich weiß nur nicht genau, wann ich bin.«

»Valdez hätte ihn nie reingelassen«, sagte Hanrahan mit einem Blick auf die Gestalt neben sich. »Und selbst wenn – sie wäre problemlos mit ihm fertig geworden.«

»Vielleicht habe ich sie nicht umgebracht«, sagte Jules und rieb sich die Stelle am Kopf, mit der er gegen die Wand geknallt war.

»Wer dann?« fragte Hanrahan.

»Erzähl uns einfach von gestern abend, alles, woran du dich noch erinnerst«, forderte ihn Lieberman auf.

Jules wischte sich die Hände an der dreckigen Hose ab und krallte sich mit seinen schwarzen Fingernägeln ein paar Fritten.

»Gestern abend«, sagte er kauend. »Es ist so schwer, sich ... Wann war gestern abend?«

»Du warst in den Michigan Towers, im sechsten Stock«, half ihm Lieberman und beschloß, keine Fritten mehr zu essen.

Jules hatte ihm den Appetit verdorben.

»Der Typ, der mir von der Flasche erzählt hat«, sagte Jules und spuckte Kartoffelstücke durch die Gegend.

»Sprich nicht, wenn du was im Mund hast. Ich hab dich gewarnt«, sagte Hanrahan.

»Ein Typ. Ich kann mich nicht erinnern. In meinem Kopf ist alles so durcheinander. Verstehen Sie? Moment, da ist noch was. Ich hab sie sprechen hören. Die Tür war offen.« Die dicke

Frau mit den Kindern sperrte den Mund auf. Aber bevor sie etwas sagen konnte, rief Jules: »Iß deine Fritten auf!«

Die Frau sah Jules an und schrie: »Scheiß Arschgesichter!«

»Wo war ich?« Jules langte wieder nach den Pommes frites.

»Die Tür stand offen«, sagte Hanrahan.

»Genau«, sagte Jules, schloß die Augen und nickte versonnen, wie ein besonders begabter Student, der auf eine besonders schwierige Frage seines Professors eine besonders intelligente Antwort hatte. »Ich geh rein. Saustall. Flasche auf dem Boden. Noch ganz. Dann hab ich sie gehört . . . Sie hat so gemacht.« Jules, der Walker, fing an zu würgen und zu husten.

»Wunderbar«, sagte Lieberman.

»Ich hab mit ihr geredet«, sagte Jules. »Ich hab zu ihr gesagt: ›Was?‹ Mir geht's nicht gut. Darf ich aufs Klo?«

»Du hast sie gefragt, ob du aufs Klo darfst?« fragte Hanrahan.

»Nein. Jetzt will ich aufs Klo.«

»Was hat sie zu dir gesagt, Jules?« fragte Lieberman.

»›Unterm Haus im Haus meiner Mutter‹«, sagte Jules voller Stolz. »Das war alles.«

»›Unterm Haus im Haus ihrer Mutter‹?« wiederholte Lieberman.

»Kann ich aufs Klo . . . Ich muß pissen.«

»Was hat sie noch gesagt?« fragte Lieberman.

»Nichts«, sagte Jules. »Ich hab die Lampe genommen und bin aus dem Fenster geflogen. He, ich muß!«

Hanrahan stand auf. Jules sprang aus der Nische, die Hand am Hosenladen. Die dicke Frau bewegte sich mit ihrer Brut auf den Ausgang zu. Eins der Kinder, das noch nicht gehen wollte, zog sie hinter sich her. Jules verschwand in der Toilette.

Lieberman und Hanrahan wußten, daß es auf der Toilette keine Fenster gab und auch nichts, womit sich Jules etwas hätte antun können – außer er ertränkte sich in der Kloschüssel oder zertrümmerte seinen Kopf an der Wand.

»Was machen wir?« fragte Hanrahan. Er nippte an seinem Kaffee und starrte in die schwarze Brühe.

»Festnehmen«, sagte Lieberman. »Wir melden Hughes, daß wir ihn haben und suchen weiter. Weißt du, an wen mich Jules erinnert? An Dustin Hoffman in *Asphalt-Cowboy,* Ratso Rizzo.«

»Stimmt. Weißt du, was ich heute gemacht habe?« fragte Hanrahan.

»Du hast im Budweiser Cup gewettet! Bud Lights liegt eigentlich vorne, aber mein Enkel ist der Meinung . . .«

»Abe, ich mein's ernst. Ich war zur Beichte«, sagte Hanrahan, immer noch in seinen Kaffee starrend.

»Masl Tov!« sagte Lieberman. »Geht's besser?«

»Etwas. Was hältst du von Chinesinnen?«

»Ich glaube nicht, daß ich je über sie als Kategorie nachgedacht habe«, sagte Lieberman und strich sich über den Schnauzer. »Soll ich das jetzt nachholen?«

»Nein! Wo zum Teufel steckt . . .?« Bevor Hanrahan den Satz zu Ende bringen konnte, war Jules von der Toilette zurück.

»Keine Handtücher«, sagte Jules. Schmutziges Wasser tropfte von seinen Händen.

»Nimm die!« Lieberman hielt dem Walker einen Packen Papierservietten hin.

Jules nahm ein paar, wischte sich die Hände ab und überlegte, wo er die durchweichte Schweinerei loswerden konnte. Er entschied sich für die Tüte, in der ihre Burger gewesen waren.

»Du bist kein besonders appetitliches Kerlchen, Jules«, sagte Hanrahan.

»Ich hatte mal einen Postkartenladen in Holland«, sagte Jules. Er stand neben dem Tisch und glotzte zu drei gickelnden Mädchen an der Eingangstür des McDonald's rüber. »Kinder, eine Frau. Irgendwas ist passiert.«

Jules fing an zu weinen. Die Mädchen sahen ihn an und mußten noch mehr gickeln.

»Wir gehen jetzt ins Gefängnis«, sagte Lieberman.

»Was ist passiert?« fragte Jules und wischte die Tränen mit dem zerrissenen Ärmel ab. »Ich hab Karten verkauft. Das einzige, was ich weiß, ist wann und wo. Was zum Teufel ist passiert?«

»Du hast fliegen gelernt«, sagte Hanrahan.

»Nein.« Jules schüttelte den Kopf. »Ich hab euch angelogen. Ich hab mich angelogen. Ich bin gefallen. Holt ihr mir was zu trinken?«

Lieberman und Hanrahan waren bereits aufgestanden. Die Mädchen suchten sich mit ihren Tabletts einen Platz, der weit genug von diesen eigenartigen Männern entfernt war, aber doch nah genug, um sie beobachten zu können.

»›Unterm Haus im Haus ihrer Mutter‹?« wiederholte Lieberman noch einmal.

Jules nickte. Seine Batterie war leer, und sein Blick trübte sich immer mehr.

»›Unterm Haus im Haus meiner Mutter‹ hat sie gesagt«, bestätigte Jules. »Ihr Name ist Maureen. Verheiratete Frau.«

Hanrahans Knie wurden weich. Lieberman legte ihm die Hand auf den Arm.

»Mit wem verheiratet?« fragte Lieberman.

»Mit mir«, sagte Jules. »Meine Frau heißt Maureen.«

»Meine auch«, sagte Hanrahan.

»Hab meine seit Jahren nicht gesehen«, sagte Jules und blickte den großen Polizisten an. »Ich glaube, sie war gut im Bett. Weiß nicht mehr, wie sie ausgesehen hat.«

Lieberman stellte sich zwischen die beiden, bevor Hanrahan eine neue Methode der Geständnisbeschleunigung ausprobieren konnte.

»Wir fahren jetzt auf's Revier«, sagte Lieberman.

Als sie, Jules Van Beeber zwischen sich, zum Wagen gingen,

sagte Hanrahan: »Wenn es den Teufel gäbe, würde ich jetzt glauben, daß er mich in den Wahnsinn treiben will.«

»Nicht der Teufel, Father Murphy«, sagte Lieberman. »Gott. Gott hat einen Sinn für Humor. Das gehört zu den Dingen, die ich an ihm mag.«

»Amen«, murmelte Jules Van Beeber, die Augen starr auf die Straße gerichtet. »Amen.«

6

Captain Hughes saß im Vernehmungsraum und hörte sich das Tonband an. Er trank Kaffee aus einer weißen Tasse mit einem Beethoven-Bild darauf. Seine schwarz- und lilafarbene Krawatte war nur so weit gelockert, daß er den obersten Hemdknopf öffnen konnte. Konzentriert hatte er seine dunkle Stirn in Falten gelegt. Die Tür zu seinem Büro war verschlossen, und Hughes hatte Feidler, dem Polizisten, der am Morgen an der Rezeption saß und einen so starken Überbiß hatte, daß ihn die Kollegen Bugs riefen ... Hughes hatte ihm gesagt, daß er von niemandem gestört werden wollte. Von niemandem. Punkt. Niemand – das wußte Feidler – hieß niemand außer dem Bürgermeister, dem Polizeichef und Hughes' Frau. Lieberman saß am Ende des Tisches und bekritzelte die Rückseite einer Gasrechnung. Hanrahan bediente das Tonbandgerät, einen kleinen Kassettenrecorder, der in der Wohnung eines Drogendealers namens Murrayhoff konfisziert worden war. Eigentlich hätte er in die Asservatenkammer gehört, aber die beiden Aufnahmegeräte, die es im Revier gab, standen nicht zur Verfügung: das eine war in Reparatur, das andere gestohlen.

LIEBERMAN

... gestern abend ...

JULES VAN BEEBER

Gestern abend?

HANRAHAN

Die Frau und die Lampe.

JULES

Oh, so ist das Leben.

HANRAHAN

Wie was?

JULES

Schwer, sich daran zu erinnern. Da war ein Typ, glaube ich.

LIEBERMAN

Ein Typ?

JULES

Ich glaube, ein Typ. Hat mir eine Flasche gegeben. Nein, er hat mir gesagt, wo ich die Flasche finde. Das eine oder das andere.

HANRAHAN

Könntest du den Typ identifizieren, wenn du ihn wiedersiehst?

JULES

Sah aus wie er.

LIEBERMAN

Er sah aus wie Captain Hughes? Er war schwarz?

JULES

Groß. Er war groß. (Lange Pause) Sie hat es mir gesagt. Sie hat gesagt, es ist unterm Haus im Haus ihrer Mutter. Hat sie gesagt. Hübsche Frau. Hab ich schon mal auf der Straße gesehen. Sah nicht gut aus auf dem Boden.

LIEBERMAN

Hast du sie umgebracht, Jules?

JULES

Maureen?

HANRAHAN

Die hübsche Frau!

JULES

Umgebracht? Ich glaube nicht. Vielleicht. Ich hab was getrunken und die Lampe genommen, und ich hab's euch erzählt. Ich bin geflogen. Ihr sagt meiner Frau nichts davon?

LIEBERMAN

Maureen. Ist sie ...

JULES

... in Michigan. Ich hab zwei Dollar für die Lampe bekommen. Von Raw Izzy.

»Schalt ab!« seufzte Hughes. Er sah mürrisch auf seine Beethoven-Tasse. Beethoven blickte finster zurück.

»Stecken wir ihn in den Knast?« fragte Lieberman.

Hughes sah ihn an und schüttelte den Kopf. »Das ist alles Scheißdreck, und ihr wißt es genau«, stöhnte Hughes. »Du kannst es ihm vielleicht anhängen, wenn wir in der Vorverhandlung Richter Dreuth oder Shoenberg bekommen und euer Jules sich schuldig bekennt. Wer ist der Pflichtverteidiger?«

»Sheridan«, antwortete Lieberman.

»Macht der da mit?« fragte Hughes. Er war aufgestanden und sah Hanrahan zu, wie er das Band zurückspulte.

Lieberman zuckte mit den Achseln: »Er ist uns was schuldig, und wir sind ihm was schuldig. Keine Ahnung.«

»Ich weiß«, sagte Hughes. »Es ist zum Kotzen. Der arme Haufen Scheiße kann für überhaupt nichts plädieren. Selbst Dreuth würde nicht mitmachen. Es würde ihn ewig verfolgen. Valdez hätte die Scheiße aus ihm rausgeprügelt. Das Arschgesicht hat ja nicht mal die Kraft oder den Mumm, ein einziges Mal zuzustechen, geschweige denn achtmal. Was ist mit der Waffe? Was ist mit ... Ach, Scheiße!«

Hughes schüttelte den Kopf.

»Ich hab drei Morde auf dem Tisch«, fuhr er fort. »Meine Frau hat eine Theorie dazu. Wollt ihr die Theorie meiner Frau zu eurem Fall hören?«

»Klar doch«, sagte Hanrahan.

»Einen Dreck wollt ihr«, fuhr ihn Hughes an. »Aber ihr kriegt sie jetzt trotzdem zu hören. Meine Frau glaubt, ein Zuhälter hat sie fertiggemacht oder ein Typ, den sie mit nach oben genommen hat und der dann durchgedreht ist.«

»Ich glaube, deine Frau hat recht«, sagte Lieberman und steckte sich Stift und Umschlag in die Tasche.

»Wollt ihr wissen, was meine Frau außerdem denkt?« Hughes kam jetzt richtig in Fahrt. »Sie will nicht mehr in dem

Haus wohnen. Sie hat noch eine andere Theorie. Sie glaubt, daß ein Frauenmörder im Haus wohnt. Sie ist weggefahren und wohnt bei ihrer Mutter, bis wir den Fall aufgeklärt haben. Sie meint, daß der Zuhälter oder der Kunde ... Meint ihr, da ist was dran?«

»Vielleicht«, sagte Lieberman. »Der Pförtner konnte sich nicht erinnern, daß jemand ...«

»Meint ihr, es ist was dran an ihrer Geschichte?« wiederholte Hughes, diesmal etwas lauter.

»Nicht so schwierig, ins Gebäude zu kommen«, sagte Lieberman. »Jemand hat unseren Jules reingelassen. Weißt du, wie man auf jiddisch sagt?«

»Nein«, sagte Hughes. »Woher zum Teufel soll ich das wissen? Aber ich will es auch gar nicht wissen. Siehst du den Papierstapel? Die *Sun-Times*? Seite acht! Nicht viel, aber es ist drin. Kein Fernsehen. Zumindest habe ich nichts davon gehört. Und ihr?«

Hanrahan und Lieberman schüttelten den Kopf.

»Holt den Penner rein!« befahl Hughes.

Hanrahan stand auf und ging raus.

»Hier stinkt's nach Pisse«, sagte Hughes.

»Es ist Pisse«, sagte Lieberman. »Novotny war mit einem Typ hier drin, der ...«

»Abe«, sagte Hughes. Er sah kurz zur Tür, dann wieder zu Lieberman. »Dein Partner hat Scheiße gebaut. Er hängt an der Flasche. Sag jetzt nichts! Hab ich auch schon erlebt, mit allem drum und dran. Dysan. Erinnerst du dich an Dysan?«

»Ob ich mich an Dysan erinnere?« fragte Lieberman.

»War schuld am Tod seines Partners«, flüsterte Hughes. »Du weißt, was zusammenkommen muß, bis ein Cop gefeuert wird? Scheiße, natürlich weißt du's! Aber ich denke manchmal dran, Abe. Ich denke ernsthaft drüber nach. Stehst du hinter mir, wenn es soweit kommt?«

Die Tür ging auf, und Lieberman blieb die Antwort erspart.

Jules Van Beeber kam rein, gefolgt von Hanrahan. Jules sah jetzt einigermaßen zivil aus: gewaschen, rasiert und mit frischen Sachen. Nestor Briggs, dessen Vater Friseur war, hatte ihm sogar die Haare geschnitten. Jules sah fast aus wie ein neuer Mensch – auch wenn der nicht viel besser war als der alte.

»Van Beeber«, sagte Hughes.

»Schubert«, sagte Jules.

»Ihr Name ist Schubert?« fragte Hughes.

»Nein, auf der Tasse, Franz Schubert«, sagte Jules, der Walker, und zeigte auf Hughes' Kaffeetasse.

Hughes sah angewidert zur Seite.

»Das macht er die ganze Zeit so«, erklärte Lieberman.

Jules sah den Captain an und versuchte seinem Blick standzuhalten.

»Können Sie mich hören, Van Beeber?« fragte Hughes.

»Ich höre Sie«, sagte Van Beeber, lehnte sich an die Wand und schloß die Augen. »Es ist Tag. Den Tag ertrage ich nicht lange.«

»Ich habe Sie auf der Straße in der Nähe meiner Wohnung gesehen«, sagte Hughes. »Sehen Sie mich an, Mann!«

Van Beeber öffnete die Augen und sah Hughes ins Gesicht.

»Hast du sie umgebracht, Jules?« fragte Hughes und kam um den Tisch herum. Jules wäre gestürzt, wenn Lieberman ihn nicht am Kragen festgehalten hätte.

»Ja«, sagte Van Beeber. »Meine Frau. Sie hat mich geärgert. Ich hab sie geschlagen. Hinten im Kartenladen. Ich weiß nicht wann. Sie heißt Elsie oder Kate. Nein, Maureen. Kate ist meine Schwester. Elsie ist die Kuh der Bordens.«

»Du hast deine Frau umgebracht?«

Van Beeber schüttelte den Kopf.

»Hast du nicht gesagt, wir sollten deiner Frau nichts sagen?« fragte Hanrahan.

»Das Leben hat mich ein wenig verwirrt« sagte Van Beeber und versuchte den Kopf zu schütteln.

»Uns alle«, sagte Lieberman. »Aber wir bringen deswegen nicht unsere Frauen um. Denk nach, Jules! Hast du wirklich deine Frau umgebracht?«

Jules, der Walker, lachte. »Deshalb habt ihr mich festgenommen. Wißt ihr nicht . . . Wo ist meine Lampe? Nein, ich erinnere mich. Izzy, zwei Scheine.«

»Bringt ihn weg!«, sagte Hughes.

Hanrahan öffnete mit der linken Hand die Tür und hielt Jules mit der rechten am Kragen fest. Als Jules und Hanrahan draußen waren, sagte Hughes zu Lieberman: »Meinst du, der Penner hat wirklich seine Frau auf dem Gewissen?«

»Weiß man's? Ich werd's jedenfalls überprüfen lassen.«

Hughes grinste, ballte die Hand zur Faust und schlug in die Luft. »Okay, wenn das stimmt, haben wir ihn – falls wir ihn wollen.«

»Ich glaube nicht . . .« fing Lieberman an.

»Lieberman!« In Hughes Stimme war jetzt ein drohender Unterton. »Ich bin gut aufgelegt, aber das kann sich schnell ändern, und du willst doch sicher nicht, daß es sich sofort ändert. Ich hab mir heute morgen, als du noch geschlafen hast, deine und Hanrahans Akte angesehen. Ihr habt einen ungelösten Raubüberfall auf einen Supermarkt, einen Hausfriedensbruch, eine vorsätzliche Körperverletzung und zwei andere Mordfälle – einen mit Straßenbanden und einen wegen einer Familienstreitigkeit. Wenn euch das nicht reicht – ich habe eine lange Liste für euch, und einiges davon würde dir gar nicht gefallen.«

»Ich werd's überprüfen«, sagte Lieberman, und Hughes ging raus.

Lieberman trat an das vergitterte Fenster und sah hinaus auf die Clark Street. Auf der anderen Straßenseite lag hinter mickrigen Bäumen ein betonierter Spielplatz, auf dem vier Jungs mit nacktem Oberkörper Basketball spielten. Als Lieberman ein Kind gewesen war, hatte das Highschool-Team seiner Schule, die Marshall Commandos, hundertmal hintereinander gewonnen – ein Rekord, der bis heute Bestand hatte. Es war ein Team mit ausschließlich jüdischen Kindern gewesen, mit kleinen jüdischen Kindern, und sie hielten noch immer den Rekord. Maish Lieberman war eines von ihnen gewesen. Er hatte zwar fast nie spielen dürfen, aber er hatte zur Mannschaft gehört. Und sein Bild, zusammen mit den zehn anderen, hing an der Wand in seinem Deli. Abe hatte jedes Spiel seines großen Bruders gesehen.

Die Tür ging auf, aber Lieberman drehte sich nicht um.

»Ich habe Nestor gesagt, er soll ihn einbuchten. Als unseren wichtigsten Zeugen und als Hauptverdächtigen«, sagte Hanrahan. »Sheridan ist schon ins Wochenende.«

Er stellte sich neben Lieberman und sah den Kindern beim Basketball spielen zu.

»Kannst du das mit Michigan überprüfen, mit der Polizei in Holland?« fragte Lieberman.

»Der dünne Junge ist nicht schlecht«, sagte Hanrahan.

»Es gibt keinen Teamgeist mehr«, beklagte sich Lieberman und wandte sich vom Fenster ab. »Jeder gegen jeden. Wir sollten in Michigan anrufen, bevor unser Jules jedes ungeklärte Verbrechen zwischen Cal City und Prag gesteht.«

Als Lieberman zu seinem Schreibtisch ging, war das Büro schön völlig verlassen – bis auf zwei Handwerker, die die Klimaanlage auseinanderbauten. Leer war es und heiß. Am Telefon klebte eine Nachricht von Nestor Briggs. Ein Mann hatte viermal angerufen, ohne eine Nachricht zu hinterlassen: keinen Namen, keine Nummer. Er hatte nur gesagt, es gehe um das, was gestern mit »ihr« geschehen war, und daß er Lieberman deswegen aufsuchen wolle. Die Handwerker unterhielten sich über die Meisterschaft und die Chancen der Clubs in den Play-Offs. Lieberman hätte einiges dazu sagen können, statt dessen rief er zu Hause an.

»Es ist nicht lustig, Lieberman«, sagte Bess. »Ich habe die

Kinder am Hals und muß mir Lisas Gejammer anhören. Sie sagt, sie macht endgültig Schluß, dann ruft sie doch wieder bei ihm an und zieht alles unnötig in die Länge.«

»Du findest es großartig«, sagte Lieberman. »Man braucht dich!«

»Spiel nicht den Analytiker!« sagte Bess.

»Das gehört zu meinem Job«, sagte er. »Ich bringe von Maish was fürs Frühstück mit. Du brauchst also nicht zu den Bagel Boys oder zum Kosher-Markt zu gehen.«

»Wann kommst du nach Hause?« fragte Bess.

»Sobald ich kann. Wie geht's Lisa?«

»Nörgelig. Sie grübelt und trinkt pausenlos Kaffee. Du weißt ja, wie sie ist.«

»Gieß immer nach und hör ihr zu. Ich löse dich ab, sobald ich die Stadt vom Verbrechen gesäubert habe. Das sollte ich so bis um sieben geschafft haben. Und die Kinder?«

»Die hab ich zur Bibliothek gebracht. Da zeigen sie wieder *Roger Rabbit*«, sagte Bess. »Weißt du, Lieberman, heutzutage lesen die Kinder nicht mehr in den Bibliotheken, sie sehen Filme.«

»Könnte schlimmer sein«, sagte er.

»Könnte schlimmer sein«, stimmte sie zu. »Rabbi Wass hat angerufen. Das Renovierungskomitee trifft sich heute abend um acht.«

»Das ist vielleicht ein Rabbi«, sagte Lieberman und stöhnte. »Eigentlich darf er am Schabbes gar nicht telefonieren.«

»Levan hat für ihn angerufen«, sagte Bess. »Wo ist der Unterschied?«

»Gott sieht alles«, sagte Lieberman. »Gott hat einen Sinn für Humor.«

»Komm bald nach Hause«, sagte Bess. »Es gibt die Reste von der Rinderbrust.«

Lieberman legte auf und sah den Handwerkern zu. Dann schaute er zu Hanrahan rüber, der an seinem Schreibtisch am anderen Ende des Raums saß und telefonierte. Sie waren Partner. Sie sollten nebeneinander sitzen, aber die Schichtarbeit hatte die wunderbare Raumaufteilung über den Haufen geworfen, die sich die Hauptverwaltung rechtzeitig zur Eröffnung des Gebäudes ausgedacht hatte. Die Leute in der Hauptverwaltung hielten es nicht für nötig, die Polizisten zu befragen, die täglich in den von ihnen geplanten Gebäuden arbeiten mußten. Sie entwarfen sie aus dem Gedächtnis und mit der kindlichen Phantasie von Architekten, die mit den Wiederholungen von *Baretta* groß geworden waren.

»Bingo!« schrie Hanrahan.

Lieberman und die Handwerker starrten ihn an.

»Würde mich wundern, wenn keine Belohnung auf Van Beeber ausgesetzt ist«, sagte Hanrahan. »Seine Frau wurde erschlagen. Mit einem stumpfen Gegenstand. Neunzehnhundertsiebenundsiebzig. Unser Jules war nirgends zu finden. Er ist der Hauptverdächtige. Michigan will ihn haben.«

Die Handwerker hörten aufmerksam zu und tuschelten miteinander.

»Warum freust du dich nicht, Father Murphy?« rief Lieberman. »Wir können Hughes sagen, daß der Fall gelöst ist. Der Walker ist am Ende.«

»Er hat die Valdez nicht getötet, Rabbi.«

»Ja, er war's nicht, Murph«, stimmte Lieberman zu.

»Ich nehme mir noch mal die Nachbarn vor«, sagte Hanrahan.

»Und ich werde dem Boxer einen Besuch abstatten.«

Bevor Lieberman das Revier verließ, ging er zu Nestor Briggs und sagte ihm, er solle, falls der Mann, der über das sprechen wollte, »was gestern mit der Frau geschehen war«, wieder anrief, doch bitte versuchen, Namen oder Telefonnummer herauszubekommen.

»Geht klar!« meinte Briggs.

Briggs war etwa so alt wie Lieberman, mit den Jahren jedoch völlig aus der Form geraten. Die Fülle seiner ehemals breiten Schultern war mittlerweile auf die Hüften hinuntergerutscht. Er hatte ein häßliches Muttermal auf der Stirn, kein imposantes wie Gorbatschow, sondern ein kleines, das aussah wie das Profil von Bob Hope, weshalb Nestor auch von allen »Bob« gerufen wurde. Er lebte alleine und wohnte direkt neben dem Revier. Er war immer da und feierte nie seine Überstunden ab. Briggs war ein Langweiler, der keine Freunde hatte, aber er war eine erstklassige Quelle für Informationen, denn er vergaß nichts und niemanden.

Der Empire Athletic Club befand sich auf der Chicago. Weit genug im Westen, daß er außerhalb der billigen Glitzeratmosphäre der Rush Street lag, aber doch nicht so weit, daß sich dort nur noch die kaputten Existenzen auf die Straße trauten. Lieberman war schon einmal hier gewesen. Schon einmal durch die Doppeltür gegangen, über der noch immer dasselbe Bild hing: zwei Hände in Boxhandschuhen, die zum Zeichen sportlicher Fairneß leicht gegeneinanderschlugen. Es war gerade noch genug Arm zu sehen, um zu erkennen, daß die eine schwarz und die andere weiß war.

Lieberman war gemeinsam mit seinem Vater durch diese Tür gegangen, um Henry Armstrong beim Training zuzusehen. »Das ist, und zwar Pfund für Pfund, der beste Kämpfer aller Zeiten«, hatte Harry Lieberman seinem Sohn auf jiddisch zugeflüstert, und Abe hatte sich für seinen Vater geschämt. Harry sprach nur schlecht Englisch, aber für die Gojim reichte es, die aus Neugier durchs Judenviertel wanderten und in seinem Laden einen Hotdog, Milkshakes oder Fritten bestellten. Oder einfach nur glotzen wollten. Abe hatte es gehaßt, am Sonntag im Laden zu arbeiten. Die Abende unter der Woche waren okay, die Stammkunden, die Leute aus der Gegend. Zwiebelgeruch, dampfende Brötchen, gegrillte oder gedämpfte Würstchen. Aber er konnte es nicht leiden, wenn ihn die Kunden ansahen, wenn sie mit dem Finger auf die Kippa seines Vaters zeigten, wenn der Vater sonntags am Grill stand.

Abe Lieberman hatte sich schon früh seinen trockenen Humor zugelegt. Oft hatte er sich im Spiegel hinter dem Vorhang betrachtet, der ihn, Maish und seinen Vater von den Kunden trennte, die für dreißig Cents eine Rundfahrt durchs jüdische Viertel gebucht hatten, in der ein Imbiß inbegriffen war. Vor diesem Spiegel hatte Abe einen Ausdruck amüsierter Langweile einstudiert, ihn perfektioniert und zu seinem Markenzeichen gemacht. Jetzt, da er oben auf dem Treppenabsatz das Boxclubs vor dem wandgroßen Spiegel der Eingangstür stand, blickte er in das Gesicht eines Mannes, das schon lange nicht mehr jung war und eine ganze Menge mehr vom Leben zu wissen schien als Abe Lieberman.

Als er die Tür öffnete, schlugen ihm Schweißgeruch und Lärm entgegen, Punchingbälle ratterten wie Maschinengewehre. Auf einem riesigen weißen Schild stand in großen roten Lettern RAUCHEN VERBOTEN. Aber Lieberman wußte, daß die Bosse im Boxgeschäft ihre dicken Zigarren ansteckten, wo immer es ihnen gerade paßte.

In Ring zwei, in einer dunklen Ecke des Empire, übte sich ein großer schwarzer Schwergewichtler im Schattenboxen. In Ring eins, bei der Fensterfront – da, wo er immer trainiert hatte – schlug ein weißhaariger alter Mann in grauem Trainingsanzug mit einem Besenstiel auf einen jungen Mann ein. Der junge Mann trug Boxhandschuhe und einen Kopfschutz. Er machte seine Sache gut.

»Hat sich zu oft *Karate Kid* angesehen, der alte MacConnell.«

Lieberman drehte sich um. Vor ihm stand Whitey. Jeder Boxverein hat seinen Whitey: jemanden, der immer schon da war – seit Mayor Cermak in den dreißiger Jahren eine Kugel abgekriegt hatte. Dieser Whitey hatte immer eine platte Nase, eine schnodderige Art zu reden, ein Gedächtnis wie ein Sieb, und er wurde von allen verarscht. Aber das hier war kein gewöhnlicher Whitey. Dieser hier hatte nie im Ring gestanden, und wenn, dann höchstens, um einem alten Typen namens Sturges zu sagen, wie er sich durchboxen sollte.

Dieser Whitey war ein Philosoph, über den die *Chicago Tribune* vor einigen Jahren ein Porträt veröffentlicht hatte. Ein ehemaliger Rechtsanwalt, der versessen aufs Boxen war und der, als seine Frau gestorben war, sein Haus verkauft und das Empire übernommen hatte. Whitey wußte alles übers Boxen. Er kannte sämtliche Mittelgewichtler seit Irish Jimmy Morgan. Er kannte die Top Ten des *Ring Magazines* in allen Gewichtsklassen, von 1934 an, dem Jahr, in dem er geboren wurde. Und er wußte schon, auch wenn er nur beim Sparring zusah, ob einer ein Sieger war oder ein Verlierer. Aber das allerwichtigste war, daß dieser Whitey, der sich den Spitznamen wahrscheinlich selbst gegeben hatte, den Laden sauberhielt.

»Lieberman, der Bulle«, sagte Whitey und musterte Lieberman von oben bis unten. »Das letzte Mal, daß ich Sie gesehen habe, war . . .«

»Fauler Apfel. Teilzeittrainer, der mit Heroin gedealt hat, Sonny Warsham«, sagte Lieberman.

»Halbschwergewichtler und Drogist«, sagte Whitey.

»Beschissener Trainer. Sparringspartner von Leon Spinks damals. Jetzt sitzt er drei oder fünf Jahre in Joliet.«

Whitey trug Jeans, ein weißes Hemd mit Seidenkrawatte und ein Lächeln, das ziemlich ernst wirkte. Lieberman ergriff Whiteys ausgestreckte Hand.

»Schön, Sie wieder mal zu sehen«, sagte Whitey. »Sie haben 'nen schlechten Tag erwischt. Keine Talente da.«

»Silk«, sagte Lieberman. »Ich habe etwa vor einer Stunde angerufen, und man hat mir gesagt, er ist da.«

»Umkleide«, sagte Whitey. »Aber selbst wenn Sie früher dagewesen wären, Sie hätten nicht viel zu sehen bekommen. Escamillo spart sich alles für die Kämpfe auf.«

Das Empire hatte einen Umkleideraum und einen, wo die Spinde standen. Beide Räume waren genau gleich, aber der Umkleideraum war denen vorbehalten, die auf irgendeinem Listenplatz standen, gestanden hatten oder zumindest Aussichten hatten, einmal irgendwo von irgendwem auf einen Listenplatz gesetzt zu werden.

»Wie sieht's bei ihm aus?« erkundigte sich Lieberman.

Whitey zog die Schultern hoch. »Zu clever«, sagte er und ließ die Schultern wieder sinken. Der Typ im ersten Ring stöhnte auf: Der Besenstiel hatte ihn an der Brust erwischt.

»Zu gesund. Sieht gut aus. Weiß, daß er nicht ewig weitermachen kann, und sieht sich nach was um, wovon er draußen leben kann. Nicht genügend Biß. Mehr Talent, als man verlangen kann. Trainiert gut, aber ... Was haben Sie mit ihm vor?«

»Gegen wen boxt er?« wollte Lieberman wissen. Er beobachtete einen winzigen Latino mit Schnurrbart, der auf einen Sandsack eindrosch.

»Stickney Welles, der Mann mit den Glocken, heute in drei Wochen, Großereignis im *Top Rank Boxing*«, sagte Whitey. »Welles wird den Rest des Monats auf dem Rücken liegen. Unser Escamillo wird noch eine Zeitlang für Wirbel sorgen, aber auf Dauer kann man ihn vergessen.«

»Danke, Whitey«, sagte Lieberman und setzte sich Richtung Umkleideraum in Bewegung.

»Wir haben einen Bantamgewichtler. Lohnt sich mal anzusehen«, rief ihm Whitey nach. »Jüdischer Junge, Russe, heißt Yakov Bitt. Bantam interessiert zwar keinen, aber der Junge: Acht zu Null, sechs davon durch k. o., und das mit nur einem Schwächling in der ganzen Serie. Er ist im Vorprogramm vom Silk-Welles-Kampf zu sehen.«

Lieberman winkte Whitey zu und öffnete die Tür zum Umkleideraum.

Escamillo Silk war schon vollständig angezogen. Er trug einen sorgfältig gebügelten Anzug, ein tadelloses gelbes Hemd mit kurzen Ärmeln und eine gelbe Krawatte mit graubraunem Muster. Er stand vor dem Spiegel über einem Waschbecken und kämmte sich die Haare. Seit Lieberman das letzte Mal hier gewesen war, hatte das Empire einen neuen Boden bekommen. Er gefiel ihm nicht. Das Empire war auf dem besten Weg, einer dieser Läden zu werden, für die Cher im Fernsehen Werbung machte.

»Echte Seide«, sagte Silk und sah Lieberman im Spiegel an. »Kein Billigkram.«

Er steckte den Kamm in die Tasche, drehte sich zu Lieberman um und zeigte ein perfektes Lächeln und strahlend weiße Zähne. Silk hatte etwa Liebermans Größe und Gewicht – nur daß sich dieses Gewicht anders auf seinen Körper verteilte.

»Silk«, sagte Silk und fuhr sich mit dem Daumen über den Schlips. »Markenzeichen, wissen Sie?«

»Ich habe die ersten vier Runden von Ihrem Kampf gegen Ty Turner gesehen«, sagte Lieberman.

»Und?« machte Silk, zupfte sich die Aufschläge seiner Jacke zurecht und prüfte den Faltenwurf seiner Hosen. »Vier Runden, was?«

»Ich war mit einem Typen da, der früher weg mußte«, sagte Lieberman und sah sich um.

»Warum mußte der weg?« fragte Silk. »In Runde fünf ...«

»Weiß ich nicht«. sagte Lieberman. »Hat er mir nicht gesagt. Ich bin ihm zu einem fingierten Drogengeschäft gefolgt.«

Escamillo strahlte noch immer, aber nicht mehr mit 250, sondern nur noch mit 50 Watt.

»Ich dachte, Sie wären der Promoter von ESPN«, sagte Silk. »Auf den warte ich nämlich. Ich tu mir keine Scheiße in die Nase, Arme, Ohren, Augen oder sonst irgendwohin. Wer das sagt, lügt. Testen Sie mich!«

»Estralda Valdez ist tot«, sagte Lieberman.

»Ich weiß«, sagte Silk. »Whitey hat es mir erzählt. Er hat's in der Zeitung gelesen.«

»Wann haben Sie sie zuletzt gesehen?« fragte Lieberman.

»Wann ich . . . Moment, brauche ich einen Anwalt oder sowas? Wollen Sie mich fertigmachen?«

»Sie haben's erraten«, sagte Lieberman. »Ich werde die Tür verriegeln und ein Geständnis aus Ihnen rausprügeln. Wann haben Sie sie zuletzt gesehen?«

»Welcher Tag ist heute?«

»Samstag.«

»Letzten Montag«, sagte Silk. »Wollen Sie sich setzen?«

»Nein, ich will zuhören.«

»Letzten Montag«, wiederholte Silk. »Ich war mit ihr im Escargot essen. Kennen Sie das Escargot?«

»Schon von gehört.«

»Dinner mit den Leuten von Oprah«, fuhr er fort. »Die haben gesagt, daß sie mich in einer Show haben wollen. Zum Thema attraktive Athleten und Frauen. Ich hab gedacht, Estralda würde sich beim Essen gut machen, sie in die richtige Stimmung bringen.«

Silk lachte.

»Vielleicht sollten wir das ein andermal fortsetzen«, sagte Lieberman. »Estraldas Tod scheint Sie ganz schön mitgenommen zu haben.«

»He! Mann!« Silk hob seine rechte Hand, Innenflächen nach außen, als wolle er zur Gemahnung an die Fairneß im Kampf mit Lieberman einschlagen. »Es tut mir leid, daß sie umgebracht wurde. Okay? Sie war eine kluge Frau. Gute Haut. Ich habe ihre Arbeit gemocht. Sie war hübsch, und man konnte sie immer gut mitnehmen. Aber wir reden hier nicht über eine Dreizimmerwohnung in Oak Park und über Kinder, die Carlos junior heißen.«

»Carlos junior?« fragte Lieberman.

»Mein richtiger Name«, sagte Silk und steckte sich die Daumen in den Gürtel. Jetzt wußte Lieberman, was es war. Escamillo oder Carlos posierte. Er bemühte sich, wie eine Anzeige im *Gentlemen's Quarterly* auszusehen.

»Escamillo ist der Torrero in *Carmen*«, erläuterte Silk. »Die Zeitungen wissen alle, daß mein richtiger Name Carlos Mendenarez ist.«

»Insiderinformationen aus erster Hand«, sagte Lieberman. »Hat Estralda erwähnt, daß sie vor jemandem Angst hatte? Vor einem Kunden oder so?«

»Nein«, sagte Silk. »Sie hat davon geredet, daß sie nach Texas zurück will . . . Hat ihre Schwester angerufen und irgendwas von Frank Soundso erzählt. Ich habe ein gutes Gedächtnis. Ich trainiere es. Habe das Buch gelesen von . . . wie heißt er gleich? . . . und . . .«

»Wo ist ihre Schwester?«

»Weiß ich nicht«, antwortete Silk mit einem hübschen Lächeln. »Hat sie nicht gesagt.«

»Wo wohnt Estraldas Mutter?«

»Mutter? Weiß ich nicht. Hatte die eine Mutter?« Silk näherte sich Lieberman und flüsterte: »Wen interessiert das denn?«

»Mich«, sagte Lieberman.

»Lupe«, sagte Silk. »Moment. Sie hat gesagt, ihre Schwester heißt Guadalupe, und der Typ, der das Buch mit den Gedächtnisübungen geschrieben hat, hieß Lorraine Lucas, oder so ähnlich. Kann ich jetzt gehen?«

»Nein«, sagte Lieberman. »Wo waren Sie Freitag abend? So zwischen zehn und zwölf?«

»Ich hab's gewußt«, sagte Silk und verschränkte die Hände hinterm Kopf, als wollte er sich gleich auf den Boden setzen und mit Sit-ups beginnen. »Sie halten mich für den Dirigenten.«

»Den *Delinquenten*«, korrigierte Lieberman.

Silk zog ein kleines weißes Notizbuch und einen Kugelschreiber aus der Tasche. Er schrieb das Wort schnell auf und formte es dabei lautlos mit den Lippen »Delinquent«.

»Danke«, sagte Silk und steckte Büchlein und Stift wieder weg. »Ich bin in Juarez geboren. Bemerken Sie einen Akzent?«

»Nein«, sagte Lieberman. »Sie sind eloquent.«

»Eloquent?«

»Sie reden gut«, sagte Lieberman. »Antworten Sie mir, und lassen Sie Ihr Notizbuch stecken! Freitag abend, zwischen zehn und zwölf!«

»Zu Hause bei Frau und Kindern«, sagte Silk. »Sie können sie fragen. Fragen Sie meine Schwiegermutter und ihren Freund! Die waren zu Besuch. Wir haben einen Film gesehen. Woody Allen.«

»Zu schade, daß Estralda verhindert war.«

Silk schüttelte den Kopf. »Finden Sie das lustig?« fragte er. »Ich habe ein Image. Verstehen Sie, was ich meine? Ich kann nicht so ein Typ sein, der mit Frau und Kindern zu Hause sitzt und sich in der Glotze Clint-Eastwood-Filme anguckt. Nur wer auffällt, wird gesehen.«

»Mein Schwiegersohn würde das eine Tautologie nennen«, sagte Lieberman. »Ich buchstabiere Ihnen das später, oder sehen Sie selbst im Lexikon nach! Und das andere Wort war ›eloquent‹. Sie können jetzt gehen.«

»Ich bin schon spät dran«, sagte Silk und ging zur Tür.

»Wir unterhalten uns demnächst noch mal«, sagte Lieberman mit einem sparsamen Lächeln.

»Wie haben Ihnen die vier Runden gefallen, ich gegen Turner?«

»Sie waren lyrisch«, sagte Lieberman.

»Danke«, sagte Silk, suchte einen Spiegel und fand einen an der Wand neben dem Ausgang. »Ich hoffe, Sie finden den Typ, der Estralda erstochen hat. Sie war eine Supernutte, wissen Sie.«

Mit dieser Eloge verschwand er. Liebermans Kommentar konnte er nicht mehr hören. »Ich weiß.«

Um vier kam Lieberman ins T&L Deli. Der Himmel war schwarz, es roch nach Regen, aber noch war keiner gefallen. In der Nische, in der Lieberman, Hanrahan und Estralda gesessen hatten, tagte jetzt die atheistische Kongregation der Alten Knacker. Die anderen mußten zu Hause oder bis zum Sonnenuntergang im Gottesdienst bleiben. Und so lange hielt Al Bloombach, Gerts Bruder, atheistischen Hof mit Morrie Stoltzer und Howie Chen. Howie war genaugenommen kein Atheist, aber zu welchem Verein er auch immer gehörte, samstags schien bei ihm nichts loszusein.

In einer der anderen Nischen saßen zwei Männer und eine Frau und unterhielten sich auf russisch. Die Russen waren drauf und dran, das Viertel zu übernehmen. Dagegen war vielleicht nichts einzuwenden, aber die Alteingesessenen wußten dennoch nicht, was sie davon halten sollten. Wegen des Akzents nahmen sie an, die Russen könnten Jiddisch sprechen, was aber nicht der Fall war. Weil sie Juden waren, dachten die Alten, müßten sie religiös sein, was aber nur bei wenigen stimmte. Der Zustrom hatte schon vor acht Jahren eingesetzt, aber die Alten hatten sich nie umgestellt. Soweit es Lieberman betraf, waren die Russen gut für die Gegend. Die meisten verhielten sich anständig, und nur wenige waren kriminell. Sie wollten akzeptiert werden und viel Geld machen – oder es mindestens zu einem Haus in Glenview bringen.

Maish unterhielt sich mit Manuel, seinem Koch, einem grauhaarigen kleinen Mann, der die jüdische Kochkunst als aufmerksamer Abräumer im Bagel-Restaurant erlernt hatte. Als er seinen Bruder entdeckte, nickte er ihm zu.

»Kaffee?«

»Warum nicht?« Lieberman begrüßte Al Bloombach und setzte sich neben die Kasse am Ende der Theke. Es donnerte.

Lieberman sah aus dem Fenster. Noch hatte es nicht angefangen zu regnen, aber der Himmel war nachtschwarz.

Maish brachte den Kaffee, eine große braune Papiertüte mit Liebermans Bestellungen und deponierte beides auf der Theke.

»Corned beef, Lachs, Frischkäse, Bagels – Knoblauch, Zwiebel, Sesam – und drei geräucherte Fische«, sagte Maish.

»Was kriegst du dafür?«

»Nichts! Du hast den fünfzigsten Platz auf der Bestseller-Liste der Ladenhüter gemacht«, sagte Maish und wischte sich die Hände an der Schürze ab. »Und dafür bekommt man ein Essen im T & L. Sag Lisa, daß es von Onkel Maish kommt, und laß mich für ein paar Dollar ein großer Mann sein.«

»Geht in Ordnung«, sagte Lieberman und trank einen Schluck Kaffee.

»Soll ich das Radio anmachen? Wir spielen gegen die Giants. Sutcliffe hatte angefangen«, sagte Maish. »Vielleicht läuft das Spiel ja noch.«

»Ja«, seufzte Lieberman. »Aber ich muß nach Hause.«

Letztes Jahr hatte Lieberman seinen Enkel Barry zu einem Spiel der Cubs mitgenommen. Sie hatten von einem alten Freund Liebermans Freikarten bekommen. Rick Sutcliffe hatte das Spiel gegen die Met eröffnet. Barry und Lieberman hatten in der vordersten Reihe gesessen, gleich hinter dem dritten Base, wo sich Sutcliffe aufwärmte. Barry mit einer Mütze der Cubs und seinem Baseballhandschuh. Sutcliffe war zu Barry rübergelaufen und hatte ihm seinen Trainingsball zugeworfen. Seither war Sutcliffe, der übrigens das Spiel entscheidende drei zu zwei schlug, unfehlbar.

Die drei Russen lachten über etwas. Lieberman nippte an seinem Kaffee und sah rüber. Die braune Tüte auf dem Tresen roch nach Erinnerungen.

»Tut mir leid, was mit der Frau passiert ist«, sagte Maish. ‹»Hast du bemerkt, daß ich ›Frau‹ gesagt habe. Ich werde modern, nicht wie die Knacker. Ich habe nicht ›Mädchen‹ gesagt. Noch nicht zu alt, um etwas zu lernen mit sechsundsechzig, auch wenn Yetta das immer behauptet.«

»Du bist keine sechsundsechzig, Maish«, sagte Lieberman und trank seinen Kaffee aus. »Du bist sechzehn, und ich bin zehn. Willie Brochesceu ist gerade dabei, mich hinter Kuppenheimers Fabrik zusammenzuschlagen. Und du rennst schreiend hinter ihm her, verschwitzt vom Basketballtraining, und springst ihm auf den Rücken. Du haust ihm das Mathebuch ins Gesicht, und er geht k.o. . . .«

»Physikbuch«, stellte Maish richtig und ließ seinen Blick in die Ferne schweifen.

»Wie gestern«, sagte Lieberman. »Du hast ihm die Nase und den Arm gebrochen. Dafür haben sie dich einen Monat von der Schule suspendiert.«

»Was für ein Monat!« schwärmte Maish. »Willst du Gute-alte-Zeiten mit mir spielen, Avrum? So verdammt gut waren die auch nicht. Kleine Wohnung mit vielen Leuten, Ratten. Die polnischen Jungs gegenüber der Neunzehnten, die dich abgepaßt haben. Neger, schwarze Jungs auf der anderen Seite der Crawford Street, die einen blöd angeglotzt haben, wenn man vorbeigegangen ist. Man mußte schon genau aufpassen, wo man langlief, um sicher zum Jewish People's Institute auf der Douglas Avenue zu kommen. Die guten alten Zeiten sind, Gott sei Dank, vorüber.«

»Maish«, rief Al Bloombach. »Nachfüllen!«

Maish nickte. Draußen donnerten und krachten die Wolken.

»Wie geht's Yettas Niere?« fragte Lieberman.

»Noch pumpt sie«, sagte Maish und ging die Kaffeekanne holen.

»Ich schau morgen mal rein«, sagte Lieberman. Er stand auf und nahm sein Paket.

Maish nickte und machte sich auf den Weg zu den Atheisten.

Als Lieberman auf die Straße trat, regnete es schon. Vor der Fernseh- und Videogerätewerkstatt des Koreaners Kim wurden Markisen runtergelassen. Auch vor dem Dollar-Store, der ebenfalls Kim gehörte. Die Brüder Pistoki schleppten ihr Obst in den Laden, und jemand stand in einem Hauseingang und beobachtete Abe Lieberman, wie er langsam zu seinem Buick ging und einstieg. Lieberman verstellte den Rückspiegel, um die Gestalt im Eingang zwischen dem Spielzeugladen und der Tierhandlung besser sehen zu können. Aber, wer immer es war – er stand zu tief im Eingang, verdeckt von einem Stapel Nintendo-Spiele und einer dreckigen Scheibe. Wer immer es war – er hatte Lieberman schon aus dem Präsidium in der Clark Street kommen sehen.

Lieberman schaltete den Scheibenwischer an und fädelte sich in den Verkehr. Die Wolken barsten wie prallvolle Wassersäcke. Der Mann, der dort im Eingang gestanden hatte, rannte zu seinem Wagen. Lieberman hätte links abbiegen können, und dann gleich wieder links, in die kleine Straße hinter dem Friseurgeschäft, um den Verfolger abzuschütteln. Aber es wäre sinnlos gewesen. Der Mann wußte, wo Lieberman arbeitete und wo er sich sonst bewegte. Vielleicht war es derselbe, der viermal angerufen hatte: Wegen der Sache, die »gestern mit ihr passiert war«. Es gab viele Möglichkeiten. Es konnte einer von den tausend Leuten sein, die Lieberman im letzten Vierteljahrhundert ins Gefängnis gebracht hatte.

Lieberman drehte das Radio an und hörte, wie Harry Caray sagte, daß das Spiel nach dem zwölften Inning unentschieden stand und wegen Regen abgebrochen und vertagt werden mußte. Statt rechts abzubiegen und nach Hause zu fahren, fuhr Lieberman nach links und dann langsam eine Nebenstraße runter. Der Mann folgte ihm mit einem halben Häuserblock Abstand. Der Regen war stärker geworden. Vor einem Hydranten, zwischen einem Pick-up und einem alten Datsun, hielt Lieberman an. Er ließ sich Zeit, damit sein Verfolger einen Parkplatz finden konnte. Lieberman sperrte den Wagen ab, ohne nach links oder rechts zu gucken. Der warme Regen fiel jetzt in Strömen.

Völlig durchweicht steuerte Lieberman auf einen Durchgang zwischen zwei Apartmenthäusern, ging dann eine dunkle Treppe hinunter und lief weiter bis zum Ende des kühlen Betonkorridors. Am Eingang zum Heizraum blieb er stehen. Vor sechs Jahren hatten er und Hanrahan hier den Hausmeister mit einem Stapel Stereoanlagen erwischt, die er in der Nachbarschaft zusammengeklaut hatte. Lieberman holte sein noch einigermaßen trockenes Taschentuch raus, wischte sich übers Gesicht und zog seine Waffe aus dem Holster. Er wartete. Er lauschte. Regen und Donner. Er liebte den Regen. Wenn es regnete, hatte er sich schon immer geborgen und befreit gefühlt. Er hatte sich nie gerne im Freien aufgehalten, und der Regen war immer ein willkommener Grund gewesen, zu Hause zu bleiben – eingelullt von seinem Prasseln.

Es waren schnelle Schritte, die die drei Betonstufen herunterkamen und weiter über den Betonweg liefen. Lieberman machte einen Schritt nach vorne, die Waffe auf die dunkle Figur gerichtet, von der der Regen tropfte.

»Keine Bewegung«, sagte Lieberman. »Hände hinter den Kopf!«

»Ich muß mit dir sprechen«, sagte der Mann mit zitternder Stimme. »Ich muß dir erzählen, was zwischen ihr und mir vorgefallen ist. Ich . . . Ich war's.«

Lieberman steckte die Waffe weg und ging auf die Gestalt zu.

»Ich hatte nicht die Kraft, ihr unter die Augen zu treten, oder dir«, fuhrt der Mann fort.

»Wessen Auto ist das?« fragte Lieberman.

»Mietwagen. Meiner ist in der Werkstatt.«

»Ich hab noch einen Pullover im Kofferraum«, sagte Lieberman zu seinem Schwiegersohn. »Laß uns irgendwo einen Kaffee trinken und uns aufwärmen.«

7

Hanrahan fühlte sich besser. Nicht gut, aber besser, als er in seinem Wagen vor dem *Black Moon* in der Sheridan Road saß und dem Sturzbach zusah, der sich über seine Windschutzscheibe ergoß.

Das Beichten hatte geholfen. Jetzt wollte er etwas tun, was vielleicht noch mehr helfen würde. Er sah zum Hochhaus hinüber. Ein Taxi hielt vor dem Eingang, und zwei Leute stiegen aus: ein Mann und eine Frau. Sie warteten unter dem Vordach, während sich im Foyer der Pförtner von seinem Platz erhob. Lachend gingen sie durch die Drehtüren. Hanrahan grinste, wußte aber nicht warum.

Das *Black Moon* hatte über Mittag geöffnet. Gäste waren noch keine da, dafür war es noch etwas früh, aber von seinem Platz im Halteverbot direkt vor dem Restaurant konnte er Iris sehen. Hanrahan, ein Mann von zweiundfünfzig Jahren und bereits Großvater, war nervös. Zuerst hatte er sich vorgenommen, reinzugehen und mit Iris zu reden. Jetzt hatte er sich jedoch dafür entschieden, zuerst seine Arbeit zu erledigen. Als sich im fließenden Verkehr eine Lücke auftat, fuhr er auf die andere Straßenseite, parkte den Wagen so dicht wie möglich vor dem Eingang der Michigan Towers und rannte hinein.

»Sie können Ihren Wagen da nicht stehen lassen«, sagte der uniformierte Pförtner – derselbe Mann, der in der vorigen Nacht Dienst gehabt hatte.

»Polizei.« Hanrahan zeigte ihm seine Marke. »Sie waren doch auch da, gestern abend!«

Bill Tarton nickte und sagte: »Mehr kann ich Ihnen jetzt auch nicht sagen, Mann.«

»Die Frau, die gestern in das Taxi stieg, bevor ich reingerannt kam. Erzählen Sie mir was über sie!«

»Das habe ich doch schon Ihrem Kollegen erzählt«, sagte Tarton und stöhnte. »Ich hab nicht viel von ihr gesehen. Hut über dem Gesicht, Sonnenbrille. Sie ging direkt raus. Das Taxi hat gewartet. Der Fahrer war bei ihr, mit ihrem Gepäck. Sie hat nichts gesagt und nichts gemacht.«

»War sie weiß oder schwarz?« fragte Hanrahan.

»Weiß«, sagte der Pförtner. »Ich kann nicht sagen, wie alt sie war, aber besonders alt war sie nicht. Eher jung. Wenn mir noch was einfällt, ruf ich Sie an, aber es gibt nichts mehr. Zero. Nada. Nix. Sie sind umsonst gekommen.«

»Ich bin nicht hergekommen, um mit Ihnen zu reden«, sagte Hanrahan.

Ein Blitz zerriß den Himmel.

»In Florida geht das im Sommer fast jeden Tag so«, sagte der Pförtner. »Früher habe ich in Lakeland gelebt. Vielleicht gehe ich wieder zurück.«

Hanrahan knurrte und zeigte auf die Tür. Billy Tarton drückte auf einen Knopf, die Tür sprang auf, und Hanrahan trat ein. Hinter ihm kam eine durchnäßte Joggerin japsend durch die Drehtür. Das dunkle Haar klebte ihr im Gesicht. Hanrahan ging zu den Fahrstühlen.

Sein Plan war simpel. Er würde an jede Tür in diesem Haus klopfen und mit allen sprechen, mit denen er und Lieberman noch nicht geredet hatten, aber auch mit einigen, die sie bereits vernommen hatten. Und er würde sie fragen, was sie über Estralda Valdez, Jules Van Beeber oder den Fall der Berliner Mauer wüßten. Er würde so lange fragen, bis er sich sicher war, daß sie ihm nichts zu sagen hatten. Er mußte sie fragen, denn trotz der Absolution, die ihm Father Parker erteilt hatte, fühlte sich Hanrahan noch immer schuldig am Tod von Estralda Valdez.

Regen schlug in dicken Tropfen aufs Autodach. Lieberman streifte die klatschnasse Jacke und das Hemd ab und schlüpfte in ein blaues Sweatshirt mit dem weißen Aufdruck CHICAGO POLICE DEPARTMENT. Auf der Rückbank kämpfte Todd mit einem Sweatshirt, das ihm ein paar Nummern zu klein war.

»Willst du einen Bagel?« fragte Lieberman.

»Ich kann nichts essen«, sagte Todd und zwängte eine Hand durch den Ärmel.

»Dann laß uns reden, während *ich* esse«, schlug Lieberman vor.

»›Schon lange schweig' ich Unglückseliger, vor Schreck verstört ob all der Übel. Denn so hoch hinaus reicht dieses Mißgeschick, daß ich nicht reden, nicht fragen mag, wie es gescheh'n‹«, deklamierte Todd, ließ sich in den Sitz fallen und fuhr sich mit der Hand durchs nasse Haar. Todd unterrichtete Vergleichende Literaturwissenschaft an der Northwestern University, sein Spezialgebiet war die griechische Tragödie.

»Das ist aus . . .?« fragte Lieberman und verschlang den Rest von seinem Bagel. Der Innenraum füllte sich mit dem Geruch von Corned beef.

»Aischylos, *Die Perser*«, sagte Todd.

»Sicher, daß du keinen Bagel willst? Auch keinen halben?«

»Nein«, sagte Todd.

»Besser ein Bagel im Regen, als alles im Arsch«, sagte Lieberman. »Papodopolus hat das gesagt. Der ist auch Grieche. Hatte einen Diner bei den Lockschuppen, bis er seine Freundin mit einer Reihe von Küchengeräten umgebracht hat. Eigentlich hat er nicht ›Bagel‹ gesagt, sondern ›Brötchen‹. Die dichterische Freiheit erlaubt doch so 'ne Umbenennung, oder?«

Todd antwortete nicht. Lieberman musterte seinen Schwiegersohn im Rückspiegel. Todd war fünfunddreißig, für Liebermans Geschmack ein wenig zu dünn, rotblond, schmales Gesicht.

»›Hilft's dem des Todes Nähe zu bejammern, dem keine Hoffnung bleibt?‹« sagte Todd. »›Das Übel wird dadurch nur schlimmer!‹«

»Sophokles«, riet Lieberman.

»Euripides *Iphigenie in Tauris*«, sagte Todd ohne Enthusiasmus.

»Ein Witz«, sagte Lieberman und hielt Todd einen halben Bagel hin. »Papodopolus hat ihn erzählt, als wir ihn festgenommen haben: Sag mir einen Satz, in dem ein griechischer Philosoph vorkommt!«

»Abe . . .«, fing Todd an.

»Okay, Plutarch kam drin vor und Hämorrhoiden, den Rest kannst du dir denken«, sagte Lieberman, ohne ein Miene zu verziehen.

Todd blickte in das ernste, traurige Gesicht seines Schwiegervaters und stöhnte. Dann lachte er kurz. »Das ist ja widerlich!«

»Ich schlage dir einen Deal vor«, sagte Lieberman. »Du zitierst keine toten Griechen mehr, dafür verschone ich dich mit Papodopolus-Geschichten.«

»Und Papodopolus lebt?«

Lieberman schüttelte den Kopf. »Lebenslänglich in Joliet. Willst du jetzt reden?«

»Ich hab's nicht getan«, sagte Todd. »Ich habe mit Anastasia Holt geredet. Na und? Ich war auch ein paarmal mit ihr essen. Sie arbeitet über Plato. Aber ich habe sie nie angefaßt, nie . . .«

»Darum geht's nicht. Das ist es nicht, was Lisa . . .«, sagte Lieberman.

»Nein? Ich dachte . . .«

»Falls du vorhast, noch einen toten Griechen zu zitieren, vergiß es, sonst schmeiß ich dich aus dem Wagen. Sie sagt, du hast zuwenig Zeit für sie, denkst nur an deine Arbeit, und sie ist Luft für dich. Sie hat den Eindruck, daß du lieber arbeiten würdest. Nie fragst du sie, was sie denkt oder fühlt. Sie hat eine Ausbildung und keinen Beruf. Sie fühlt sich als Unperson. Ihre Tage sind alle gleich, die Kinder werden älter, und sie tritt auf der Stelle. Sie hat ein besseres Examen gemacht als du, sowohl im Schriftlichen wie im Mündlichen – sagt sie. Hörst du mir überhaupt zu?«

»Ja«, sagte Todd und fuhr sich durchs nasse Haar.

»Das will ich dir auch geraten haben, denn ich war fast die ganze Nacht auf, um es mir anzuhören. Und heute werde ich wahrscheinlich wieder die halbe Nacht aufbleiben müssen, um mir alles noch einmal anzuhören.«

»Sie hat recht«, sagte Todd. »Es sind alles Klischees, aber es stimmt. Das Verrückte an Klischees ist, daß sie oft zutreffen. Sonst wären es keine Klischees. Magst du mich, Abe?«

»Hast du getrunken?« fragte Lieberman und rieb sich die Hände an einem Papiertaschentuch ab.

»Ein bißchen. Glaubst du, daß ich normalerweise Polizisten hinterherlaufe und ihnen was vorheule? Magst du mich, Abe?«

»Ja«, sagte Lieberman.

»Bess ist enttäuscht, weil ich kein Jude bin«, sagte Todd. Der Regen rauschte jetzt nicht mehr wie ein Wasserfall. Er plätscherte aufs Dach und verebbte immer mehr zu einem feuchten Geflüster.

»Sie ist drüber weg«, sagte Lieberman.

»Was soll ich machen?« fragte Todd leise. »Ich liebe Lisa und die Kinder.«

»Geh wieder nach Hause. Sieh dir einen Boxkampf an. Lies einen Science-fiction-Roman. Leg dich in die Wanne! Oder noch besser, hast du schon mal *Der Mann, der die Welt verändern wollte* gesehen? Mit Roland Young, dem Typ, der Topper gespielt hat?«

»Abe . . .«

»Sie braucht Zeit, um nachzudenken, Todd«, sagte Lieberman. »Dräng sie nicht! Ruf bei uns an und frag, wie es ihr geht. Sag mir oder Bess, daß du sie liebst, daß wir ihr ausrichten sollen, daß du zu 'ner Eheberatung gehen willst.«

»Ich kann nicht einfach . . .«

»Ich kenne 'ne Therapeutin, die was taugt. Es ist Levans Schwiegertochter Darla, in Evanston, gar nicht weit weg.«

»Die Kinder«, sagte Todd.

»Die Kinder können auch mit. Sprich mit ihnen. Sag ihnen, daß du sie liebst. Sie können ein paar Tage Erholung brauchen. Ich will dir eine Geschichte erzählen. Als ich ein Kind war, so acht oder neun, haben sich meine Eltern gestritten. Maish ging über Nacht zu Tante Sadie. Meine Cousine Leonore, die ein bißchen älter war als ich, hat mich mit ins Kino genommen. Werd ich nie vergessen: *Dr. Zyklop*, was für ein Film! Albert Dekker war kahl mit dicken Brillengläsern, und neben ihm sahen alle anderen im Urwald winzig aus. Nach dem Film brachte Leonore mich nach Hause. Meine Mutter und mein Vater stritten immer noch. Leonore nahm mich wieder mit ins Kino, zu einer Doppelvorführung. *Erbschaft um Mitternacht* mit Bob Hope und *Charlie Chan in der Oper.* Als wir kurz vor Mitternacht zurückkamen, tranken meine Mutter und mein Vater händchenhaltend Kaffee. Den Tag werde ich nie vergessen.«

»Und was soll ich aus der Geschichte lernen, Abe?«

»He, *du* bist zu *mir* gekommen. Und der Preis, den du dafür zahlst, ist, daß du dir Geschichten aus meiner Kindheit anhören mußt«, sagte Lieberman. »Außerdem kannst du daraus sehr wohl was lernen: Misch dich nicht ein! Lisa ist wie meine Mutter. Wenn sie zu dir zurückwill, wird sie es eines Tages tun.«

»Deine Geschichte hatte damit überhaupt nichts zu tun«, sagte Todd nach einem tiefen Seufzer.

»Ich hab ganz vergessen, daß ich mit einem Professor spreche«, sagte Liebermann. »In der Geschichte geht es darum: Du solltest dir deine Schuldgefühle für später aufheben, dir irgendein Video ausleihen, dich entspannen und abwarten. Das Problem ist, daß heute kein Mensch mehr warten will. Ich werde Lisa bearbeiten. Du rufst später an. Ich will jetzt nach

Hause fahren, duschen, von diesem Corned beef essen und mit deinen Kindern Kniffel spielen.«

»Okay«, sagte Todd, öffnete die Tür. Sein zerknittertes Jakkett hatte er sich unter den Arm geklemmt.

»Willst du was zu essen für später?«

Todd zuckte die Achseln. Lieberman griff in die Papiertüte und machte Todd ein Corned-beef-Sandwich, indem er einen Bagel in zwei Teile riß und ein paar Scheiben Fleisch reinlegte. Todd nahm das Sandwich und warf die Tür zu.

»Danke«, sagte Todd.

»Bitte.«

Mittlerweile hatte es aufgehört zu regnen.

»Ich liebe Lisa«, sagte Todd und biß von seinem Bagel ab.

»Ich auch. Geh nach Hause!«

Lieberman ließ seinen Schwiegersohn auf der Straße stehen. Mit beiden Händen hielt Todd das Sandwich fest, die Arme ragten ein ganzes Stück aus dem zu engen Sweatshirt. Fünf Minuten stand Lieberman vor seinem Haus, dann schnappte er sich die Papiertüte und stieg aus. Er sperrte die Tür auf und rief: »Ich bin da!«

»Opa, der Bulle«, sagte Melisa und sah vom Fernsehschirm auf.

»Hi«, sagte Barry und drehte nur kurz den Kopf, um Lieberman anzulächeln.

»Was schaut ihr an?« fragte Lieberman und kickte seine Schuhe in die Ecke.

»*Reich und Schön*«, sagte Barry.

»Sie bringen den Typen, der in diesen Filmen immer das Monster spielt«, sagte Melissa.

»Klingt nach einem verdammt wertvollen Bildungsprogramm«, meinte Lieberman und lief zur Küche, wo er Lisa und Bess flüstern hörte.

»Lieberman«, sagte Bess und sah ihn an. »Bist du durch den Regen gejoggt?«

Er stellte die Papiertüte auf den Tisch, küßte Frau und Tochter und setzte sich.

»Ich habe die Probleme dieser Welt gelöst. Das hat mich hungrig gemacht.«

»Iß schnell«, sagte Bess. »In fünf Minuten mußt du in der Synagoge sein. Da trifft sich das Komitee zur Bildung des Spendenkomitees.«

Bill Hanrahan war erschöpft. Er hatte an dreiundvierzig Türen geklopft und zwanzig Antworten bekommen. Ein verdammt gutes Ergebnis, das er auf das schlechte Wetter zurückführte. Seitenweise hatte er sich Notizen gemacht. In drei Wohnungen hatte er hinreichende Indizien für eine Festnahme wegen Verstoßes gegen das Betäubungsmittelgesetz gefunden. Acht Bewohner hatten ihn nicht reingelassen. Mit fünf von ihnen hatte er durch die geschlossene Tür hindurch gesprochen und drei davon schließlich überzeugen können, ihm doch noch die Tür zu öffnen. Einige, mit denen er sprach, konnten sich an Estralda Valdez erinnern, aber er hatte das Gefühl, daß sie mehr verheirateten Männern aufgefallen war, als bereit waren, das zuzugeben.

Zwei Männer, beide Mitte Vierzig und schwul, erzählten ihm, sie hätten Estralda Valdez mehrfach im Gespräch mit einer Frau namens Gwen Dysan gesehen, die im neunten Stock wohnte. Hanrahan, der sich von oben nach unten durcharbeitete, fuhr wieder hoch. Er hatte schon mit der stillen jungen Frau gesprochen. Sie trug ihr Haar glatt nach hinten gekämmt, hatte sehr helle Haut und eine zu große Brille.

»Ich habe noch ein paar Fragen, Miss Dysan, wenn Sie nichts dagegen haben«, sagte Hanrahan mit einem strahlenden Lächeln, als ihm die Frau die Tür öffnete.

»Ich habe Ihnen schon gesagt, daß ich sie nicht kannte.«

»Sie kannten sie, Miss Dysan«, sagte Hanrahan sanft.

»Das stimmt nicht.«

»Wenn es sein muß, können wir unser Gespräch auch auf dem Revier fortsetzen«, log er. »Aber gern mach ich das nicht.«

»Kommen Sie rein«, sagte sie und trat einen Schritt zurück. Ihr Apartment war sehr praktisch eingerichtet. Moderne Möbel, die unbequem aussahen, sich aber schnell und einfach rausschaffen ließen. Gwen Dysan ließ die Tür offen und verschränkte die Arme vor der Brust. Nicht abweisend, aber abwehrend.

»Wie gut haben Sie sich gekannt?« fragte Hanrahan.

»Nicht besonders gut«, antwortete sie.

»Warum haben Sie mir nicht gleich gesagt, daß Sie sie kannten?«

»Sie ... Ich wußte, daß sie Prostituierte ist«, sagte Gwen Dysan. »Sie hat es mir erzählt. Ich glaube, es war mir unangenehm. So gut habe ich sie nicht gekannt.«

»Haben Sie sie gemocht?« fragte Hanrahan.

»Ja«, sagte Gwen und sah ihm in die Augen.

»Hat sie über Männer gesprochen, über Bekannte?«

»Nein. Sie hat mir von ihrer Familie erzählt. Und ich ihr von meiner.«

»Von ihrer Familie?« fragte Hanrahan und versuchte, sein Interesse, so gut es ging, zu verbergen. »Vater, Mutter ...?«

»Ihr Vater ist tot«, sagte Gwen. »Sie hat mir von ihrer Mutter und ihrem Bruder erzählt.«

»Leben die in Chicago?«

»Ja.«

»Wissen Sie wo?«

»Irgendwo im Süden. Ich glaube, sie sagte Odgen Avenue. Da bin ich mir aber nicht sicher.«

»Glauben Sie, daß Mrs. Valdez weiß, was ihrer Tochter passiert ist? Es war nicht mal in den Zehn-Uhr-Nachrichten.«

»Sie heißt nicht Valdez«, sagte Gwen Dysan. »Ihr Name ist

Vegas. Sie war nicht so, wie Sie denken. Ich meine Estralda. Sie war ...«

»Ich habe sie gekannt«, sagte Hanrahan.

»Wir haben geredet«, sagte Gwen Dysan leise.

»Geredet, ja.«

Gwen Dysan stieß einen enormen Seufzer aus.

»Ich bin katholisch«, sagte sie. »Sie haben einen irischen Namen. Sind Sie auch katholisch?«

»Ja.«

»Ich arbeite in einer Druckerei«, sagte sie und blickte durch die offene Tür auf den Korridor.

Hanrahan drehte sich um. Im Korridor war niemand.

»Ich bin Sekretärin«, fuhrt sie fort. »Meine Familie lebt in North Dakota. Ich werde als Sekretärin in einer Druckerei alt werden und sterben. Estralda sagte, ich sei zu hübsch dafür.«

Gwen Dysan sah den Polizisten mit feuchten Augen an.

»Das sind Sie«, bestätigte Hanrahan.

»Sie hat gesagt, ich sei hübsch genug, um dasselbe zu tun wie sie. In zwei Jahren könnte ich genug Geld machen, um meine eigene Druckerei zu kaufen oder einen Schönheitssalon zu eröffnen oder einen ... Ich hab genau gewußt, ich würde es nicht schaffen.«

»Ich weiß«, sagte Hanrahan. »Gibt es noch etwas, das ich wissen sollte? Wen hat sie noch in diesem Haus gekannt?«

»Nikki Morales«, sagte Gwen Dysan leise. »Im achten Stock. Die Apartmentnummer weiß ich nicht. Ich bin nie zu ihr runtergegangen. Aber Estralda hat mir von ihr erzählt. Sie waren befreundet.«

Eifersucht sprach aus ihren Worten.

»Hat Estralda je eine Schwester erwähnt. Lupe oder Guadalupe?«

»Nein. Würden Sie jetzt bitte gehen?«

Hanrahan überlegte, ob er noch ein wenig bohren sollte. Aber die Frau verschränkte wieder die Arme, und mit einer

Miene, die Hanrahan schon hundertmal gesehen hatte, schob sie den Unterkiefer vor. Er hätte es schaffen können, aber es lohnte sich nicht – zumindest jetzt nicht.

»Sicher«, sagte er und verließ ihre Wohnung.

Die Wohnungstür stand immer noch offen, als er den Fahrstuhl betrat. Er hatte einen Namen, Vegas, und eine Gegend. Und er erinnerte sich an das, was Jules Van Beeber über Estralda gesagt hatte. Daß etwas unterm Haus im Haus ihrer Mutter war. Außerdem mußte er noch einer anderen Hausbewohnerin einen Besuch abstatten, Nikki Morales im achten Stock. Auf der Acht hatte er auf jede Klingel gedrückt und gegen jede Tür gepocht, aber hinter keiner von denen, die geöffnet wurden, hatte er eine Nikki Morales gefunden.

Hanrahan ging zuerst zum Pförtner zurück. Der saß an seinem Tisch und glotzte auf den Monitor, der den Garageneingang überwachte. Als er Hanrahan durch die Tür kommen sah, setzte er sich aufrecht hin. Er lächelte nicht, aber sein Gesicht verriet so etwas wie hilfsbereite Neugier.

»Nikki Morales«, sagte Hanrahan.

»Acht-zehn«, antwortete der Pförtner. »Ist aber nicht da. Ging früh weg. Mit ein paar Koffern.«

»Wohin?« Hanrahan sah an Tarton vorbei, durch die Scheibe, auf das *Black Moon*.

»Hat gesagt, sie geht eine Weile weg. Aber sie würde zurückkommen, um ihre Sachen zu holen, bevor sie die Stadt endgültig verläßt.«

»Wie sieht sie aus?«

»Die Morales?« Ein Wagen fuhr die Einfahrt hoch, und Tarton stand auf. »Gutaussehende Frau. Lebt alleine.«

Tarton ging zur Tür und rückte seine Schirmmütze zurecht.

»Freundin von Estralda Valdez?« fragte Hanrahan.

»Weiß ich nicht. Schon möglich. Hab sie nie zusammen gesehen. Oder vielleicht schon, und ich erinnere mich nicht daran«, sagte er, ging durch die Außentür und half einer älteren Frau, aus einem schwarzen Pontiac auszusteigen. Die Frau strahlte den Pförtner an und streichelte ihm über die Wange. Billy Tarton grinste.

Hanrahan wollte einen Drink. Er brauchte einen.

Beim Pförtner untergehakt kam die Dame herein.

»Muß Mrs. Dinkst in ihre Wohnung begleiten«, sagte er.

Hanrahan nickte.

»Nikki Morales. Gleicht sie vielleicht Estralda Valdez?« fragte Hanrahan, als der Pförtner den Öffner für die zweite Tür betätigte und dann langsam weiterging, mit Mrs. Dinkst im Arm.

»Schon möglich«, sagte Tarton über die Schulter. »Größe, Gewicht, Proportionen ungefähr gleich. Miss Morales ist etwas jünger, hat dunklere Haare und vielleicht etwas hellere Haut. Ich weiß es nicht genau, verstehen Sie?«

»Ich verstehe«, sagte Hanrahan und folgte dem Pförtner und der alten Dame durch die Tür.

Hanrahan hätte sich mit den Ergebnissen des Tages zufriedengeben und Feierabend machen sollen, aber er wollte jeden überprüfen, der zu Hause war. Er fuhr im Aufzug mit und stieg im dritten Stock aus. Der Pförtner und die alte Dame fuhren weiter. Hanrahan klopfte an die erste Tür und hatte Glück: Sie wurde geöffnet.

Captain Dale Hughes stand vor ihm in YMCA-Shorts und weißem T-Shirt. Hughes schwitzte. Hinter einer offenstehenden Zimmertür konnte Hanrahan Gewichte und einen Heimtrainer erkennen.

»Was wollen Sie, Hanrahan?«

»Nichts. Ich habe Klinken geputzt. Hatte vergessen, daß Sie auf diesem Stock . . .«

»Sie meinen, Sie haben gehofft, mich nicht hinter einer der Türen zu finden. Sie hätten den Pförtner fragen und einfach dran vorbeilaufen können. Jetzt kommen Sie halt rein!«

Hanrahan trat ein, und Hughes machte die Tür hinter ihm zu.

»Wollen Sie was Kaltes zu trinken, einen Eistee?«

»Nein danke, Captain«, sagte Hanrahan.

»Dann hole ich mal ein Glas.« Hughes ging durch eine Tür auf der rechten Seite, hinter der die Küche liegen mußte. Mittlerweile wußte Hanrahan, wie die Wohnungen geschnitten waren. Als Hughes wiederkam, hatte er sich ein Handtuch über die Schultern gelegt und hielt ein Glas Eistee in der Hand. »Wollen Sie wirklich keinen?«

Im Gang hingen Hochzeitsfotos, Hughes im Smoking, lachend, die Braut im Arm, umgeben von der Familie. Hughes trank einen Schluck und beobachtete Hanrahan aufmerksam.

»Ich habe gerade mit ihr telefoniert«, sagte Hughes und zeigte auf das Foto. »Ich habe ihr von Van Beeber erzählt. Sie will morgen zurückkommen. Lassen Sie sich also hier nicht blicken! Sie glaubt, daß wir den Killer haben.«

»Verstehe.«

»Sie und ich und Lieberman wissen es besser«, sagte Hughes nach einem großen genüßlichen Schluck. »Aber wir behalten das für uns. Sie suchen weiter, aber offiziell haben wir unseren Mann. Ist das klar?«

»Klar.«

»Wenn Sie irgendwas haben, lassen Sie es mich wissen. Sie haben meine volle Unterstützung«, sagte Hughes. »Sie haben Scheiße gebaut, Mann, aber vielleicht müssen wir das ja nicht an die große Glocke hängen. Wollen Sie wirklich nichts trinken?«

»Nein, Captain«, sagte Hanrahan. »Es gibt eine Frau im achten Stock, die Estralda gekannt hat. Sie heißt Nikki Morales. Wissen Sie, ob Sie ihr mal begegnet sind?«

»Ich kann mir keine Namen merken«, sagte Hughes und wischte sich den Schweiß von der Stirn. »Ein Hochhaus ist keine große glückliche Familie.«

»Diese Nikki Morales hat ihre Sachen gepackt und ist heute morgen abgereist«, sagte Hanrahan.

»Scheiße.« Hughes schüttelte den Kopf. »Wollen Sie reingehen und ihre Wohnung auf den Kopf stellen?«

»Ja, Sir«, sagte Hanrahan. Plötzlich hatte er das Bild seiner Mutter vor Augen, wie sie vor einem Topf Rindfleisch stand. Fast konnte er es riechen.

»Was ist los, Hanrahan?«

»Nichts. Aber ich würde gerne einen Blick in die Wohnung werfen.«

»Meinen Sie, daß diese Morales die Frau ist, die ins Taxi gestiegen ist?« fragte Hughes. »Als Estralda Valdez verkleidet?«

»Es ist einen Versuch wert«, sagte Hanrahan.

»Es ist einen Versuch wert«, wiederholte Hughes nachdenklich. »Ich werde Richter Handelman anrufen. Vielleicht ist er uns ja noch was schuldig, und wir kriegen einen Durchsuchungsbefehl. Nikki Morales, acht-zehn?«

»Ja, Sir«, sagte Hanrahan.

Nach einem kurzen Bericht über die Ergebnisse seiner Befragung konnte Hanrahan gehen. Er setzte seine Tour fort, sprach noch mit neun Leuten, erhielt aber keine zusätzlichen Informationen. Dann marschierte er über die Straße ins *Black Moon*. Der Regen hatte die Luft abgekühlt, und eine Brise wehte vom See herüber. Hanrahan fand, daß er einen Drink verdient hatte, wollte sich aber den Lohn nicht auszahlen.

Das Samstag-abend-Gedränge war schon vorüber. Ein paar Leute waren noch beim Essen, zwei Paare an einem der hinteren Tische, zwei junge Frauen an einem der vorderen. Hanrahan ließ sich an einem Tisch nieder, von dem aus er den Eingang der Michigan Towers im Blick hatte, strich mit seinen großen Händen die Tischdecke glatt und sah auf, als Iris aus der Küche kam. Sie lächelte, und er lächelte zurück.

»Willst du was bestellen?« fragte sie.

»Nein«, sagte Hanrahan. »Oder vielleicht doch. Was meinst du, was soll ich essen?«

»Schweinefleisch Moo Shu«, sagte Iris. »Du siehst müde aus.«

»Arbeit«, sagte Hanrahan. Er fuhr sich mit der Hand übers Gesicht. »Ich müßte dringend mal duschen und mich rasieren.«

»Gestern abend warst du auch müde.«

»Gestern abend war ich betrunken. Kannst du dich zu mir setzen?«

»Nein.«

»Ich habe dich gefragt, ob du mit mir ausgehst. Ich hab's ernst gemeint. Jetzt bin ich nüchtern und meine es immer noch ernst.«

»Ich habe ja gesagt. Ich hole dein Moo Shu.«

Als sie mit seinem Teller zurückkam, sagte Hanrahan: »Weißt du, was mir an dir so gefällt?«

»Nein«, sagte Iris, während sie den dünnen Pfannkuchen mit Fleischstückchen, Bambussprossen und Gemüsen füllte.

»Du erinnerst mich an niemanden«, sagte Hanrahan. »Das ist ein Kompliment.«

»Dann empfinde ich es auch als Kompliment«, sagte sie. »Ich hab das noch nie gemacht.«

Mit zwei Holzlöffeln rollte sie den Pfannkuchen zusammen.

»Es sieht aus, als hättest du dein Leben lang nichts anderes getan«, sagte er.

»Nein!« lachte sie. »Ich meine nicht das Moo Shu. Ich meine, mit einem Mann ausgehen.«

»Du bist noch nie ausgegangen?« fragte er und starrte fassungslos auf die Crêpe-artige Kreation auf seinem Teller. »Nehme ich das in die Hand – wie einen Taco?«

»Ja«, sagte sie. »Ich war verheiratet. Mein Mann ist gestorben. Mein Vater hatte ihn ausgesucht. Ich bin Großmutter.«

»Und ich bin Großvater. Hast du Bilder von den Kindern?«

Hanrahan aß, trank Tee und plauderte mit Iris über die Enkelkinder Walter und Mary Ho, während auf der anderen Straßenseite eine Frau aus einem Taxi stieg. Sie trug ein leichtes Sommerkostüm und keinen Hut. Ihr Haar hatte eine andere Farbe als am Abend zuvor. Der Pförtner sah keine Verbindung zwischen dieser Frau und der anderen, die sich als Estralda Valdez ausgegeben hatte. Hanrahan wäre sie aufgefallen, aber er sah nicht hin. Er hätte sie an ihrem Gang erkannt, an ihrer Schulterhaltung, ihrer Größe und ihrer Figur. Er hatte Hunderte von Leuten beschattet, Männer, Frauen, Zwitter und Transsexuelle. Durch Ferngläser und mit bloßem Auge hatte er sie aus großer Distanz beobachtet. Er hätte sie erkannt, aber er betrachtete ein Foto von zwei kleinen Kindern. Er lächelte – nicht, wie jemand, dem die Verrücktheit des Lebens im allgemeinen und seine eigene Situation im besonderen bewußt ist, sondern wie jemand, der den Augenblick genießt.

Als er dann aus dem Fenster blickte, war dort keine Frau mehr. Er notierte sich Iris' Adresse, und sie verabredeten sich für sechs Uhr am Montag, wenn das *Black Moon* Ruhetag hatte. Er würde sie abholen.

Bill Hanrahan ging nach Hause. Am Morgen würde er Abe anrufen. Am Morgen würden sie die Mutter von Estralda Valdez finden. Aber als erstes würde er am Morgen, am Sonntagmorgen, zur Messe in St. Bart's gehen. Er überlegte auch, ob er seinen Sohn in Kanada anrufen sollte. Es war allerdings schon ein bißchen spät dafür, also würde er damit bis morgen nachmittag warten.

8

Falls das Komitee zur Berufung des Spendenkomitees länger als eine Stunde tagen sollte, würde Lieberman Irving Hamel Irving Rommel nennen. Er würde so tun, als sei es ein Versprecher, und sich dafür entschuldigen. Dann würde Gott, falls er zusah – was schließlich seine heilige Pflicht war – Irving Hamel wissen lassen, daß er besser still sein sollte.

Irving war kein böser Mensch, aber einer, der einem auf die Nerven ging. Er war jung, noch keine vierzig, und von Beruf Rechtsanwalt. Sein Haar stand noch dicht und war schwarz. Er trug Kontaktlinsen. Er war groß, und er ging jeden Morgen in den Fitnessraum des Jewish Community Centers. Seine Frau war wunderschön. Seine beiden Kinder, ein Junge und ein Mädchen, waren ebenfalls wunderschön. Irving Hamel würde eines Tages König von Dänemark werden oder zumindest der erste jüdische Bürgermeister von Chicago oder Chef des Bundesgerichtshofes. Aber hier und jetzt ging er einem einfach nur auf den Geist.

»Ganz uneigennützig werden die Leute nicht für die Renovierung spenden«, sagte er. »Sie wollen ihren Namen auf einer Gedenktafel sehen, oder so was Ähnliches.«

»Für die Räumlichkeiten und die Wände ist das Baukomitee zuständig«, sagte Syd Levan.

Zu viert saßen sie in der kleinen, zum Konferenzraum umfunktionierten Bibliothek an dem Eichentisch. Rabbi Wass lächelte weise zu allem, was gesagt wurde. Syd Levan war fest entschlossen, jede Entscheidung zu blockieren. Ida Katzman saß einfach nur da, und ihre Blicke durchbohrten immer den, der gerade sprach. Als die Älteste der Anwesenden und als das wohlhabendste Mitglied der Gemeinde – der Grund, warum sie überhaupt da war – hatte Ida bestimmte Rechte – unter anderem das Recht, sich nicht an die Tagesordnung zu halten. Es schien, als würde die altehrwürdige Ida Katzman überhaupt nichts von allem mitbekommen. Immer wenn der junge Rabbi Wass etwas sagte, glotzte ihn Ida Katzman durch ihre dicken Brillengläser an, als hoffe sie auf die göttliche Erleuchtung. Aber jedesmal wurde sie enttäuscht.

»Das Mobiliar!« Lieberman machte einen Vorstoß. »Wir können Namensschilder an den Möbeln anbringen. Der Tisch, an dem wir sitzen, hat auch eins.« Er deutete auf eine bronzene Plakette am Kopfende, an dem er als geschäftsführender Vorsitzender des Komitees saß und, zwischen Verdrossenheit und Hoffnung schwankend, Irvig Hamel nicht aus den Augen ließ.

»Das Recht der Widmung auf Möbeln fällt in die Zuständigkeit des Baukomitees«, sagte Rabbi Wass.

»Die Toiletten«, sagte Lieberman und sah auf die Uhr. Es war schon zehn und noch nichts entschieden.

»Das ist geschmacklos«, bemerkte Syd Levan.

»Die Toiletten gehören auch zum Baukomitee«, bemerkte Rabbi Wass.

»Eine Las-Vegas-Nacht«, sagte Lieberman, obwohl er Spendenveranstaltungen haßte.

»Bei der letzten haben wir zweihundert Dollar draufgezahlt«, sagte Hamel. »Ich war Kassenwart.«

»Eine Auktion«, schlug Lieberman vor.

Syd Levan schüttelte bedächtig den Kopf. Ida Katzman fiel die Kinnlade runter.

»Haben wir Miese gemacht«, sagte Hamel.

»Eine Filmnacht.« Lieberman gab nicht auf. »*Ein Rabbi im wilden Westen, Hester Street, Freitag, der 13.*«

»Wissen Sie, was es kostet, Film und Projektor auszuleihen und Werbung zu machen?« fragte Hamel und seufzte vielsagend. »Und dann kommt niemand. Alle sind verkabelt. Filme sind der Ruin.«

»Bingo?« sagte Lieberman mutlos.

»Wir sind Juden!« Levan klang schockiert.

»Das weiß ich«, verteidigte sich Lieberman. »Aber wir müssen ein Gebäude renovieren.«

»Kein Bingo«, sagte Hamel.

»Warum nicht?« fragte Lieberman.

»Wer würde schon zum Bingo gehen?« fragte Hamel zurück.

»Katholiken«, sagte Lieberman. »Ich kenne viele Katholiken. Mein Kollege ist katholisch.«

»Mir gefällt das nicht«, sagte Levan. »Was meinen Sie, Rabbi?«

»Ich denke, wir dürfen nicht zu profan werden.«

Ida Katzman horchte auf und neigte den Kopf zur Seite wie ein kleiner Vogel.

»Andererseits ist schon manch tugendhafter Mann über seinen Hochmut gestürzt.« Der Rabbi lächelte Ida Katzman an und fügte hinzu: »Und manch tugendhafte Frau.«

Ida Katzman fühlte sich geschmeichelt.

»Ich schlage vor, daß wir ein Komitee bilden und es entscheiden lassen, wie wir das Geld auftreiben«, sagte Syd Levan.

»Wir sind das Komitee!« Lieberman blickte hilfesuchend zu Hamel.

»Strenggenommen: nein«, sagte Hamel. »Wir sind kein Komitee. Wir sind ein vorläufiges Komitee, das die Empfehlung für ein Komitee aussprechen kann.«

»Rabbi«, sagte Lieberman. »Wollen Sie, daß das hier das Komitee ist? Wenn nicht – mir soll's recht sein. Ich würde gern heimgehen. Meine Tochter und die Enkel sind zu Besuch, ich arbeite an einem Mordfall, und ich bin müde.«

»Es ist ein Komitee«, entschied Rabbi Wass.

»Das geht nicht«, widersprach Hamel. »Wir haben keine Empfehlung ausgesprochen und uns nicht an die Satzung gehalten. Bisher war das nicht mehr als die informelle Diskussion eines vorläufigen Komitees.«

»Recht hat er!« sagte Levan.

»Wir müssen die Renovierungsarbeiten finanzieren«, sagte Rabbi Wass. »Die Kosten für die Renovierung können die Baukosten um bis zu fünfzigtausend Dollar übersteigen.«

Während Ida Katzman in ihrer Handtasche kramte, machte Lieberman den nächsten Vorstoß: »Wir laden zu einem Polka-Abend ein!«

»Abe, ich frage dich: Ist das hier der richtige Ort, um Witze zu machen?« fragte Syd Levan.

Ida Katzman verschanzte sich hinter ihrer Handtasche und füllte einen Zettel aus. Hamel strahlte sie an und gab darauf acht, daß niemand zu früh das Wort ergriff. Lieberman fand, daß der Augenblick gekommen war, einen Blitzkrieg gegen den König von Dänemark zu führen, sonst müßte er ihn gleich in Irving Rommel umtaufen. Aber Gott und Ida Katzman hatten ein Einsehen.

»Reicht das?« fragte Ida Katzman und schob Rabbi Wass einen Scheck zu.

Rabbi Wass starrte auf den Scheck.

»Voll und ganz«, sagte er und reichte den Scheck herum.

»Können wir jetzt gehen?« frage Ida Katzman und erhob sich. »Sonst verpasse ich noch *Saturday Night Life*. Jemand muß mich nach Hause fahren oder mir ein Taxi rufen.«

»Wir können alle gehen«, sagte Lieberman. »Irving wohnt in Ihrer Nähe. Er fährt Sie bestimmt gern.«

Hamel warf Lieberman einen giftigen Blick zu, der aber so kurz war, daß ihn niemand sehen konnte.

»Es ist mir eine Ehre, Mrs. Katzman nach Hause zu fahren«, beteuerte Hamel.

»Ich finde, das haben wir gut gemacht«, sagte Syd Levan feierlich und steckte sich eine Zigarre zwischen die Lippen. Er meinte, daß niemand etwas dagegen haben konnte, solange er sie nicht anzündete.

»Sie alle waren großartig«, sagte Rabbi Wass abschließend.

Lieberman wartete, bis die anderen gegangen waren. »Rabbi«, sagte er, »ich erkenne eine Komödie, wenn ich eine sehe. Haben Sie den Film *Der Clou* gesehen?«

»Mrs. Katzman wurde ein Platz im Komitee angeboten, weil ich wußte, daß sie auf die eine oder andere Weise helfen will.«

»Ich dachte, sie hätte schon hundertfünfzigtausend für das neue Gebäude zugesagt.« Lieberman war aufgestanden und rieb sich die Knie. »Wo wird ihre Plakette angebracht?«

»In der Küche«, sagte der Rabbi. »Abraham, ihr Mann und ihr Sohn sind tot. Sie hat keine Enkel. Ihre Familie ist die Gemeinde. Gott sieht ihre Taten. Wir werden Ihm danken und Ihn preisen. Und Er wird uns segnen, wenn wir seinem Willen folgen.«

»Jetzt haben Sie mich wirklich überzeugt, Rabbi.«

»Das hoffe ich, Abraham.«

Als Lieberman nach Hause kam, saß Barry im dunklen Wohnzimmer mit gekreuzten Beinen auf der aufgeklappten Couch, ein Kissen auf dem Schoß und spielte mit einem Ding, das er Lieberman als Gameboy vorgestellt hatte. Ab und zu sah er in den laufenden Fernseher.

»Wo ist Melissa?« fragte Lieberman.

»Schläft in Mamas Bett.«

Lieberman warf seinem Enkel ein eingewickeltes Pfefferminzbonbon zu und sagte: »Hab ich in der Synagoge geklaut. Putz dir die Zähne, wenn du's gegessen hast.«

»Das glaub ich nicht. Du hast es nicht gestohlen«, sagte Barry.

»Du hast recht. Ich habe es als Belohnung bekommen, weil ich fünfzigtausend Dollar aufgetrieben habe. Was guckst du?«

»*Saturday Night Life.*«

»Wie Ida Katzman«, sagte Lieberman. »Ich gehe ins Bett. Bis morgen früh. Gute Nacht!«

»Verdammt!« schrie Barry, schlug auf das Kissen und starrte das leuchtende Spiel in seiner Hand an. »Fast hätte ich ihn erwischt. 'tschuldigung Opa. Gehen wir am Montag zum Spiel?«

»Klar gehen wir.«

»Gute Nacht«, sagte Barry ohne aufzusehen.

»Gute Nacht.«

In der Küche brannte noch Licht. Lieberman begann leise zu beten. Gott war ihm etwas schuldig. Er hatte Irving Hamel nicht beleidigt. Er hatte Syd Levan nicht eingeschüchtert. Er hatte die Komödie mitgespielt, um Ida Katzman auf den Pfad der pekuniären Tugend zu führen. Gott könnte ihm jetzt zumindest den Weg bis ins Schlafzimmer, zum Waschbecken, zum Schlafanzug und zum Bett gönnen, ohne ihm eine weitere Prüfung aufzuerlegen.

Er schaffte es, ungeschoren an der Küche vorbeizukommen. Es saß niemand mehr dort; er war sich sicher. Und auch sonst hörte Lieberman keine Stimmen. Fünf Schritte waren es noch bis ins Schlafzimmer. Da öffnete sich die Tür von Lisas ehemaligem Kinderzimmer.

»Dad«, flüsterte Lisa. »Bist du's?«

»Ja. Ich bin's.«

»Dad, er hat angerufen. Todd hat angerufen. Ich weiß, daß du müde bist. Können wir uns trotzdem ein paar Minuten unterhalten?«

Den Morgenmantel hatte sie mit einem von Liebermans alten Frotteegürteln zugebunden, der farblich überhaupt nicht paßte. Trotz des flackernden Lichts des Fernsehgeräts konnte Lieberman erkennen, daß sie geweint hatte.

»Morgen früh wäre mir lieber«, sagte Lieberman.

»Morgen früh ist es vielleicht zu spät«, antwortete Lisa.

»Wo ist deine Mutter?« fragte Lieberman.

»Im Schlafzimmer und wartet auf uns.«

»Willst du Tee oder Kaffee?«

»Tee.«

»Ich möchte auch Tee«, rief Bess durch die geschlossene Schlafzimmertür. Lieberman ging in die Küche.

Hanrahan wartete bis Punkt sieben. Dann rief er an. Lieberman tastete nach dem Telefon neben dem Bett und hob ab, bevor es zum zweiten Mal klingelte. Bess ließ ein gequältes Stöhnen hören, bevor sie sich die Decke über die Schultern zog und sich wegdrehte.

»Ja?«

»Rabbi, ich hab eine Spur. Estraldas Mutter und ihr Bruder wohnen drüben in Mextown, in der Nähe von Ogden. Ich glaube, sie nennen sich Vegas. Klingelt's?«

»Du solltest in der Kirche sein, William«, flüsterte Lieberman. »Kommunion austeilen, Kekse essen und Wein trinken. Es ist Sonntag morgen. Ich bete freitagabends und samstagmorgens. Du betest sonntags. Läßt sich leicht merken.«

»Wir gehen zur Kommunion, wir verteilen sie nicht«, erklärte Hanrahan. »Der Priester verteilt die Hostie.«

»Ich gehe gar nicht zur Kommunion und verteile sie auch nicht«, sagte Lieberman.

»Was willst du damit sagen, Abe?«

»Gar nichts«, sagte Lieberman. »Ich versuche nur, wach zu werden. Um die Mittagszeit rufe ich Guttierez in Gangs an. Der geht ganz sicher am Sonntag in die Kirche. Was hast du noch rausgefunden?«

Hanrahan faßte zusammen, was er hinter den Türen in Estraldas Hochhaus ausgekundschaftet hatte. Er erzählte von Hughes, Gwen Dysan und Nikki Morales.

»Unsere liebe Estralda war dabei, sich einen eigenen Stall aufzubauen, Rabbi«, sagte Hanrahan. »Vielleicht nicht das ganz große Geschäft, aber untätig war sie nicht.«

»Father Murphy«, sagte Lieberman und kratzte sich am Kopf. »Wir wollen sie nicht heilig sprechen lassen, sondern herausfinden, wer mit einer langen Klinge auf sie eingestochen hat. Und das acht Mal!«

»Ja«, sagte Hanrahan. Es klang wenig überzeugt.

»Hast du geschlafen?«

»Etwas.«

Hanrahan machte eine lange, bedeutungsschwere Pause. Dann sagte er: »Ich habe nichts mehr getrunken, seit das passiert ist, Abraham.«

»Leg dich wieder hin und schlaf«, sagte Lieberman gähnend. »Ich rufe Guttierez an und gehe unter die Dusche.«

Als er aufgelegt hatte, murmelte Bess ihm irgendwas zu.

»Hm?« fragte Lieberman.

»Die Kinder sind schon auf«, sagte sie. »Ich höre sie. Siehst du bitte mal nach, ob alles in Ordnung ist?«

»Die Kinder sind groß«, sagte Lieberman. »Und ihre Mutter schläft im Zimmer nebenan.«

»Sie sind in unserem Haus«, sagte Bess, ohne sich zu ihm umzudrehen.

Lieberman stand auf. Er trug eines seiner Lieblings-T-Shirts, ein extragroßes blaues mit dem Leuchtturm von Evanstone vorne drauf. An Liebermans magerem Körper wirkte es wie ein Nachthemd. Er holte seinen Morgenmantel aus dem Kleiderschrank, verließ das Schlafzimmer und machte die Tür hinter sich zu.

Die Kinder lagen auf dem Schlafsofa, schauten fern und aßen Bagels mit viel Frischkäse und wenig Lachs.

»Mit Zwiebelringen schmecken sie besser«, sagte Lieberman.

»Ich mag keine Zwiebeln«, sagte Melisa.

»Das Spiel?« fragte Barry kauend. Ein Krümel Käse schob sich auf seine bereits verschmierte Oberlippe.

»Nicht mehr lange!« rief Lieberman. »Ich muß eine Nummer wählen, mich mit kaltem Wasser stählen und auch noch mit Kopfweh quälen.«

Melisa lachte, Barry grinste.

»Und ich muß ein Bier schälen«, sagte Melisa.

»Das ist nicht komisch.« Barry stöhnte. »Du bist überhaupt nicht komisch.«

»Es war ein ernsthafter Versuch im richtigen Kontext und mit richtigem Wortlaut«, sagte Lieberman.

»Du klingst wie Dad mit seinen toten Griechen«, sagte Barry. »Aber du machst einen Witz ... Dad ist immer so ernst.«

»Schmiert noch mehr Käse auf die Möbel, ich bin gleich wieder da.« Lieberman verschwand in der Küche und schloß die Tür hinter sich, um die Stimme von Alf auszusperren und als Zeichen für seine Familie, daß er ein paar Minuten seine Ruhe haben wollte. Er fand Simon Guttierez' Telefonnummer im Adreßbuch in der Küche und wählte.

»Hallo?« meldete sich eine Frauenstimme.

»Meine kleine Wüstenrose«, sagte Lieberman.

Estralita Guttierez kicherte.

»Lieberman!« rief sie. »Du bist der einzige, der mich so nennt!«

»Ich bin der einzige, der dich anruft und eine Seele hat«, sagte Lieberman. »Alle anderen haben ihre Seele schon für sinnlose Schlankheitskuren und für Sitzplätze im Stadion der Bulls verkauft. Ist Simon da?«

»Ich hole ihn. Wir wollten gerade zur Messe gehen«, sagte sie.

»Es dauert nicht lange«, versprach Lieberman.

Simon Guttierez war sofort mit einem genuschelten »Abe?« am Apparat.

Lieberman hatte fünfzehn Jahre lang immer mal wieder mit Simon zu tun gehabt, bis er befördert und nach Gangs versetzt worden war. Simon war ehrgeizig. Mit einem College-Abschluß hätte er bei der Wahl zum Polizeichef in fünf Jahren gegen Captain Hughes antreten können.

»Simon, ich brauche was von dir.«

Mit dem Telefon in der Hand ging Lieberman zur Papiertüte auf der Ablage. Während er sprach, holte er einen Knoblauchbagel raus, klemmte sich den Hörer zwischen Kopf und Schulter, schnitt den Bagel auf und steckte ihn in den Toaster.

»Was?« fragte Guttierez.

»Der Valdez-Mord. Bist du im Bilde? Ich muß was über Estraldas Mutter und Bruder wissen, die in oder bei Ogden wohnen.«

Lieberman nahm Lachs, Zwiebeln und die Packung Frischkäse aus dem Kühlschrank. Von dem Käse war nicht viel mehr übrig als ein zermanschter Rest.

»Name?«

»Nur Valdez«, sagte Lieberman. »Und das ist wahrscheinlich nicht mal der richtige.«

»Bin ich dir was schuldig?« fragte Guttierez.

Im Hintergrund hörte Lieberman, wie Estralita Guttierez auf ein Ende des Gesprächs drängte.

»Nein, ich bin dir noch was schuldig – seit dem Fall Bratcovkic«, gestand Lieberman.

»Jetzt schuldest du mir dann zwei. Ich muß ein bißchen rumtelefonieren und rufe dich nach der Messe zurück. Bist du zu Hause?«

»Ich bin zu Hause«, sagte Lieberman.

Guttierez legte auf. Lieberman belegte seinen Bagel, goß sich ein Glas Eistee ein, den er in der Nacht gemacht hatte, und setzte sich an den Tisch, um zu essen, zu trinken und zu warten. Er wartete ganze fünf Minuten, bevor Lisa hereingestürzt kam.

»Dad«, fing sie an. »Die Kinder sind im Wohnzimmer und versauen das ganze Sofa. Du warst bei ihnen. Warum hast du nichts dagegen unternommen?«

»Ich muß dir was gestehen«, sagte Lieberman und biß von seinem Bagel ab. »Ich habe mehr von Peter Pan als von Mary Poppins.«

»Du könntest mich zumindest etwas unterstützen.«

»Geh duschen, putz dir die Zähne, wasch dir die Haare und rasier dir die Beine, dann kannst du wiederkommen, und wir unterhalten uns«, sagte er. »Danach fühlst du dich bestimmt besser.«

»Du willst mich nur loswerden«, sagte Lisa und strich sich die Haare aus dem Gesicht.

»Das stimmt nicht«, sagte Lieberman. »Ich will nicht nur dich loswerden. Ich will noch einiges mehr. Komm wieder mit einem Lächeln und einem Lied auf den Lippen, am besten keinem Rap-Song, und wir können gemeinsam überlegen, ob wir den Kindern oder dem Kühlschrank Handschellen anlegen.«

»Du wirst dich nie ändern, stimmt's?« fragte Lisa, nahm ihm den letzten Bissen Bagel aus der Hand und steckte ihn in den Mund.

»Ich bemühe mich«, sagte Lieberman. »Aber meistens gelingt es mir nicht.«

Das Telefon klingelte. Wieder hob Lieberman nach dem ersten Mal ab.

»Bist du mittlerweile schlauer?« fragte Hanrahan.

»Nein, aber geduldiger«, antwortete Lieberman und schenkte sich Eistee nach.

»Ich hab so ein Gefühl«, sagte Hanrahan.

»Stell dich unter die heiße Dusche«, empfahl Lieberman. »Ich rufe dich wieder an, wenn ich einen echten Grund dazu habe.«

Sie legten auf, und Lieberman ging ins Bad, um heiß zu duschen. Während ihm das Wasser über Rücken und Beine dampfte, sang er wie üblich ein Medley. Auf *»The Love Bug Will Get You If You Don't Watch Out«* folgte *»The Devil and the Deep Blue Sea«* und *»Just One More Chance«*. Beim Frottieren und Anziehen sang Lieberman weiter: »*Silver Dollar*« und »*Tangerine*«. »*Moon Over Miami*« summte er, als er ins Schlafzimmer zurückkam.

»Du bist so gut gelaunt, Abraham«, sagte Bess und setzte sich auf.

»Ich wollte mir was vormachen. Beinahe hätte es geklappt.«

»Es klappt nie«, entgegnete Bess.

Wieder klingelte das Telefon.

»Weißt du, wieviel Uhr es ist?« fragte Bess, als sie aus dem Bett stieg.

»›Ich wußt' nicht, wieviel Uhr es war‹«, trällerte Lieberman.

»Bess schüttelte den Kopf und ging ins Bad, während Lieberman das Telefon abhob.

»Abe?«

»Simon.«

»Ich hab vielleicht was«, sagte Guttierez.

»Ich dachte, du gehst zur Messe?«

»Ich gehe später. Willst du mir jetzt zuhören, oder willst du mir ein schlechtes Gewissen machen?«

»Sprich!«

»Möglich, daß wir einen haben«, sagte Guttierez. »Könnte der Bruder sein, José Madera, auch bekannt unter dem Namen José Vegas. Siebzehn Jahre alt. Angeblich läuft Madera rum und erzählt, daß seine Schwester ermordet wurde.«

»Angeblich?«

»Einer unserer Informanten war letzte Nacht mit Madera in einer Bar. Da hat er behauptet, die tote Prostituierte sei seine Schwester.«

»Wo wohnt dieser Madera?«

»Eins zu null für dich, Abe«, sagte Guttierez. »Conlin hat seine Akte durchgesehen: sieben Anzeigen, keine Verurteilung. Adresse unbekannt. Gehörte mal zu den Los Vampiros, El Perros Truppe. Alles Blindgänger. Jetzt ist er bei den Los Gatos. Die sind ehrgeiziger. Crack-Lieferanten.«

»Danke, Simon«, sagte Lieberman.

»Jetzt schuldest du mir zwei«, sagte Guttierez und legte auf.

Lieberman wählte Hanrahans Nummer. Nach dem fünften Klingeln wurde abgehoben.

»Ich war auf dem Scheißhaus«, erklärte Hanrahan.

»Ich weiß deine Offenheit zu schätzen«, meinte Lieberman. »Wir treffen uns im Chapultapec, in einer halben Stunde. El Perro kann uns vielleicht helfen, Estraldas Bruder zu finden.«

Lieberman schloß die Nachttischschublade auf, holte seine Waffe heraus und steckte sie in den Gurt unter der Jacke.

»Ich muß los«, rief er, als er aus dem Schlafzimmer kam.

»Dad?« fragte Lisa vorsichtig. »Todd kommt um zwölf, weißt du noch? Du hast gesagt, du bist da.«

»Ich bin da«, versicherte Lieberman.

»Lieberman«, schaltete sich Bess ein und band ihren Morgenmantel fester zu. Lieberman hatte ihn ihr vor fünf Jahren zum Geburtstag geschenkt.

»Wenn sie mich Lieberman nennt, bedeutet das Ärger«, erklärte er den Kindern, die dem Gespräch zuhörten.

»Sehr großen Ärger sogar«, bestätigte Bess. »Du wirst rechtzeitig hiersein, wenn Todd kommt. Kümmere dich nicht soviel um die Familienangelegenheiten anderer Leute, sondern lieber um deine eigenen!«

Er ging zu ihr und gab ihr einen Kuß.

»Paß auf dich auf«, sagte Bess, wie schon tausendmal beim Abschied. Dann trat er hinaus in den heißen Chicagoer Morgen.

Der Vormittag entpuppte sich als Pleite. Hanrahan und Lieberman fuhren zum Chapultapec. Bis auf ein junges Pärchen mit Baby war der Laden leer. Die alte Bedienung, die auch gearbeitet hatte, als Lieberman und Hanrahan El Perro wegen Resnicks Geld aufgesucht hatten, sagte, sie kenne niemanden namens El Perro oder Del Sol. Sie sah extrem verängstigt aus: wie ein Januartag am Ufer des Lake Michigan.

»Geben Sie ihm eine Nachricht, wenn er kommt«, sagte Lieberman und zog einen Notizblock raus. »Sagen Sie ihm, daß die Nachricht von Lieberman kommt. Er kann mich morgen entweder vormittags oder abends erreichen. Am Mittag bin ich im Stadion.

Die Notiz war kurz: »Ich will mit José Madera sprechen.«

Er unterschrieb mit »Lieberman«. Dann gingen sie wieder raus.

»Komm mit zu mir«, schlug Lieberman vor. »Mein Schwiegersohn kommt, um sich mit meiner Tochter zu streiten.«

»Hört sich gut an«, sagte Hanrahan. »Aber ich hab schon eine Verabredung.«

Lieberman sah ihn an. Sie hatten Hanrahans Wagen schon fast erreicht. Vier junge Latinos saßen auf der Motorhaube. Sie waren groß, tätowiert, trugen kleine schwarze Kappen und sahen böse aus.

»Eine Verabredung?« fragte Lieberman.

Einer der Jungs sprang von der Haube und kam auf die Bullen zu.

»Ist das euer Auto?« fragte der Junge, der ein bißchen wie der Boxer Roberto Duran aussah, aber keinen Akzent hatte.

»Nette Frau«, sagte Hanrahan. »Sie heißt Iris. Chinesin. Der Familie gehört das *Black Moon.*«

»He«, schrie der Junge, der wie Roberto Duran aussah. »Ich rede mit euch.«

»Bring sie doch später mit zu uns«, schlug Lieberman vor.

»He, ihr Wichser, wenn ihr an den Wagen wollt, müßt ihr fünfzig Dollar abdrücken«, sagte der Junge. Seine Freunde waren jetzt ebenfalls von der Haube geklettert. Einer von ihnen stand vor der Fahrertür, die anderen beiden hinter ihm.

»Nein, ich glaube nicht. Aber vielen dank, Abe«, sagte Hanrahan. »Vielleicht das nächste Mal. Diesmal ist es noch ... wir lernen uns gerade erst kennen ...«

Der Junge mit dem Roberto-Duran-Gesicht wurde langsam ungeduldig. »Ich rede mit euch!« schrie er zähneknirschend.

»Hast du eine Waffe?« fragte Lieberman gequält.

»Was? Hier, klar hab ich 'ne Waffe«, sagte der Junge. Er zog ein Klappmesser mit einer zehn Zentimeter langen Klinge heraus.

»Und deine Schwestern? Haben die auch Waffen?« fragte Hanrahan und zeigte mit dem Kopf auf die anderen.

Roberto Durans Gesicht war jetzt rot vor Wut.

»Ihr gebt mir jetzt eure Uhren und Brieftaschen«, sagte er.

»Warum?« fragte Lieberman.

»Weil wir dich sonst abstechen, alter Sack.«

»Hast du Zeit, sie mitzunehmen, Father Murphy?« fragte Lieberman.

Hanrahan sah auf die Uhr.

»Jede Menge Zeit«, sagte er und drehte sich zu dem Jungen mit dem Messer um. »Mein Sohn, du bist ein dummes Arschloch!«

»Hat er ›Father‹ zu Ihnen gesagt?«

»Ich bin ein Cop«, sagte Hanrahan. »Wenn du an einem strahlendhellen Sommermorgen mitten auf der Straße einen Bullen nicht erkennen kannst, dann bist du ganz schön blöd.«

»Wissen Sie was?« Der Junge bemühte sich, das Gesicht zu wahren. »Ich wette, deine chinesische Freundin sieht aus wie Scheiße, weil du ein Bulle bist. Jetzt gebt endlich die ...«

Hanrahan schlug ihm mit der Rückseite der Hand ins Gesicht und erwischte ihn so hart an der Nase, daß der Junge eine Pirouette drehte. Die beiden hinter ihm machten einen Schritt nach vorne. Einer von ihnen griff in seine Jackentasche. Der Tag war zu heiß, um eine Jacke zu tragen – außer man hatte, wie die beiden Polizisten, eine Waffe. Lieberman war schneller. Als die Jungs seine Pistole sahen, blieben sie reglos stehen.

Roberto drehte sich mit erhobenem Messer um. Seine Nase war blutverschmiert. Hanrahan trat ihm in die Eier. Der Junge, der die Fahrertür blockiert hatte, war die Straße hinuntergerannt und schon fast nicht mehr zu sehen.

Aus den umliegenden Häusern hörte man Leute klatschen, aber an den Fenstern war niemand zu sehen. Autos hatten aus Neugier abgebremst und waren dann schnell weitergefahren.

»Wenn ihr's euch noch mal überlegt, ruft doch einfach an, du und ...« Lieberman drehte die beiden Jungen um und drückte sie gegen die Wand, um ihnen Handschellen anzulegen.

»... Iris«, sagte Hanrahan, half dem wimmernden Roberto auf die Beine und ließ die Handschellen zuschnappen. »Ich überleg's mir.«

Sie stießen die drei auf die Rückbank von Hanrahans Wagen.

Eine halbe Stunde später saß Abe Lieberman am Küchentisch und moderierte das Gespräch zwischen seiner Tochter und seinem Schwiegersohn. Bess war mit den Kindern zu Maish gegangen, um Limonade zu trinken und Knisches zu essen. Auf dem Tisch stand ein großer Krug mit Eistee, für Lieberman. Für Lisa lief Kaffee durch die Maschine.

»Die Grundregeln«, sagte Lieberman. »Keine Zitate von toten Griechen. Keine Beschimpfungen. Keine Bemerkungen über die Cubs. Und ich bin der einzige, der ›Halt's Maul!‹ sagen darf.«

»Das ist nicht komisch, Dad«, sagte Lisa und schaute Todd an, der ihr gegenübersaß.

Todd sah schrecklich aus. Unrasiert und ungekämmt, und er trug ein grünes Hemd zu einer braunen Kordhose.

»Sie hat recht, Abe«, sagte Todd.

»Wir beginnen mit einem Einverständnis der gegnerischen Parteien«, sagte Lieberman. »Ein gutes Zeichen.«

9

Als Bess und die Kinder kurz nach vier zurückkamen, war Todd bereits gegangen.

»Dürfen wir den neuen *Freitag, den 13.* sehen?« fragte Barry, als er in die Wohnung stürmte.

»Den will ich aber gar nicht sehen«, maulte Melisa.

»Niemand wird *Freitag, den 13.* sehen«, entschied Lisa vom Eßtisch aus, wo sie gerade ihren sechsten Kaffee trank. Die drei letzten Tassen waren, wie auch diese jetzt, koffeinfrei gewesen.

Bess sah Lieberman an, der langsam seine Lider senkte, um ihr zu signalisieren, daß er nicht wußte, was sie und ob sie überhaupt etwas erreicht hatten. Bess schloß die Haustür und stellte eine Tüte auf den Tisch.

»Halva«, erklärte sie. »Marmorierte. Willst du welche?«

Lisa zuckte gleichgültig die Schultern und schlürfte weiter ihren Kaffee. Die Augen hatte sie starr auf den Tisch gerichtet. Wieder sah Bess Lieberman an, und diesmal fügte er zum Schließen der Augen noch ein kaum merkliches Achselzucken hinzu. Bess ging in die Küche, um ein Brett und ein Messer für die Halva zu holen.

»Wer pitcht morgen?« fragte Berry.

»Sutcliffe«, antwortete Lieberman. »Was hast du denn gedacht?«

Barry grinste vielsagend.

»Gehe ich mit?« fragte Melisa.

»Du kommst mit«, versicherte ihr Lieberman.

»Kommt Oma auch mit?« wollte Melisa wissen.

»Deine Oma geht nicht zum Baseball«, sagte Bess und schnitt die Halva auf. Lieberman schnappte sich das erste Stück, bot es den Kindern an, und als sie es nicht wollten, verschlang er es in zwei Bissen. »Es ist nicht etwa so, daß eure

Oma Baseball nicht mag«, erklärte Bess weiter. »Es ist nur so, daß ich nicht zwei oder drei Stunden lang auf einer harten Bank sitzen kann, nicht mal mit einem Kissen.«

»Laßt uns Kopfgeldjäger spielen«, schlug Lieberman vor. »Geht in den Garten Schlangen jagen. Einen Dollar für jede Schlange, einen Penny für jeden Wurm. Über andere Tiere, die keine Insekten sind, müssen wir gegebenenfalls noch mal reden.«

»Bringt sie nicht hier rein«, sagte Bess.

Als die Kinder rausgegangen waren, nahm sich Lieberman noch ein Stück Halva und sah seine Frau an.

»Und?« fragte Bess und nahm sich selbst eines der klebrigen Stücke.

»Nichts«, sagte Lisa. »Es hat überhaupt nichts gebracht.«

»Wir waren alle der Meinung, daß wir uns wieder treffen sollten«, sagte Lieberman. »Und es gab einen gewissen Fortschritt. Nachdem wir eine Stunde geredet hatten, klang Lisas ›Nein‹ weniger endgültig, und Todds Versprechungen klangen ernsthafter.«

»Das stimmt nicht, Dad«, protestierte Lisa. »Du verschwendest deine und meine Zeit. Du machst es nur noch schwieriger. Schwieriger für mich und die Kinder, für Mama und für Todd. Es ist aus.«

»Vielleicht«, sagte Lieberman. »Ein endgültiges Vielleicht. Todd war einverstanden, zum jüdischen Glauben zu konvertieren.«

»Das will ich nicht«, sagte Lisa. »Ich weiß auch gar nicht, wo er das herhat. Darum geht es doch überhaupt nicht. Ihm ist eine dramatische Geste lieber, als sich mit den wirklichen Problemen auseinanderzusetzen.«

»Was ist denn das Problem?« fragte Bess. »Ich meine, wenn es nicht . . .«

»Mama, das Problem hört sich wie ein Klischee an«, sagte Lisa und schob ihre Tasse zur Seite. »Ich will keine Klischees auftischen, aber ich brauche meine Freiheit, und ich will gehen können, wohin ich will, tun und sagen können, was ich will, ohne jemanden um Erlaubnis zu fragen. Todd weiß es nicht, aber bei ihm ist es genauso!«

»Und was ist mit Barry und Melisa?«

»Noch mehr Klischees«, seufzte Lisa. »Willst du noch mehr Klischees hören? Für sie ist es besser, wenn wir getrennt leben, als zusammen und unglücklich. Und wenn schon nicht besser, dann werden sie es jedenfalls überleben. Ich mache alles für meine Kinder, aber ich glaube nicht, daß es ihnen guttut, wenn ich leide. Ich liebe sie. Ich bin für sie da.«

Mit einem Knall flog die Gartentür auf, und Melisa fragte atemlos: »Opa, wieviel zahlst du für 'ne Katze?«

»Lebendig? Ich zahle nur für lebende Tiere. Für tote zahle ich nichts.«

»Lebendig!« rief Melisa begeistert.

»Lebendig einen Dollar, wenn ihr sie wieder laufenlaßt«, sagte Lieberman. »Das ist mein bestes Angebot. Wenn es euch nicht paßt, müßt ihr mich vor Gericht bringen. Aber ich warne euch, ich kenne alle Richter!«

»Ein Dollar reicht«, sagte Melisa und rannte glücklich in die Küche.

»Meine Damen!« Lieberman hatte sich erhoben. »Dies ist ein Moment von großer Tragweite. Bess, erkläre deiner Tochter, was ich am Nachmittag niemals tue.«

»Soll ich ihr . . .?«

»Das doch nicht«, sagte Lieberman, beugte sich vor und küßte seine Frau. »Nie, nie mache ich einen Mittagsschlaf, aber heute, jetzt, werde ich einen machen. Ich weiß nicht, ob dieses Bedürfnis einmalig ist oder der Beginn eines neuen Lebensabschnitts. Wenn es ein neuer Abschnitt ist, der mit dem Altwerden zu tun hat, verspreche ich euch eine zumindest einwöchige Depression und verlange erhöhte Zuneigung. Ich habe gesprochen.«

Er ging um den Tisch herum und küßte Lisa auf die Wange. Sie umarmte ihn.

»Danke für die Mühe, Dad«, sagte sie.

»Es fällt mir schwer, Niederlagen einzugestehen«, sagte Lieberman und trottete auf Socken davon.

Hanrahan zog sich sechsmal um, bevor er die passenden Sachen für sein Treffen mit Iris gefunden hatte. Er besaß zwei Anzüge – einer war passabel, der andere eine knittrige Katastrophe. Aber vielleicht wirkte ein Anzug übertrieben förmlich, wenn man ins Kino ging und anschließend essen. Er probierte blaue Stoffhosen an und dazu ein blaues Jackett und einen weißen Rollkragenpullover. Der Spiegel meinte, daß er sich zu sehr anstrengte, sportlich zu wirken. Vielleicht würde Iris' Vater ihn nicht ernst nehmen. Er zog den Rolli wieder aus und entschied sich für ein blaues Hemd und eine unauffällige Krawatte. Nein, immer noch zu ... Schließlich wählte er ein weißes Hemd und belog sich und den Spiegel, als er sich schwor, zwanzig Pfund abzunehmen. Er war sehr in Versuchung, sich einen kleinen Drink zu genehmigen, nur einen einzigen. Selbst Leute, die keine Probleme mit Alkohol hatten, gönnten sich vor dem Essen einen Schluck. Aber William Hanrahan konnte sich nichts vormachen. Er mußte an Estraldas letzten Blick denken, bevor sie starb.

Hanrahan löschte die Lichter und schloß die Tür. Er hielt es nicht für nötig, eine Lampe brennen zu lassen. Ein professioneller Einbrecher ließ sich von einem einzelnen Licht sowieso nicht abhalten. Wenn er einbrechen wollte, würde er es tun – ganz gleich, welche Vorsorge Hanrahan traf. Ein schlechter Einbrecher würde die falschen Kabel durchschneiden und abhauen, sobald der Alarm losging. Hanrahan betrachtete ein letztes Mal sein Gesicht. War die Haut auch einigermaßen glatt? Ja, es war in Ordnung. Als er losfuhr, war es draußen noch hell.

Er ließ sich Zeit, hielt bei Gelb, überlegte, wie er sich verhalten sollte. War das Ganze überhaupt eine gute Idee? Als er das Apartmenthaus in der Hoyne Avenue, nördlich von Granville, erreichte, machte die Sonne ernsthaft Anstalten, unterzugehen.

Zwei etwa achtjährige Jungen musterten Hanrahan neugierig, als er auf die Haustür zuging, im Foyer nach Iris' Namensschild suchte und dann auf die Klingel drückte. Die Kinder beobachteten ihn durch das Fenster der kleinen Eingangshalle. Hanrahan sah zu ihnen rüber und lachte. Sie lachten nicht zurück. Als er den Summer hörte, stieß er die innere Tür auf und ging hinein.

Auf der gegenüberliegenden Straßenseite hatte ein blauer Honda eine Parknische gefunden. Er war Hanrahan seit seinem Haus gefolgt. Der Fahrer war vorsichtig gewesen. Er war nie zu dicht gefahren, hatte sich aber auch nie zu weit zurückfallen lassen. Ein, zwei oder drei Wagen waren immer zwischen ihm und Hanrahan gewesen. Er war auf der Hut, und er hatte allen Grund dazu.

Normalerweise, trotz oder gerade mit ein paar Drinks, wäre Hanrahan der blaue Honda aufgefallen. Aber heute war kein normaler Tag.

Der Mann im Honda sah zu den beiden Kindern vor dem Foyer hinüber. Hätten sie ihn angesehen, wäre er weitergefahren oder ausgestiegen und um die nächste Ecke spaziert. Aber die Kinder rannten einfach die Straße hinunter.

Der Mann im Honda lehnte sich zurück und wartete auf die Dunkelheit. Der Mann wollte den Polizisten nicht töten, und vielleicht mußte er ihn auch gar nicht töten. Huren zu töten war eine Sache. Das vergaß man nach ein paar Tagen. Aber einen Bullen zu töten, war etwas anderes.

Der Mann beugte sich vor und öffnete das Handschuhfach. Da lag die Pistole, geputzt und geölt. Falls nötig, würde er lieber die Pistole benutzen. Aber manchmal, wie bei der Frau, konnte man es eben nicht so machen, wie man wollte. Manchmal mußte man das nehmen, was gerade da war.

Er entspannte sich, widerstand dem Impuls, das Radio anzudrehen, und, um sich die Zeit zu vertreiben, versuchte er, sich an die Namen all seiner Cousins zu erinnern.

10

Wrigley Field ist ein kompaktes, leicht abgerundetes Rechteck aus Beton, Stahlträgern und weißer Farbe, in dessen Zentrum sich ein Park mit Efeu bewachsenen Mauern befindet. Um diesen Park liegt ein Ring aus über dreißigtausend Holzstühlen, von denen erwachsene Menschen anderen erwachsenen Menschen beim Ballspielen zusehen. Viele Basballstadien mögen sich selbst »Park« nennen, aber Wrighley ist wirklich einer. Am Morgen eines Spiels stehen die Metalltore weit offen, wie ein lachender Schlund, durch den dic Fans in Massen einströmen. Sie wohnen gleich um die Ecke oder kommen extra aus Sarasota, Florida. Wrighley Field riecht nach Zuhause, nach echtem Rasen, wildem Wein und strahlendem Sonnenschein – trotz der Flutlichtanlage, die vor zwei Jahren gebaut wurde.

Lieberman liebte dieses Stadion genausosehr wie die Cubs. Er liebte den Geruch der frisch gestrichenen grünen Sitze zu Beginn der neuen Saison. Er liebte die Verkäufer, die mit ihrem Bier durch die Gänge schlenderten. Er liebte die Fahnen schwingenden Fans auf den Stehplätzen, die ihre Mannschaft anfeuerten und die Outfielder des gegnerischen Teams verunsicherten.

Vier- oder fünfmal pro Sommer fuhr Lieberman zu einem Spiel. Er klappte die Sonnenblende runter, damit man scin Polizeischild sehen konnte und er einen Parkplatz bekam. Fast immer, selbst an überfüllten Tagen, gab es noch einen Sitzplatz – sogar bis kurz vor Spielbeginn. Augie Slotsow, der im Wrigley Field als Ordner arbeitete, schaffte es immer, einen alten Freund unterzubringen. Was das Wrigley Field anging, hatte Lieberman nur einen einzigen Grundsatz: Er würde nie zu einem Spiel gehen, das am Abend stattfand. Niemals. Nie. Es war nicht das Richtige. Es waren nicht die richtigen Cubs, die dann spielten. Abends sah der Rasen blaugrün aus und die Spieler wie Zombies. Baseballspieler wirkten abends einfach nicht besonders glücklich. In der Dunkelheit war Baseball ein Job. Tagsüber war Baseball, auch wenn die Spieler zwei oder drei Millionen Dollar im Jahr verdienten, immer noch ein Spiel.

Heute kaufte Lieberman drei Karten. Er bekam gute Plätze in der zehnten Reihe, direkt hinter dem dritten Base. Lieberman setzte Melisa zwischen sich und Barry. Er bot den Kindern an, ihnen Cub-Mützen zu kaufen. Barry sagte, er sei zu alt dafür. Melisa wollte eine. Also kaufte Lieberman zwei, eine für Melisa und eine für sich.

Sie waren rechtzeitig gekommen, um Sutcliffe beim Aufwärmen zuzusehen, aber nicht früh genug fürs Schlagtraining. Sie aßen Hotdogs und Erdnüsse und hörten den vier Männern in der Reihe vor ihnen zu, als sie ihre Prognosen für das Spiel abgaben. Prognosen, von denen Lieberman und Barry wußten, daß sie falsch waren, worüber sie sich mit einem amüsiert-verschwörerischen Blick verständigten.

»Hier, im Stadion, hab ich sie alle gesehen«, erzählte Lieberman seinen Enkeln. »Meine Mutter hat mich mitgenommen, um Babe Ruth zu sehen – da hatte ich noch Windeln an. Ruth spielte bei Boston. Angeblich hat mich ein verhauener Ball von ihm beinahe am Kopf getroffen.«

»Kriegen wir noch Erdnüsse?« fragte Melisa.

»Später«, sagte Lieberman. »Ich verspreche euch, daß ihr essen dürft, bis euch schlecht wird. Aber ihr müßt bis zu den späteren Innings warten, damit wir nichts verpassen, okay?«

»Zu trinken?«

»Und zu trinken!« versprach er. »Bill Nicholson«, erzählte er weiter. »Der hat mal einen Ball bis über Waveland hinausgeschlagen. Genau auf das Dach da drüben.« Lieberman zeigte mit dem Finger auf ein Gebäude außerhalb des Stadions, und

Barry sah kurz hin. Dann beobachtete er wieder Sutcliff, der zum Werferhügel lief.

»Hank Sauer hat einmal fast so weit geschlagen«, sagte Lieberman. »Und Kiner hat am Ende seiner Karriere . . .«

»Ist das André Dawson?« schrie Melisa, als die Cubs nach der Nationalhymne aufs Spielfeld liefen.

»Ruhe!« schrie Barry zurück. »Das ist nicht Dawson. Das ist Duston.«

»Das war bei einem Spiel gegen Cincinnati«, sagte Lieberman zu Melisa, die keine Ahnung hatte, wovon er redete. »Fondy war am ersten Base, Terwiliger am zweiten. Ich glaube, Smalley und Baumholtz standen noch dabei. Und Kluzewski, ein Riese, der sich die Schulter von seinem Hemd abgeschnitten hatte, damit man seine Muskeln sehen konnte. Der schlug einen Ball fast . . .«

»Wer spielt?« fragte eine Stimme neben Lieberman.

Lieberman drehte sich El Perro nicht einmal zu. Gerade eben hatte auf dem Platz neben ihm noch ein Mann mit einer grünen Schirmmütze gesessen.

»Cubs gegen Cincy«, antwortete Lieberman. »Willst du 'n paar Erdnüsse?«

»Nein, danke«, sagte El Perro und blickte mit einem breiten Grinsen in die Menge. Im Sonnenlicht wirkte er völlig deplaziert. »Ich sollte öfter hierher kommen. Was meinst du, *Viejo*?«

»Solltest du«, gab ihm Lieberman recht.

Barry und Melisa starrten auf den Mann neben ihrem Großvater. Der grinste sie an. Er trug enge schwarze Lederhosen und eine Weste über einem kurzärmeligen Glitzerhemd. Auch sein breitkrempiger Hut war schwarz und aus Leder.

»Bist du der Joker?« fragte Melisa.

»Seine linke Hand, *Niña*«, sagte El Perro. »Verkaufen die hier Bier, oder was?«

»Ja«, machte Lieberman.

»Rabbi«, sagte El Perro. »Mit der Baseballkappe siehst du irgendwie niedlich aus. Weißt du das?«

»Ich weiß«, sagte Lieberman. »José Madera.«

Sutcliffe hatte den ersten Schlagmann bezwungen. Lieberman hielt das für ein schlechtes Zeichen. Aber der nächste traf, und der dritte schlug den Ball ins Aus.

»Was glaubst du, Rabbi, warum El Perro hier ist? Glaubst du, ich bin nur gekommen, um mir einen Inning anzusehen, ein bißchen Sonne abzukriegen und einen alten Freund zu treffen?«

»Darf ich dir mal was sagen?« begann Lieberman und beugte sich zu El Perro rüber, als zum Beginn der zweiten Hälfte des ersten Innings Ryne Sandberg aufs Spielfeld kam. »Du hast dir zu oft den *Schatz der Sierra Madre* angesehen.«

»Meinst du? Danke. Ich mag den Film«, sagte El Perro. »Kann ich *dir* jetzt was sagen?«

»Erzähl!« sagte Lieberman. Sandbergs Schlag war gut, und er kam bis zum ersten Base.

»Ich bin ein großzügiger Mensch«, flüsterte El Perro. »Da kannst du jeden fragen. Aber ohne Handel kommen wir heute nicht weiter. Gestern hast du meinen Cousin und meinen Bruder eingelocht. Bewaffneter Überfall. Auf einen Polizisten.«

»Sieht dein Bruder aus wie Roberto Duran?«

»Nein, das ist Ernesto, mein Cousin«, sagte El Perro. »Das sind noch Kinder, verstehst du? Völlig harmlos. Außerdem hat dein Partner ihm in die Eier getreten. Zieh die Anzeige zurück, und du kriegst José Madeira.«

»Dein Bruder ist das unschuldige Opfer sozialer Ungerechtigkeit«, sagte Lieberman. »Er, dein Cousin und ihr Freund sind heute abend wieder draußen.«

»Ich vertraue dir, Rabbi«, sagte El Perro. »Hier findest du Madera und seine Mutter.« Er reichte Lieberman ein Stück graue Pappe, auf der eine Adresse stand. Lieberman sah gerade noch rechtzeitig wieder auf, um Mark Grace über die rechte Spielhälfte rasen zu sehen.

»Madera ist keiner von meinen Leuten«, sagte El Perro und seufzte. »Zu verrückt in der *Cabeza.*« Er tippte sich gegen die Stirn.

»Wenn du das sagst, klingt es wie ein Empfehlungsschreiben«, bemerkte Lieberman trocken.

»*Gracias*«, sagte El Perro. »Mein Bruder und die anderen sind raus, bevor es dunkel wird, richtig?«

»Im Schein des vollen Mondes werden sie wieder auf der Jagd nach frischem Blut sein«, sagte Lieberman.

»Du siehst wirklich niedlich aus, Rabbi«, sagte El Perro und erhob sich.

»Hinsetzen!« schrie eine rappeldürre Frau in der Reihe hinter ihnen.

El Perro drehte sich grinsend zu ihr um und sagte: »Die Sonne scheint. Ich bin gut gelaunt. Ich habe gerade ein Geschäft mit dem Rabbi hier gemacht. Sonst würde ich dir jetzt die Zunge rausschneiden und dich zwingen, sie zu fressen.«

Die Frau riß Mund und Augen auf, und der Mann neben ihr tat so, als würde er vom Lesen der Anzeigetafel ganz in Anspruch genommen. Lieberman drehte sich zu der Frau um und zog warnend eine Augenbraue hoch. Sie verstand seinen Blick und beschloß, die Sache auf sich beruhen zu lassen. El Perro ging die Stufen Richtung Ausgang hoch, und André Dawson stand am Schlagmal mit einem Spieler auf dem zweiten Base.

»Was war das denn für ein Typ?« wollte Barry wissen.

»Geschäftlich«, sagte Lieberman. »Ich muß mal telefonieren. Bin gleich wieder da.«

Dawson mußte irgend etwas Gutes gemacht haben. Lieberman hörte die Menge jubeln, Leute waren von ihren Sitzen aufgesprungen. Aber er drehte sich nicht um. Er ging zum Telefon gegenüber von einem Hotdog-Stand und rief im Revier an. Er gab Hanrahan die Adresse durch und sagte, daß er ihn um fünf dort treffen werde, nachdem er die Kinder heimgebracht hatte. Als er wieder an seinen Platz kam, lief schon das zweite Inning, und die Cubs führten zwei zu null. Shawon Duston verlor erst den Ball und warf ihn anschließend so, daß er im Rang hinter dem rechten Feld landete. Der Läufer kam zum zweiten Base, und Barry stöhnte laut.

Lieberman nahm seine Kappe ab und gab sie Barry, der sie sofort aufsetzte. Melisa wollte etwas sagen, aber Lieberman legte den Zeigefinger auf die Lippen. Sie nickte verständnisvoll wie eine Erwachsene, um Lieberman zu verstehen zu geben, daß sie Barry nicht auf sein widersprüchliches Verhalten aufmerksam machen würde. Das, dachte Lieberman, sieht nach einem langen Nachmittag aus.

Bill Hanrahan war nicht wirklich zu früh dran – nur etwa vierzig Minuten. Er fuhr von der Ogden Avenue auf Höhe der Schnellstraße ab und parkte gegenüber der Adresse, die ihm Lieberman gegeben hatte. In der Gegend wohnten nur Latinos, in der Hauptsache Mexikaner. Hanrahan stach heraus wie ein frisch geweißeltes St.-Patrick-Denkmal. Trotzdem hätte er einfach dasitzen können und warten. Aber die offene Haustür irritierte ihn.

Er blieb eine Viertelstunde sitzen und dachte an Iris und vergangene Nacht. Es war ein heißer Tag, und auf der Straße war wenig los. Zwei Kinder spielten mit einem Tennisball. Auf den Stufen eines Eckhauses saßen drei Frauen, zwei von ihnen fett, eine dünn. Die Häuser waren klein und wirkten sauber. Das bißchen Gras, das in den winzigen, eingezäunten Vorgärten wuchs, war kurz geschnitten und von sattem Grün.

Niemand betrat das Haus, niemand verließ es. Aber die Tür stand offen, und die drei Frauen an der Ecke sahen zu ihm herüber. Nur vier Wagen parkten in der Sackgasse. Es gab nicht einen Winkel, wo sich jemand hätte verstecken können.

Hanrahan stieg aus und streckte sich. Er sah sich um, als suche er nach einer Hausnummer. Er zog sein Notizbuch aus der Gesäßtasche und tat so, als wollte er sich noch mal vergewissern, bevor er sich auf die Suche nach seinem Ziel machte – dem Haus mit der weit offenen Tür. Hanrahan steckte das Notizbuch wieder ein, überquerte die Straße und stieg geradewegs die Treppen zur Eingangstür hoch.

Das einstöckige Haus war grün-weiß getüncht und vor nicht allzu langer Zeit frisch gestrichen worden. Hanrahan läutete und wartete. Er grinste und sah zu den drei Frauen rüber. Eine von ihnen, die dünne, hielt sich die Hand schützend über die Augen und blinzelte in die Sonne – in seine Richtung. Niemand kam. Das hatte Hanrahan nicht nur erwartet, sondern gehofft. Er sagte laut genug »Hallo«, damit die Schönen des Nachmittags ihn hören konnten. Dann trat er ein.

Im Wohnzimmer standen saubere Polstermöbel mit Blumenmuster. Ein riesiges, gerahmtes Poster beherrschte die Wand über dem Sofa. Es war ein Farbfoto, auf dem die Ruinen von einer Art Schloß zu sehen waren, umgeben von grün-grünem Wald. Die weiße Schrift auf dem Poster verriet ihm, daß es sich um Guadalajara handelte.

»Jemand zu Hause?« hatte Hanrahan beim Eintreten gerufen.

Er hatte beschlossen, zuzugeben, daß er Polizist war, falls jemand auftauchen würde. Falls nicht, er sich umsah und dabei erwischt wurde, würde er es ebenfalls zugeben. Er würde sagen, die Tür habe offengestanden und eine verdächtige Person sei eingedrungen. Das würde ihm zwar niemand glauben, aber die Chancen standen besser als hundert zu eins, daß in dieser Gegend niemand eine Beschwerde gegen einen Bullen einreichen würde, nur weil er durch eine offene Tür gelatscht war.

»Hallo?« rief Hanrahan.

Keine Antwort.

Er ging durchs Wohnzimmer in ein kleines Eßzimmer mit einem dunklen Holztisch und sechs dazu passenden Stühlen.

An der Wand gab es eine Anrichte, und darüber hing ein gemalter Jesus. Jesus starrte an die Decke.

»Jemand hier?« fragte Hanrahan wieder. Diesmal schon nicht mehr so laut wie beim ersten Mal.

Die Küche war sauber, wie auch alle anderen Räume im Parterre. Kein Geschirr in der Spüle. Kein Essen auf dem kleinen Tisch. Der schwache Duft eines Gewürzes erinnerte Hanrahan an seine Tante Aileen, die Schwester seiner Mutter, die Köchin der Familie, die siebenjährig in die USA gekommen und mit fünfundsiebzig wieder nach Dublin zurückgegangen war.

Ein Drink wäre jetzt nicht schlecht. Wenigstens ein kleiner Schluck. Ein doppelter Gin mit Whiskey, ein »Munter und Fröhlich«, wie Tante Aileens Mann, Jack, seinen Lieblingsdrink immer genannt hatte.

Hanrahan durchquerte die Küche. Von einer Nische neben dem Hinterausgang gingen drei Türen ab. Zwei davon standen offen. Eine führte ins Schlafzimmer. Dunkle Spitze und noch mehr Jesus-Bilder. Hinter der zweiten lagen Treppen und Dunkelheit, ein Keller. Die dritte war's. Hanrahan ging rein. Die Jalousien waren runtergelassen, aber es fiel noch genügend Licht hindurch: Er konnte erkennen, daß es sich um das Zimmer einer Frau handelte, aber nicht um das einer älteren Frau, wie das nebenan mit der dunklen Spitze und den Jesus-Bildern. Die Art-deco-Möbel glänzten. Das Bett war oval, und es lag eine rosa Decke drauf. Auf der Kommode in der Ecke, neben einem mannshohen Spiegel, waren etwa ein Dutzend Fotografien aufgestellt. Auf fast allen war Estralda Valdez zusammen mit einem kaum älteren Mädchen zu sehen. Schon als Siebenjährige hatte sie eine Hand in die Seite gestemmt und dazu dieses süffisante Lächeln. Die Fotos hörten auf, als Estralda etwa zwanzig war. Dann kam ein Zeitsprung, und noch zwei Fotos von Estralda, wie Hanrahan sie kannte. Es war ohne Zweifel Estralda, aber eine sittsame Estralda in Sommerkleidern und mit Sonnenbrille, wenig Make-up, einen Arm um eine ältere, dicke Frau gelegt, die in die Sonne blinzelte.

Interessant, ja, aber noch interessanter war das Puppenhaus, das auf dem Tisch in der Ecke beim Fenster stand.

»Unterm Haus im Haus meiner Mutter«, murmelte Hanrahan und mußte schmunzeln.

Hanrahan sah es sich genauer an. Das Haus kam ihm bekannt vor. Es war eine weiße Villa, gut einen halben Meter hoch. Als er nahe genug dran war, um sie zu berühren, setzte Hanrahan seine Brille auf.

»Tara«, las er laut auf dem Schild über der kleinen Tür.

Er schaute in eines der Fenster, aber es fiel nicht genug Licht durch die dunklen Scheiben, um die winzigen Möbel richtig erkennen zu können. Mit den Fingern der linken Hand tastete er nach der unteren Ecke des Hauses und wollte es langsam umdrehen. Aber es war erstaunlich schwer. Außerdem klebte es hartnäckig an der Tischplatte fest – wie die Muschel, die er vor tausend Jahren in Mendocino unter Wasser von einem Felsen gehebelt hatte, als er und Maureen auf Hochzeitsreise waren. Die Muschel hatte köstlich geschmeckt. Und jetzt hoffte er, daß auch das, was er unter diesem Haus fand, die Mühe lohnen würde. Hanrahan erhöhte den Druck. Plötzlich gab die Tischplatte nach, und von dem menschlichen Erdbeben purzelten die kleinen Möbel durch das kleine Haus.

Er hielt das Puppenhaus hoch und tastete mit der rechten Hand über die Unterseite. Nichts. Er fuhr die Kanten entlang. Dann hatte er es: ein in Leder gebundenes Büchlein. Er zog es heraus und stellte das Haus vorsichtig ab. Das Buch in der Hand ging Hanrahan zum Bett und ließ sich mit dem Rücken zur Tür darauf nieder. Er schlug es auf und fand einen schon alten, brüchigen Zeitungsartikel, studierte die Überschrift und das Bild in der zweiten Spalte. Er wollte gerade zu lesen beginnen, als er hinter sich ein Geräusch hörte. Hanrahan wußte nicht recht, was er jetzt sagen sollte. Er wollte sich umdrehen, aber da war es zu spät. Das Geschoß hatte seinen Hals direkt unterhalb des Schädels durchschlagen, er taumelte zu Boden.

Der Mann, der Estralda Valdez ermordet hatte, steckte die Pistole in die Tasche, lief um das Bett herum, ging in die Hocke und zog Hanrahan das Buch aus den Fingern. Blut sickerte aus dem kleinen Einschußloch am Nacken des Polizisten. Noch mehr Blut lief aus der Wunde an Hanrahans Kehle, wo die Kugel seinen Körper wieder verlassen hatte. Hanrahans Augen waren geschlossen. Der Mann suchte mit Fingern und Händen den Boden ab. Mehr Licht wäre besser gewesen, aber er konnte kein weiteres Risiko eingehen. Er brauchte fast drei Minuten, bis er die Kugel gefunden hatte.

Mit schwitzenden Händen steckte er Buch und Kugel ein und ging hinaus. Er überstürzte nichts. Die Hände in den Taschen, die eine an der Pistole, die andere auf dem Buch, verließ er das Haus durch die Hintertür, ging gemächlich durch den Garten und erreichte über eine Gasse die Seitenstraße, in der er seinen Wagen abgestellt hatte, nachdem er Hanrahan hierher gefolgt war.

Als er langsam die Straße hinunterfuhr und an dem Haus der Maderas vorbeikam, sah er, wie ein Wagen hinter dem von Hanrahan anhielt und Lieberman ausstieg. Er kannte Lieberman. Einen Moment überlegte er, ob er wieder zurückfahren, ins Haus gehen und Lieberman erschießen sollte. Welchen Unterschied machte das schon? Ein Bulle oder zwei. Aber er entschied sich dagegen, fuhr weiter und sah im Rückspiegel das schwindende Bild Liebermans, der schon die Stufen hinaufging.

Er hatte, was er brauchte, und das Risiko, zurückzugehen, war zu groß. Kein enorm großes Risiko, aber immerhin. Er hatte schon zu lange gewartet, und es stand zu viel auf dem Spiel.

Vier Stunden später saß Abe Lieberman in dem kleinen Sprechzimmer von Dr. Deep in der Chirurgie der Universitätsklinik von Chicago. Dr. Kuldip Singh Dalawal, den seine Freunde, zu denen auch Lieberman zählte, einfach Deep nannten, hatte Hanrahan operiert.

»Vor allem säubern«, hatte Deep außerhalb des Operationssaals gesagt. Deep war ein kleiner, dunkelhäutiger Pakistani, dessen Sohn schon zweimal wegen Kokainbesitz festgenommen worden war. Lieberman hatte den Jungen in einem Drogenprogramm in Kalifornien untergebracht, das ein Freund von ihm leitete. Das war fünf Jahre her. Der Junge war mittlerweile ein junger Mann, der im zweiten Jahr Medizin studierte.

»Glatter Durchschuß«, fuhrt Dr. Deep fort. »Die Kugel kam in einem Winkel, ungefähr so, von rechts. An der Speiseröhre vorbei, hat den Knochen zertrümmert. Er hätte an seinem Blut ersticken können. Sie haben ihm das Leben gerettet, indem Sie den Atemweg gesäubert haben. Das Trauma ist vorbei. Die Gefahr kommt jetzt von einer Infektion. Wir werden sehr gut aufpassen.«

»Wird er es schaffen?« fragte Lieberman.

»Ich denke schon«, sagte Dr. Deep.

Deep hatte Lieberman sein Büro überlassen. Lieberman hatte Bess angerufen. Sie wollte sofort ins Krankenhaus kommen, aber er hatte ihr gesagt, sie solle zu Hause bleiben. Bill würde noch eine ganze Weile schlafen. Bess hatte darauf bestanden, aber Lieberman hatte einfach das Thema gewechselt und sie nach Lisa, Todd und den Kindern gefragt.

»Melisa sagt, sie hat keine Bauchschmerzen«, sagte Bess.

»Und?«

»Niemand hat danach gefragt«, sagte Bess. »Woraus ich schließe, daß ...«

». . . sie Bauchschmerzen hatte, aber nicht wollte, daß es jemand merkt.«

»Aber sie hatte ein schlechtes Gewissen und wollte, daß ihre

Mutter und ich mitkriegen, daß sie etwas zu verbergen hat. Was hast du ihr beim Baseball gegeben?«

»Die Illusion, Maß halten zu können«, sagte Lieberman und sah über den Tisch hinweg auf Dr. Deeps gerahmte Medizin- und Chirurgie-Diplome.

»Lisa und Todd sind weg«, sagte Bess.

»Gut.«

»Nicht zusammen!«

»Ach so«, sagte Lieberman, legte den zerrissenen Zeitungsausschnitt vor sich auf den Tisch und glättete ihn sorgfältig mit dem Handballen. Er hatte das zerknüllte Papier aus Hanrahans Faust genommen, als die Sanitäter ihn auf die Trage gelegt hatten.

»Nein, Abe«, sagte Bess. »Sie sind nicht mit anderen ... Also, Lisa ist mit Yetta und Maish ins Kino gegangen. Todd ist ... Ach, ich weiß nicht. Ich habe versucht, ihn anzurufen, sobald sie gegangen waren. Ich mache den Kindern noch was zu essen. Was hast du ihnen beim Baseballspiel gekauft?«

»Hotdogs, Erdnüsse und einen Sieg«, sagte Lieberman. Er las den Artikel jetzt schon zum fünften Mal. Da stand, daß ein Mann namens Juan Hernandez De Barcelona in der Nacht zuvor von zwei namentlich bekannten Prostituierten ermordet worden war, daß die Prostituierten versucht hätten, es aussehen zu lassen, als wäre ein Mann von Barcelona erschossen worden, der seinerseits Barcelona erschossen hatte. Der Artikel zitierte einen Detective LaSalle, der sagte, der angebliche Angreifer habe noch lange genug gelebt, um der Polizei gegenüber auszusagen, was sich wirklich abgespielt hatte. Der Artikel verschwieg absichtlich den Namen des mittlerweile verstorbenen Mannes. Auf dem Artikel standen weder Datum noch der Name der Zeitung. Nicht einmal die Stadt wurde erwähnt. Lieberman drehte den Zettel um, als Bess sagte: » ... Und was habt ihr gemacht?«

»Ich erzähl's dir, wenn ich nach Hause komme.«

»Geh was essen, Abe!« sagte Bess sanft. »Und wenn du im Krankenhaus schläfst, ruf mich an und sag mir Bescheid.«

»Ich liebe dich«, sagte Lieberman.

»Ich liebe dich auch.«

Lieberman legte auf und studierte die Rückseite des Artikels. Es war eine Supermarktanzeige. Der Name des Supermarkts fehlte, aber die Adresse stand drauf. Und man konnte noch die Worte lesen »Die niedrigsten Preise in Corpus . . .«. Der Rest fehlte.

Lieberman drehte den Artikel wieder um und betrachtete das Bild der Madera-Schwestern. Vor nicht einmal drei Stunden hatte Hanrahan eine Kopie des Bildes gesehen. Lieberman ebenfalls. Auf der Kommode in Estraldas Zimmer.

Lieberman erledigte seine Anrufe, ruhig und der Reihe nach. Zuerst Maureen, Hanrahans Frau. Sie stand nicht im Telefonbuch, aber Lieberman war ja Polizist. Sie kam gerade von der Arbeit zurück.

»Maureen, hier ist Abe Lieberman«, sagte er, legte den Artikel zur Seite und griff nach dem Bleistift, der neben einem Foto von Dr. Deeps Frau und seinen vier Kindern lag.

»Ja, Abe«, sagte sie nur.

»Es ist wegen Bill.«

»Er ist tot«, sagte sie.

»Nein. Er hat eine Kugel abgekriegt. Wir sind in der Chirurgie der Uni-Klinik, Station neunundfünzig. Weißt du, wo das ist?«

»Ja«, sagte sie. Dann war Stille.

»Maureen?« fragte Lieberman.

»Tut mir leid, es ist nicht so . . . Ich wußte, es würde eines Tages passieren, aber es ist irgendwie anders. Weißt du, was ich meine?«

»Soll ich Michael anrufen?«

»Nein. Ich rufe ihn selbst an. Ich sollte ihm sagen, daß sein Vater . . . Ich werde ihn anrufen. Es ist komisch, Abe, ich dachte, ich würde ... aber ich bin einfach nur müde. Ich möchte schlafen.«

»Vielleicht gar keine schlechte Idee, Maureen«, sagte Lieberman.

»Es wäre eine Flucht, Abe«, sagte sie seufzend. »Ich rufe Michael an und komme dann in die Klinik.«

Lieberman telefonierte noch zweimal. Einmal mit St. Barb's. Father Whiz Parker war nicht da. Lieberman trug dem alten Priester, der abgenommen hatte, eine Nachricht für ihn auf. Dann rief er Iris Huang im *Black Moon* an. Sie war da. Er erzählte ihr, was geschehen war.

»Ich komme«, sagte sie.

»Er hat mehr von Ihnen, wenn er wieder etwas mitkriegt – in ein oder zwei Tagen«, sagte Lieberman. Er wollte Maureen und Iris nicht unbedingt gleichzeitig in Hanrahans Nähe haben.

»Ja«, sagte sie. »Aber ich komme trotzdem. Danke für den Anruf, Detective ...«

»Lieberman«, sagte er.

Er legte auf. Als er wieder abhob, rief er die Vermittlung an und verlangte das Polizeihauptquartier in Corpus Christi, Texas.

»Polizei«, meldete sich eine Männerstimme mit leicht texanischem Akzent.

»Ebenfalls«, sagte Lieberman. »Gibt es bei Ihnen einen Detective LaSalle?«

»LaSalle?« fragte der Mann. »LaSalle? Carrol LaSalle?«

»Denke schon.«

»Das ist der Bürgermeister. Wollen Sie mich verarschen?«

»Nein«, sagte Lieberman und legte auf.

Wieder rief er die Vermittlung und ließ sich mit dem Büro des Bürgermeisters von Corpus Christi verbinden. Der Anrufbeantworter sagte ihm, das Büro sei geschlossen, es gebe aber eine Nummer für dringende Fälle. Lieberman wählte diese

Nummer. Ein Mann nahm ab, der sich als Scott Tynan vorstellte. Lieberman erklärte ihm, was er wollte, und gab ihm die Durchwahl von Dr. Deeps Büro.

Fünf Minuten später rief der Bürgermeister von Corpus Christi, Texas, Abe Lieberman an.

11

Carrol LaSalle war ein kumpelhafter Typ. Aber er hatte Macht, und Lieberman entging nicht der Unterton in seiner Stimme. LaSalle wählte seine Worte sorgfältig – schnell und vorsichtig zugleich.

»Lieberman?« sagte er. »Polizei Chicago? Haben Sie einen Vorgesetzten?«

Lieberman gab ihm Hughes' Name und Durchwahl.

»Haben Sie eine Dienst- oder eine Ausweisnummer oder so etwas?« fragte der Bürgermeister LaSalle von Corpus Christi.

Lieberman gab sie ihm.

»Ich rufe Sie zurück, sobald ich jemanden erreicht habe«, sagte LaSalle und legte auf.

Lieberman sah aus dem Fenster auf ein Gebäude, das genauso aussah wie das, in dem er sich befand. Nach zehn Minuten klingelte das Telefon.

»Fragen Sie, Detective«, sagte LaSalle. »Soweit ich weiß, geht es um die Bordellmorde.«

»Juan Hernandez De Barcelona und . . .« Lieberman wartete auf einen Namen.

»Harte«, sagte der Bürgermeister von Corpus Christi. »James. Im Staat Kalifornien und Teilen von Louisiana auch als ›Skettle‹ bekannt. Prominenter Bürger. Sein Onkel war Gouverneur, und der Landbesitz des alten Skettle war größer als die meisten arabischen Staaten. Wir konnten Skettle eine Zeitlang aus der Presse raushalten. Aber irgendwer hat es ihnen dann doch gesteckt. Ich will Ihnen die Wahrheit sagen, Detective Lieberman. Ich bin der Sache verdammt gründlich nachgegangen. Korruption, Veruntreuung, ein achtbarer Bürger ermordet, als Spielball von zwei Huren.«

Lieberman hatte eine ziemlich präzise Vorstellung davon,

wer der Presse gegenüber Hartes Namen unter den Tisch fallen ließ.

»Was wissen Sie noch, das nicht in den ersten Berichten stand?«

»Erstens. Es würde mich freuen, wenn Sie Carrol LaSalles Wissen und seine Kooperationsbereitschaft in diesem Fall – immer vorausgesetzt, Sie finden die Damen – lobend erwähnen würden ... Sie verstehen, Detective? Bei den nächsten Wahlen habe ich einen Gegenkandidaten. Ein Neger aus der Stadt, ein Anwalt, der sich entschlossen hat, Carrol LaSalle an Liberalität zu überbieten.«

»Ich verstehe.«

»Es wäre schön, wenn in sechs Monaten bei den Wahlen – und sechs Monate sind schnell um ... Wenn sich die Wähler daran erinnern könnten ...«

»Ich verstehe«, sagte Lieberman. »Der Fall.«

»Sind Sie etwas gereizt, Detective?«

»Mein Partner wurde niedergeschossen. Vielleicht schafft er's nicht. Ich bin im Krankenhaus und warte, wie's weitergeht. Estralda Valdez alias Estralda Maderas wurde hier am Freitag ermordet. Mein Partner war an dem Fall dran.«

»Wie wurde sie ermordet?« fragte LaSalle.

»Stichverletzungen. Mehrere.«

»Und Ihr Partner?«

»Schuß. Pistole. Aus nächster Nähe. In den unteren Nakken. Der Schütze hat die Kugel mitgenommen«, sagte Lieberman. Er sah auf und erblickte im Korridor Iris und Maureen, die, wenn auch nicht gemeinsam, so doch gleichzeitig auf ihn zusteuerten.

Der Bürgermeister atmete tief durch.

»Hernandez wurde von einem Schuß in den Hinterkopf getötet«, sagte LaSalle. »Alles war so arrangiert, als hätten sich die beiden gegenseitig erschossen. Die Mädchen haben aber ziemlich gepfuscht. Hätte Hernandez zuerst geschossen, dann hätte Skettle nicht mehr abdrücken können, denn die Kugel hatte ihm das Rückgrat zerfetzt. Und bei Hernandez steckte die Kugel im Rücken. Er fiel direkt aufs Gesicht. Aber Moment, es geht noch weiter. Skettle hatte die Waffe in der rechten Hand, und er war Linkshänder. Wir haben die Spur der Damen ein wenig verfolgt. Die jüngere, Estralda, ... Ich wüße es sehr zu schätzen, wenn Sie ein Bild von ihr ...«

»Sie ist es«, sagte Lieberman. Maureen und Iris standen jetzt direkt vor der Tür und sahen ihn an. Er machte ihnen ein Zeichen, daß sie eintreten sollten. »Sieht nicht viel anders aus als auf dem Zeitungsausschnitt. Und im Haus ihrer Mutter habe ich dasselbe Foto gefunden.«

»Wie dem auch sei, in San Diego haben wir ihre Spur verloren«, sagte LaSalle. »Die andere, die Ältere, hinterließ bessere Spuren. Erst St. Louis, dann Georgia. Und dann nichts mehr.«

Maureen trat zuerst ein. Iris folgte und zog leise die Tür zu.

»Es gibt ein paar Leute, die glauben, daß unsere beiden Mädels mit Hernandez' Geld verduftet sind«, sagte LaSalle. Zu jemandem im Raum gewandt fuhr er fort: »Bin gleich fertig, Jess. Sag den Damen und Herren, daß ich mit dem Präsidenten spreche.«

Maureen sah aus wie Maureen – nur besser. Sie hatte etwas abgenommen, seit Lieberman sie zum letzten Mal gesehen hatte. Mehr Make-up und ein gelbes Kleid, das ihre Figur betonte, statt sie zu verbergen. Ihr Haar war röter als in seiner Erinnerung, und Lieberman hatte den Eindruck, daß der Natur von der Pharma-Industrie etwas auf die Sprünge geholfen worden war. Sie sah besorgt aus, aber gut. Sie stellte ihre Handtasche auf den Tisch, neben das Foto von Deeps Kindern, und sah Iris an, die einen längeren dunkelblauen Rock und eine dazu passende Bluse trug. Ihr Haar war kurz geschnitten, und ihre Augen waren von Tränen gerötet.

»Lieberman«, redete LaSalle weiter. »Hernandez besaß viele Jahre eine Bar, das *Babe O'Brien's*. Keine Bankkonten!

Keine Spendenbelege. Keine Spur von den Dollars. Wir reden hier über einen Puff, Detective, nicht über die Kneipe von nebenan. Die Mädchen haben Hernandez und Skettle Harte umgebracht. Und ich habe so ein Gefühl, als hätten sie es nicht nur zum Spaß gemacht. Verstehen Sie, was ich sagen will?«

»Fingerabdrücke?« fragte Lieberman.

»Ganz unter uns – und für die Southern Bell oder M.C.I. oder über welche Telefongesellschaft diese Leitung läuft ... Die ersten Jungs, die an den Tatort kamen, haben mit ihren Pfoten alles dreckig gemacht. Sie hielten es für eine Bordellschießerei, bei der alles klar war. Hören Sie, ich muß los. Ich habe Ihre Büronummer und Adresse. Hat mir Ihr Kollege Briggs gegben. Ich schicke Ihnen Kopien von allem, was sich auftreiben läßt. Falls Sie unsere Dame finden, sage ich Ihnen hiermit – und das habe ich nie gesagt! –, wie es ablaufen wird. Wir werden eine Auslieferung beantragen. Wir werden darum kämpfen, die ersten zu sein, um sie zu richten. Sie sehen zu, daß Ihre Leute da oben die Auslieferung verhindern. Carrol LaSalle besteht darauf und wird immer darauf bestehen, diese Frauen wegen des ersten Mords in Texas dranzukriegen. Aber nach all der Zeit, den Beweismitteln, die Weißder-Teufel-wo sind, und mit einem guten Anwalt wird das Mädchen möglicherweise noch freigesprochen. Und wir wollen ja, daß der Gerechtigkeit Genüge getan wird.«

Und, dachte Lieberman, wir wollen nicht, daß der Bürgermeister peinliche Fragen beantworten muß.

»Ich verstehe, Herr Bürgermeister«, sagte Lieberman.

»Hat mich gefreut, mit Ihnen zu sprechen, Detective. Falls Sie mal hier vorbeikommen, schauen Sie doch bei uns rein. Dann kriegen Sie von mir die besten Meeresfrüchte am ganzen Golf.«

Bürgermeister Carrol LaSalle legte auf, und Lieberman sah die beiden schweigenden Frauen an.

»Maureen Hanrahan. Und Sie sind Iris Huang, nehme ich

an.« Die Frauen sahen sich nicht an. »Iris ist eine Bekannte von Bill, und . . .«

»Wie geht es ihm?« fragte Maureen.

»Der Arzt sagt, daß wahrscheinlich alles wieder in Ordnung kommt.«

»Wahrscheinlich?«

»Keine Garantie«, sagte Lieberman. »Auf die Gesundheit gibt es keine Garantie.«

»Können wir ihn sehen?« fragte Iris.

»Ich muß den Arzt fragen«, sagte Lieberman. »Vielleicht könnt ihr bei ihm reinschauen. Er ist aber nicht bei Bewußtsein.«

»Wie heißt der Arzt?« wollte Iris wissen.

»Dalawal«, sagte Lieberman.

Iris erhob sich. »Ich denke, ich werde den Arzt selbst fragen«, sagte sie.

»Sicher«, meinte Lieberman.

Iris lächelte Maureen an, und Maureen lächelte zurück. Iris ging und zog leise die Tür hinter sich zu.

»Scheint ganz nett«, sagte Maureen.

»Finde ich auch«, sagte Lieberman.

»Sie sollte den Gang runterlaufen, in den Aufzug steigen und sich selbst eine Menge Kummer ersparen.«

Lieberman stand auf.

»Hast du Michael angerufen?«

Maureen nickte.

»Sie kommen morgen früh«, sagte sie. »Sie wollten Billy nicht die ganze Nacht über wachhalten. Der einzige Direktflug, den sie von Toronto bekommen konnten, geht um neun. Mit Air Canada . . . Ach, ist ja auch egal . . .«

»Er wird's schon schaffen, Mo«, sagte Lieberman und trat neben Maureen.

»Darum geht es nicht, Abe«, sagte sie und biß sich auf die Lippe. »Sag mir die Wahrheit. Magst du ihn eigentlich?«

»Er ist ein guter Partner«, sagte Lieberman.

»Wenn er nüchtern ist«, sagte Maureen. Die alte Bitterkeit war zurückgekehrt.

»Er ist ein guter Partner, ein guter Polizist«, sagte Lieberman.

»Aber magst du ihn?« fragte Maureen wieder und sah Lieberman in die Augen.

»Ich mag ihn«, sagte Lieberman.

»Du solltest dich rasieren, Abe! Morgen früh hast du einen weißen Bart.«

»Ich bin kein Kind mehr, Mo.«

»Ich habe all meinen Mut zusammengenommen, wegen der Scheidung«, sagte Maureen und wandte den Blick ab. »Ich habe mir einen Anwalt genommen. Und ich habe mit Father Boyer von der Erzdiözese gesprochen. Die haben Leute, die sich damit befassen.«

»Du könntest dich an Father Stowell in St. Nathan's wenden«, schlug Lieberman vor. »Er war früher Rechtsanwalt und hat im Vatikan vier Jahre mit solchen Anfragen verbracht.«

»Gibt es eigentlich jemanden, den du nicht kennst, Lieberman?« fragte sie und sah ihn wieder an.

»Wahrscheinlich mich selbst.«

»Wie geht es Bess?« fragte Maureen. »In den letzten paar Jahren habe ich immer wieder mal dran gedacht, sie anzurufen. Aber ich wollte nicht, daß es ihr unangenehm ist. Oder dir. Hast du es ihr jemals erzählt?«

Lieberman sah durch das Fenster des Sprechzimmers, den Korridor hinunter. Ein schwarzer Priester zwischen dreißig und vierzig kam aus dem Aufzug und suchte nach der Intensivstation.

»Es gibt nichts, was ich ihr hätte erzählen müssen. Wir haben nichts gemacht.«

»Aber wir haben daran gedacht. Und darüber geredet.«

»Es war eine harte Nacht«, sagte Lieberman.

»Wo ich herkomme, ist der Gedanke die Tat«, sagte Maureen. »Kaum zu glauben, daß ein paar ›Ave Maria‹ . . . Ich lüge. Ich war keine heilige Jungfrau, seit ich Bill verlassen habe. Und seit heute weiß ich, daß es bei ihm auch nicht anders ist.« Dabei blickte sie über die Schulter in die Richtung, in die Iris gegangen war.

»Meine Sünden waren allesamt jämmerlich«, fing sie wieder an. Dann stand sie abrupt auf. »Wovon rede ich überhaupt?«

»Schuldgefühle«, sagte Lieberman. »Ich kenne das auch. Ich habe Bill zu dem Haus fahren lassen, wo er die Kugel abgekriegt hat, während ich mit meinen Enkeln beim Baseball war.«

»Das ist alles?« fragte sie. »Das ist alles, was du dir vorzuwerfen hast? Dafür brauchst du dich nicht schuldig zu fühlen!«

Maureen lief im Zimmer auf und ab. Lieberman hatte sich wieder gesetzt. Die Knie sendeten Warnsignale aus.

»Du hast gewonnen«, sagte Lieberman. »Du bist schuldiger als ich.«

»Danke«, sagte sie gereizt. Sie blieb stehen und funkelte ihn an.

»Keine Ursache.«

»Was quält dich?« fragte sie.

»Die Knie. Arthritis.«

»Meine sitzt in den Schultern«, seufzte Maureen.

»Ich muß weiterarbeiten«, sagte Lieberman und stand auf.

»Hast du noch Zeit für eine Tasse Kaffee?«

»Ich nehme sie mir.«

Sie kam auf ihn zu, und er schloß sie in die Arme. Sie legte den Kopf auf seine Schulter, und ihre Haare fielen ihm ins Gesicht. Sie roch nach einer lange vergangenen Zeit, und Lieberman fühlte sich hundemüde.

Und dann begann Maureen Hanrahan zu weinen.

Kurz vor elf in derselben Nacht kam Lieberman im Revier an. Maureen und Iris hatten sich etwas angefreundet. Sie waren gemeinsam in die Kantine des Krankenhauses gegangen, hatten bitteren Kaffee getrunken und irgendein Gummizeug aus dem Automaten gegessen. Dr. Deep hatte Lieberman noch einmal versichert, daß Hanrahans Chancen wirklich gut standen. Und Father Parker hatte versprochen, zumindet bis zum Morgen zu bleiben, wenn der Krankenhausgeistliche zu arbeiten begann.

»Das heißt«, hatte Lieberman gesagt, »wenn mein Partner stirbt, ist wenigstens jemand da, um ihm die Sakramente zu erteilen.«

»Genau das«, hatte Parker geantwortet.

»Bill hat gesagt, daß Sie ›Whiz‹ Parker sind. Stimmt das?«

»Stimmt.«

»Was macht das Knie?« hatte Lieberman gefragt.

Father Parker hatte unwillkürlich nach seinem linken Knie gegriffen und gesagt: »Es heilt – für immer.«

Ein Anruf von Hughes hatte Lieberman aus dem Krankenhaus weggerufen. José Madera, Estraldas Bruder, war wenige Minuten nachdem Hanrahan von einem Rettungswagen abgeholt worden war, nach Hause gekommen und festgenommen worden.

Ein fünfundzwanzigjähriger Polizist namens Robert Shane war am Tatort geblieben und hatte auf die Spurensicherung gewartet. Plötzlich war Madera heimgekommen und hatte völlig durchgedreht. Wenn nicht ein baumlanger Fotograf der *Chicago Tribune* aufgetaucht wäre und Madera mit einem Ruck von dem jungen Polizisten weggerissen hätte, hätte er ihn womöglich umgebracht. Jetzt saß Madera mit Handschellen in einer Zelle in der Clark Street. Shane hatte wegen seiner Fleischwunden und einem gebrochenen Wangenknochen behandelt werden müssen und war dann nach Hause gegangen.

Das Revier in der Clark Street war noch heller erleuchtet als das Wendy's auf der anderen Straßenseite. Das Wendy's hatte ebenfalls noch offen, und Lieberman ging kurz rein, auf einen Doppelburger, einen Eistee und ein schlechtes Gewissen. Eistee gab es keinen mehr. Also trank Lieberman eine Cola Light und nahm noch zwei Burger und zwei Cola mit.

Als er das Revier betrat, saß Nestor Briggs wie immer an seinem Platz an der Information. Irgendwo schluchzte eine Frau. Lieberman ging mit der Tüte von Wendy's in der Hand gleich durch in den »Truppenraum«. »Trupps« gleich welcher Art waren hier nicht stationiert. Noch nie gewesen. Nicht mal im alten Revier. Der Name stammt aus den zwanziger Jahren oder einer noch früheren Zeit, als, wie beim Militär, Trupps zusammengestellt wurden, um Ausschreitungen, Bandenkriege und Arbeiterunruhen in den Griff zu kriegen. Hughes saß an einem der Schreibtische. Das tat er sonst nie. Als er Lieberman sah, stand er auf. Außer den beiden war niemand im Raum.

»Wie geht es Bill?« fragte Hughes.

Lieberman konnte sich nicht erinnern, daß Hughes seinen Partner jemals Bill genannt hatte. Und selbst »Hanrahan« war ihm nie leicht über die Lippen gekommen.

»Hält sich tapfer«, sagte Lieberman. »Burger?«

»Ja. Zum Teufel mit der Diät!«

»Cola Light«, sagte Lieberman und reichte Captain Hughes den Burger.

Sie gingen zu Liebermans Schreibtisch. Lieberman setzte sich. Nächte wie diese waren der Stoff, aus dem Bullenträume sind. Mitten in einem Fall, zwischendurch einen Happen essen, im Halbschlaf mit dem Captain über die Ergebnisse reden und das alles mit dem Gefühl, daß es um Leben und Tod geht. Bullen erinnern sich an solche Nächte, solche Momente. Und es ist ein gutes Gefühl. Außer wenn es den eigenen Partner erwischt hat. Dann ist man nur müde.

»Du hast mit dem Bürgermeister von Corpus Christi gesprochen?« Hughes inspizierte kritisch seinen Lauwarm-schmecken-sie-am-besten-Burger. Lieberman sah seinen nicht so genau an, er biß einfach hinein.

Lieberman erzählte Hughes, was er wußte.

»Wir können Van Beeber noch eine Weile wegen der Sache in Michigan festhalten«, sagte Hughes, während er auf Brot, Fleisch, Majo und Salatblatt herumkaute. »Aber die Anwälte meinen, wir haben schlechte Karten. Keine Tatwaffe, kein . . ., und der Angriff auf Hanrahan macht das Ganze noch undurchsichtiger – falls er damit zusammenhängt. Außer wir argumentieren, daß es sich um mehrere Täter, um eine Bande handelt. Aber dann haben wir das Problem, daß Van Beeber Teil dieser Bande sein müßte. Und das kauft uns kein Gericht ab.«

Lieberman hustete und aß weiter.

»Die Geschichte mit diesen Morden in Corpus Christi, das Geld . . . zum Teufel«, sagte Hughes und stöhnte laut. Wieder inspizierte er seinen Burger.

»Ist Madera in der Zelle?« fragte Lieberman und schmiß den Rest seines Burgers in einen übervollen Mülleimer.

»Zelle«, bestätigte Hughes kauend und schluckte den letzten Bissen runter. »Keine Ahnung, wo die Mutter steckt.«

Lieberman stand auf.

»Ich bring ihm 'nen Burger mit, glaube ich.«

»Mach, was du willst. Der redet sowieso nicht. Der flucht, und auch das nur auf spanisch«, sagte Hughes. »Willst du ihm ein bißchen Dampf machen? Er war bewaffnet. Keinen Waffenschein. Hat auch keine Aussicht, je einen zu bekommen. Er ist erst fünfzehn. Sollte gar nicht hier sein. Er gehört in die Jugendstrafanstalt, aber er sieht älter aus, und er hat keinen Ausweis. Ich denke, wir haben noch eine Stunde, bevor wir ihn überstellen müssen.«

Lieberman nahm seine Wendy's-Tüte.

»Danke, Captain«, sagt er.

»Soll ich mitkommen?« fragte Hughes und sah auf die Uhr.

»Ist schon gut«, sagte Lieberman. »Wenn du wegwillst . . .«

»Nur für ein paar Stunden«, sagte Hughes. »Meine Frau kommt von ihrer Mutter zurück. Ich hab ihr . . . schon vorher . . . versprochen, daß ich sie abhole. Morgen früh bin ich wieder da. Wenn was passiert, ruf mich zu Hause an.«

Lieberman blickte auf die große Wanduhr und nickte. Hughes sah aus, als wollte er noch etwas sagen, überlegte es sich dann aber offensichtlich anders und verließ den Truppenraum.

Bevor Lieberman zu Madera in die Zelle ging, warf er einen Blick auf den Dienstplan. Nestor würde wissen, wo sie alle steckten, aber eigentlich brauchte Lieberman keine Unterstützung.

Das Gesetz schrieb vor, daß die Leute in der Zelle rund um die Uhr bewacht werden mußten. Das war normalerweise kein Problem, weil die Zelle – ein Gitterkäfig für vier Personen mit zwei an die Wände geschraubten Holzpritschen – von der Pforte aus eingesehen werden konnte, an der eigentlich immer jemand saß. Eigentlich. Denn nachts wurde der wachhabende Beamte oft weggerufen, um bei allem möglichen zu helfen, vom Aufwischen der Kotze eines Drogensüchtigen bis zum Trösten eines Kindes, das sich verlaufen hatte. Die Gefangenen im Käfig mußten beobachtet werden, nicht, weil sie jemandem etwas antun konnten, sondern weil sie sich selbst oder sich gegenseitig verletzten oder umbringen wollten. Das war schon mehr als einmal passiert, und fast immer waren die Opfer Leute gewesen, die zum ersten Mal festgenommen worden waren.

Nestor Briggs saß mit dem Rücken zur Zelle und war damit beschäftigt, Anrufe entgegenzunehmen. Es waren keine 911-Anrufe – die liefen über die Zentrale in Downtown Chicago. Nestor bekam Anrufe von Leuten, die Zeit genug hatten, um in den Gelben Seiten nachzuschlagen. Lieberman machte eine Handbewegung, als würde er einen Schlüssel drehen. Nestor, immer noch am Telefon, nickte, gab ihm einen Ring mit vier Schlüsseln und schielte nach der braunen Papiertüte. Lieberman zog den letzten Burger raus und drückte ihn Nestor in die Hand. Der lächelte, und Lieberman machte sich mit der verbliebenen Cola auf den Weg zur Zelle.

In dem Zelleneingang gab es vier Schreibtische, die alle nicht besetzt waren. José Madera saß hinter dem Drahtgitter, die Hände im Schoß, und beobachtete, wie Lieberman auf ihn zukam. Madera trug eine kaputte Jeans, ein schwarzes T-Shirt und einen blöden Gesichtsausdruck.

»Willst du 'ne Cola?« fragte Lieberman.

Madera starrte Lieberman wütend an. Valdez' richtiger Name mochte Madera oder Vegas sein, und dieser Junge mochte Estraldas Bruder sein, aber eins war klar: Ihre Eltern hatten in verschiedenen Gen-Pools gefischt. Gott hatte über sie gelacht und ihnen José beschert: ein untersetztes, flachgesichtiges Geschöpf mit winzigen Augen und einem riesigen Kopf.

Madera gab keine Antwort. Lieberman schloß die Zellentür auf. Madera bewegte sich nicht.

»Auf geht's!« befahl Lieberman.

Madera schien nicht zu begreifen.

»Los jetzt«, gab ihm Lieberman Zeichen.

Madera stand auf. Seine Hände steckten in Handschellen. Seine Miene war düster. Lieberman hielt ihm die Tür auf, und der Junge folgte nach draußen. Lieberman zeigte auf einen Klappstuhl. Madera setzte sich. Lieberman gab ihm die Cola, nahm einen Stuhl und setzte sich ihm gegenüber.

»Reden wir ein bißchen«, fing Lieberman an.

»*No hablo* Englisch«, sagte Madera.

»*Bueno*«, antwortete Lieberman. »*Entonces vamos a hablar en Español. Yo necesito practicar.*«

»Nicht mit mir, Mann. Dein Spanisch ist beschissen.«

»Weiß ich«, sagte Lieberman. »Hast du auf den Bullen in eurem Haus geschossen?«

»Nein.«

Seine Cola war leer. Jetzt kaute er auf dem Eis.

»Warum sollte ich dir glauben? Du kommst nach Hause, findest jemandem im Schlafzimmer deiner Schwester und knallst ihn ab. Klare Sache!«

»Ich hab nicht geschossen«, sagte Madera. »Sie werden sehen. Meine Pistole paßt nicht zu den Kugeln. Ich weiß, wie das geht.«

Madera wirkte nicht clever genug, um eine Show abzuziehen. Es war nur eine Kugel abgefeuert worden, und die hatte die Person mitgenommen, die geschossen hatte.

»Außerdem, wenn ich ihn erschossen hätte, würd ich's Ihnen sagen. Dann wär ich berühmt, verstehen Sie? Sie haben es gesagt. Ich hab einen Kerl erschossen, den ich in meinem Haus gefunden habe. Hab nicht gewußt, daß er ein Bulle ist. Aber unter uns, auf der Straße erzähl ich den Jungs, daß ich's gewußt hab.«

»Und das erzählst du einem Bullen?«

Madera zuckte die Achseln. Er hatte das Eis aufgelutscht, jetzt biß er Plastikstückchen aus dem Becher und ließ sie zu Boden fallen.

»Was soll das alles, Mann?« sagte Madera. »Ich bin nicht volljährig. Was kann ich schon kriegen, selbst für Mord? Maximal drei Jahre. Hol mir 'nen Anwalt!«

»Ich habe deine Schwester gekannt«, sagte Lieberman.

»So ein Scheiß!« schrie Madera und spuckte ein Stück Becher nach Lieberman.

»Sie hat mir ab und zu Informationen geliefert. Ich will herausfinden, wer sie ermordet hat«, sagte Lieberman ruhig.

»So ein Scheiß!« schrie Madera noch lauter als eben.

»Wo ist deine andere Schwester, Guadalupe?«

»In China. Tot. Was weiß ich?«

Madera schaukelte auf seinem Stuhl herum und blickte sich um, als würden ihm die Wände auf den Leib rücken.

»Wo ist deine Mutter?«

»Wo ist deine?«

»Okay«, sagte Lieberman ruhig. »Zurück in den Käfig. Ich habe ein paar Informationen für dich. Ein Fünfzehnjähriger kann im Staat Illinois bei Kapitalverbrechen wie ein Erwachsener behandelt werden. Mein Boß will einen Schuldigen. Der, den es erwischt hat, ist mein Partner. Richter und Geschworene mögen keine Polizistenmörder.«

Jetzt sah Madera wirklich aus, als wäre die Falle zugeschnappt. Er wackelte mit dem Kopf und warf gehetzte Blicke um sich. Er wechselte von einem Fuß auf den anderen und rieb sich die Handgelenke. Die Handschellen rasselten. Lieberman wußte nicht, ob er es mit Wahnsinn oder Drogen zu tun hatte.

»Frank«, sagte José Madera. »Ein Typ namens Frank. Sie hat zu Lupe gesagt, Frank würde kommen. Sie würde gehen. Ich habe ihr gesagt, ich würde diesem Frank das Gesicht mit den Zähnen abziehen.«

José Madera bleckte die Zähne. Sie waren groß, gelb und in einem beklagenswerten Zustand.

»Lupe?« fragte Lieberman. »Guadalupe, deine andere Schwester? Lebt sie auch in Chicago?«

Jetzt schaukelte Madera noch stärker. Ein leises Summen drang durch seine geschlossenen Lippen. Nestor Briggs, der noch immer am Telefon war, sah zu ihnen rüber. Lieberman schüttelte den Kopf, um zu zeigen, daß er alles im Griff hatte.

»Ich glaube, du gehst jetzt besser in den Pferch zurück«, sagte Lieberman und stand auf.

Madera schaukelte weiter.

»José, *levantase.*«

José Madera sprang auf und stürzte sich auf Lieberman. Obwohl Lieberman damit gerechnet hatte, schmiß ihn Madera fast um. Er drehte sich nach rechts – seine Knie versprachen, es ihm erst später heimzuzahlen. Maderas Schulter erwischte ihn am Bein. Lieberman wich zurück, und der Junge taumelte mit dem Kopf voraus in den Stuhl und ging zu Boden. Lieberman hatte die Waffe gezogen und zielte auf ihn. Nestor Briggs stand mit gezogener Waffe daneben und wartete ab.

José Madera drehte sich wimmernd auf den Rücken. Er hatte eine Platzwunde, wo er mit dem Kopf gegen die Stuhlkante geknallt war. Sein Gesicht war blutüberströmt. Man würde ihn nähen müssen. Mit vielen, vielen Stichen.

»Erschieß mich«, sagte Madera und versuchte aufzustehen.

Nestor Briggs ging langsam rechts an ihm vorbei.

Blut war José in den Mund gelaufen, seine Zähne waren rot. Als er auf die Knie kam, stand Nestor Briggs hinter ihm.

»Erschieß mich«, kreischte Madera und hielt seine Handschellen in die Höhe.

Er würde ihn wieder angreifen – das war sicher. Und Lieberman würde nicht schießen können. Er konnte nicht auf einen fünfzehnjährigen Jungen in Handschellen schießen, ohne dafür selbst ins Gefängnis zu gehen.

»José«, sagte er mit einem gelangweilten Blick und steckte seine Pistole wieder in den Gurt. »Weißt du, was eine *Lusche* ist?« Briggs' Telefon klingelte. Madera war verwirrt. »Eine *Lusche*«, wiederholte Lieberman und schüttelte den Kopf über die Dummheit des Jungen. »Das ist es, was du bist. Stehst hier 'rum wie ein ... wie eine ... *Lusche*. Ich weiß auch nicht. Du bist hoffnungslos. Geh zurück in den Käfig. Ich muß mal pissen.«

Das Telefon klingelte immer weiter.

Bevor sich José Madera überlegen konnte, was er machen sollte, griff Nestor Briggs von hinten nach den Handschellen und schmiß ihn um. Madera fiel auf den Rücken und blieb bewußtlos liegen. Lieberman packte ihn an den Beinen, Briggs an den Armen. Dann zerrten sie ihn schnell in die Zelle und schlossen hinter ihm zu.

Das Telefon klingelte noch immer.

»Zu alt für so was«, sagte Briggs keuchend.

»Du warst prima, Nestor«, sagte Lieberman. Er versuchte, seine Knie zu ignorieren, die auf ein sofortiges Gespräch bestanden.

»Ist ja normal«, sagte Nestor. »Ich werde Verstärkung anfordern und ihn zum Nähen nach Edgewater bringen lassen. Für solche Typen wie den sollten wir immer ein paar von den Betäubungspfeilen dahaben, die sie für die Nilpferde benutzen.«

Nestor watschelte zum Telefon rüber. Lieberman warf einen letzten Blick durch den Maschendraht auf Madera, der sich schon wieder aufgesetzt hatte und Blut spuckte.

»Ja«, sagte Lieberman. »Jetzt bin ich dir einen schuldig.«

»Einen?« sagte Nestor auf seinem Weg zum Empfangstisch. »Du schuldest mir so verdammt viele, daß du alle meine Biere und Burger bis zur Pensionierung zahlen müßtest.«

Nestor hob den Hörer ab.

»Ich bring dir was für deinen Kopf«, sagte Lieberman.

»Ich mag den Geschmack«, sagte Madera.

»Wo ist deine Mutter?« fragte Lieberman. »Ich lasse sie herholen.«

»Sie ist weg. Lupe hat sie weggebracht«, sagte er wütend. »Ich weiß nicht wohin. Und mich haben sie dagelassen. Und weißt du was? Mir ist das scheißegal.«

»Wenn es nicht mehr so weh tut, können wir uns weiter unterhalten«, sagte Lieberman.

»Für dich, Abe!« rief Nestor und hielt den Hörer hoch.

Lieberman ging zum Telefon. Hinter sich im Käfig glaubte er ein Tier wimmern zu hören, aber er drehte sich nicht um. Offenbar mußten die Leute heute weinen, wenn sie Lieberman sahen. Es war eine Nacht zum Heulen.

»Eigentlich ist der Anruf für Hanrahan«, sagte Nestor, als er Lieberman den Hörer reichte. »Der Pförtner von dem Valdez-Gebäude.«

Lieberman nahm den Hörer: »Hallo.«

»Sind Sie der Bulle, der mit Hanrahan arbeitet?«

»Bin ich«, sagte Lieberman.

»Mein Name ist Billy Tarton, der Nachtpförtner im ...«

»Ich weiß«, unterbrach Lieberman und rieb sich die Augen. Es war nach Mitternacht, und er hatte einen langen Tag hinter sich.

»Hanrahan hat gesagt, ich soll anrufen, wenn Nikki Morales zurückkommt«, sagte Tarton. »Jetzt ist sie da, aber ich glaube, sie bleibt nicht lange. Ich soll ihr ein Taxi bestellen. Sie fährt in die Ferien.«

»Tun Sie es nicht«, sagte Lieberman. »Ich bin in zehn Minuten da.«

12

Sie stand vor dem Haus, zwei Koffer neben sich, und hielt Ausschau nach ihrem Taxi. Lieberman trat auf die Bremse und fuhr die Einfahrt hoch, folgte dem Bogen um die Fontäne und kam vor der Tür zum Stehen. An seinem Tisch hinter der Glastür hatte Billy Tarton Lieberman erkannt und deutete auf die Frau.

Die Frau sah Lieberman nur flüchtig an, als er aus dem Wagen stieg, den Kofferraum öffnete, auf sie zuging und ihre Koffer ergriff.

»Sind Sie das Taxi?« fragte sie und musterte mißtrauisch seinen Wagen, während er die Koffer verstaute. Ihre Stimme klang sanft, aber es schien sie viel Mühe zu kosten. Sie hörte sich an wie eine Frau, zu der weder der Akzent noch die Stimme paßten, die sich aber große Mühe gab, beides echt klingen zu lassen.

»Das Taxi kommt nicht«, sagte Lieberman und hielt ihr die Beifahrertür auf.

»Das ist . . . Ich rufe die Polizei! « sagte sie.

»Ich bin die Polizei«, sagte Lieberman, der ihr noch immer galant die Tür aufhielt.

»Sie haben mein Gepäck gestohlen«, protestierte sie. »Ich könnte Sie verklagen. Sie, die Polizei und die Stadt.«

»Junge Frau«, sagte Lieberman gedehnt. »Mein Partner wurde niedergeschossen. Meine Tochter läßt sich scheiden, und vor etwa fünfzehn Minuten hat ein sehr verrückter junger Mann versucht, mir seinen Kopf in den Bauch zu rammen. Die Drohung mit einer Anklage ist für mich wie das Signal zur Rückkehr ins normale Leben. Miss Morales, steigen Sie bitte ein.«

Nikki Morales musterte Lieberman etwa zehn Sekunden

lang, die Hand in die Hüfte gestemmt, die üppigen Lippen zu einem Schmollmund verzogen. Sie drehte sich hilfesuchend zum Pförtner um, doch der war zu sehr mit einem Anrufer beschäftigt, den es sicher gar nicht gab – darauf hätte Lieberman wetten können.

Lieberman betrachtete die Frau genauer. Sie war ungefähr so groß wie Estralda Valdez, sah gut aus – nicht so gut wie Estralda, aber gut. Nikki hatte ein breiteres Gesicht, hellere Haut und war, wie Bess sagen würde, vollschlank. Es war ausgeschlossen, daß jemand sie für Estralda gehalten haben konnte. Niemals hätte sie in ihre Kleider gepaßt. Außerdem war sie gut oder nicht-so-gut zehn Jahre älter als Estralda. Und sie war auch nicht Guadalupe Madera, Estraldas Schwester.

»Zum Flughafen«, sagte sie, als sie einstieg.

Lieberman schloß die Tür hinter ihr, ging um den Wagen und setzte sich hinters Steuer. Motor und Radio liefen noch. Als er in die Sheridan einbog, sagte eine Männerstimme im Radio: »Und jetzt eine Wiederholung von heute morgen: *Das Kopfgespräch* mit der Psychologin Jean Kaiser. Da es sich um eine Aufzeichnung handelt, bitten wir Sie, die gebührenfreie Telefonnummer, auf die während des Gesprächs immer wieder hingewiesen wird, nicht anzurufen.«

»Oh, mein Gott, noch so eine Doktor Ruth«, sagte Nikki abfällig.

»Nein«, sagte Lieberman. »Die kenne ich.«

»Kaiser?«

»Hat in Chicago angefangen«, sagte er.

Jean Kaiser war jetzt dran, und Lieberman hörte nur so lange zu, bis er wußte, wie sie sich anhörte: gesund und zufrieden und voller Energie. Dann schaltete er das Radio ab.

»Estralda Valdez«, sagte Lieberman und bog an der Foster rechts ab. Sie fuhren nach Westen, Richtung Flughafen.

Nikki Morales starrte wortlos durch die Windschutzscheibe.

»Haben Sie mal den Film *Umleitung* gesehen? Tom Neal spielt einen Typ, der eine Frau mitnimmt, die ihn nicht mehr loslassen will. Beinahe geht er dabei drauf.«

»*Sie* nimmt *ihn* mit«, stellte Nikki Morales richtig. »Was wollen Sie eigentlich von mir?«

»Sie haben etwa die gleichen Chancen zum Flughafen zu kommen wie Tom Neal, wenn Sie mir nicht ein paar Fragen beantworten«, erklärte Lieberman.

Sie kamen am Swedish Memorial Hospital vorbei und überquerten die Brücke am River Park. Nikki redete noch immer nicht.

»Wenn wir in Kedzie sind«, sagte er, »drehe ich um und fahre mit Ihnen aufs Revier. Sie nehmen sich einen Anwalt, und wir besorgen uns einen billigen Zeugen für den Mord. Der Richter ...«

»Mord!« kreischte sie, aber die sanfte Stimme verschwand nicht ganz hinter ihrem normalen Tonfall. »Ich weiß nicht, wer sie umgebracht hat.«

Lieberman warf ihr einen nichtssagenden Blick zu, fuhr rechts ran und kam gegenüber von einem Hotdog-Laden zum Stehen.

»Nein«, sagte sie. »Machen Sie sich nicht die Mühe zu fragen ›Woher wissen Sie, daß eine Frau ermordet wurde?‹, Columbo. Ich weiß, daß Estralda am Freitag ermordet wurde, weil ich auch zu Hause war.«

»Warum haben Sie gepackt und sind abgehauen? Möchten Sie einen Hotdog?«

»Einen koscheren mit Ketchup und gerösteten Zwiebeln«, sagte Nikki Morales kopfschüttelnd. »Und einen Anwalt.«

»Wollen Sie nicht. Sie wollen einen Hotdog und dann Ihr Flugzeug nicht verpassen. Denken Sie drüber nach, während ich die Hotdogs hole«, sagte Lieberman und zog den Zündschlüssel ab. »Wollen Sie was trinken?«

»Irgendwas ohne Kalorien, ich mache eine Diät.«

Lieberman überquerte die Straße und ging in den Hotdog-Laden. Ein dicker Schwarzer mit weißem Haar wischte den Boden auf, sonst war der Laden leer. Es roch nach Lysol, Hotdogs und gerösteten Zwiebeln. Lieberman bestellte die Hotdogs.

»Du solltest dich nicht so spät hier draußen rumtreiben, Abe«, sagte der Schwarze, lehnte den Mop gegen die Wand und wischte sich die Hände an seiner mehr grauen als weißen Schürze ab. »Hier wird man leicht überfallen, egal, ob Bulle oder nicht. Die Gegend verkommt immer mehr.«

»Wie läuft's so, Henry?« fragte Lieberman. Er sah durch die Scheibe nach Nikki, die ihn ebenfalls beobachtete.

»Alles verkommt«, wiederholte der Mann hinter der Theke. »Hab ich ja schon gesagt. Was zu trinken?«

»Zwei Pepsi Light.«

Henry nickte und folgte Liebermans Blick auf die andere Straßenseite.

»Kannst du die einordnen, Henry?«

»Kann ich.«

»Ist sie in der Branche?«

»Nikki«, sagte Henry und ging zurück, um die Getränke fertigzumachen. »Hab sie nicht mehr gesehen ... Scheiße ... Fünf Jahre muß das her sein.«

»Woher kennst du sie? Geröstete Zwiebeln auf beide, einen mit Senf, einen mit Ketchup.«

»Sie hat in den Clubs unten in der Oak und Rush Street gearbeitet«, sagte Henry, klappte die dampfenden Brötchen auf und fischte die Würstchen mit einer Plastikzange aus dem kochenden Wasser. »Die Barkeeper haben ständig gewechselt. Ich hab manchmal im Mellow's ausgeholfen, weißt du noch? Manchmal kamen sie rein. Nikki und die anderen, so alle paar Tage, wenn das Geschäft nicht richtig lief und die Typen von außerhalb nicht anbissen.«

»Sie wohnt jetzt im Norden«, sagte Lieberman. »Wie heißt sie mit richtigem Namen?«

»Nikki . . .« Henry schlug die Hotdogs in dünnes Wachspapier ein und versuchte, sich an den Namen zu erinnern. »Fritten?«

»Nein!«

»Der Nachname ist Hoffer, glaube ich«, sagte Henry und steckte die Hotdogs in eine braune Papiertüte. »Mein Gedächtnis ist nicht mehr so gut wie früher, Abe. Könnte aber so was Ähnliches sein. Sie hat mal kurz im Knast gesessen, weil sie einen von der Sitte mit dem Messer verletzt hat.«

»Noch was?«

»Hört sie sich an, als käme sie aus Baltimore?«

»Boston.« Lieberman nahm die warme Tüte und die Getränke und gab Henry eine Zwanzig-Dollar-Note. Henry tippte etwas in die Kasse, ließ den Zwanziger aber in der Hosentasche verschwinden.

»Nikki wollte immer eine Dame sein. Das war ihr Problem, schon immer. Sommer sechsundachtzig. Da hat Nikki ein Messer in einen Bullen gerammt, der sie gelinkt hat«, sagte Henry und sah aus dem Fenster. »Der hat sich beschwert, und eure Jungs sind rumgelaufen und haben nach 'ner Jane gesucht, haben aber nie die richtige gefunden. Ist das was, das du gebrauchen kannst?«

»So was in der Art. Bis dann, Henry!«

»Jederzeit«, sagte Henry und kam hinter der Theke hervor, um weiter aufzuwischen.

»Wie heißen Sie?« fragte Nikki, als sie Hotdog, Serviette und Pepsi Light mit Strohhalm in Empfang nahm.

»Lieberman.«

»Mein Flugzeug geht um zwei«, sagte sie sanft. »Ich kenne ein Motel ungefähr . . .«

»Miss Hoffer«, unterbrach er sie. Nikki verstummte.

»Estralda Valdez wurde erstochen. Sie haben schon mal auf jemanden eingestochen. Und eine Strafe steht noch aus, weil Sie einen Ihrer Kunden angeschnibbelt haben.«

»Ich habe sie nicht umgebracht«, sagte sie beharrlich, nachdem sie den ersten Bissen hinuntergeschluckt hatte.

»Ich glaube, Sie haben meinen«, sagte Lieberman. »Auf dem hier ist Senf.«

»Ich tausche nicht. Essen Sie ihn auf! Ich tausche nicht – sonst kriege ich noch Aids oder so was!«

Lieberman überlegte, ob er ihr sagen sollte, daß sie Blödsinn redete, ließ es dann aber bleiben und biß noch ein Stück ab.

»In Ordnung«, sagte Nikki. »Estralda wollte einen eigenen Stall aufbauen. Wir beide waren die ersten. Zwölf Mädel sollten es werden, verteilt auf Apartments in ihrer Gegend. Alles sollte über Estraldas Telefon laufen. Sie hätte den Kunden zu dem richtigen Mädchen geschickt. Estralda hätte als einzige alle Telefonnummern gekannt. Und wenn eine aufgeflogen wäre, hätten die Jungs von der Sitte sich ganz schön den Arsch aufreißen müssen, um uns zu finden. Außerdem hat sie gesagt, daß sie Verbindungen hat, Bullen, Sie und Ihren Partner.«

»Was ist dann passiert?«

»Estralda hat angerufen und gesagt, ich würde vielleicht Besuch von jemandem kriegen, der nicht aus Chicago kommt und Frank heißt. Frank sollte es umsonst bekommen. Und besonders gut. Frank könnte uns alle in die Scheiße reiten, hat sie gesagt.«

»Am Freitag?«

»Am Freitag.« Nikki aß ihren Hotdog auf. »Ich habe gewartet. Nichts ist passiert. Dann kurz vor Mitternacht ruft sie an und sagt, vergiß es. Sie würden sich selbst um Frank kümmern.«

»Sie?« fragte Lieberman.

»Estralda und ihre Schwester. Ihre Schwester war am Freitag da. Dieser Typ im Hotdog-Laden, in dem Sie eben waren. Das ist Henry Fives. *Er* hat es Ihnen gesagt, stimmt's?«

»Warum laufen Sie weg?«

»Henry ist ein Zuhälter.«

»Henry war ein Zuhälter. Jetzt verkauft er Fritten und saubere Fußböden. Warum laufen Sie weg?«

»Ich will nicht eingelocht werden. Estralda hatte ein Buch. Sie hat gesagt, mein Name steht nicht in dem Buch, aber denken Sie bloß nicht, daß ich das geglaubt habe! Und dann dieser Frank, der sie wahrscheinlich abgestochen hat. Er hatte auch meinen Namen und die Nummer von meinem Apartment.«

»Wo wohnt Estraldas Schwester?« fragte Lieberman, nahm Nikkis Wachspapier und stopfte es in die fettfleckige braune Tüte.

»Weiß ich nicht«, antwortete sie. »Ich habe sie ein paarmal im Haus gesehen.«

»Das ist alles?«

»Das ist alles.«

»Nikki?«

»Was?«

»Sie beißen sich auf die Lippen, wenn Sie lügen«, sagte Lieberman. »Die Nachricht von Estraldas Tod hat nicht so schnell die Runde gemacht. Sie waren mit Ihrem Gepäck schon verschwunden, bevor irgendwer davon wußte, außer dem Killer und der Polizei.«

»Scheiße!«

Sie saßen schweigend da und sahen den Lastwagen zu, die durch die Nacht Richtung Innenstadt rumpelten.

»Okay«, sagte sie. »Lupe, Estraldas Schwester, hat mich angerufen und gesagt, ich soll verschwinden, Frank ist hinter mir her. Sie hat geweint. Ich habe nicht gewußt, daß Estralda tot ist. Ich bin abgehauen, und von dem Mord hab ich am Samstag in der Zeitung gelesen.«

»Kein Flugzeug mehr heute abend, Nikki. Tut mir leid«, sagte Lieberman und startete den Wagen.

Nikki sank auf dem Beifahrersitz zusammen.

»Wollen Sie, daß ich Lupe identifiziere?«

Lieberman wendete und fuhr zurück in die Stadt.

»Ja«, sagte er. »Wie wär's mit noch 'nem Hotdog?«

»Warum nicht?«

Es war fast drei Uhr morgens, als Lieberman Veronica Alice Hoffer als Hauptzeugin in einem Mordfall eingebuchtet hatte und ein Jüngelchen aus dem Büro des Staatsanwalts, das behauptete, Jurist zu sein, endlich mit dem Papierkram fertig war. Lieberman rief im Krankenhaus an und erfuhr, daß Hanrahan noch lebte und daß Iris und Maureen beide noch dort waren.

Kurz nach halb vier zog Lieberman die Haustür hinter sich zu und kickte die Schuhe in die Ecke. Er ging vorsichtig am Schlafsack vorbei, in dem Melisa mit einer fast haarlosen Puppe im Arm schlief. Dann schlich er um die Ecke des Bettes, in dem Barry wie ein Fötus zusammengekrümmt lag und mit verstopfter Nase schnarchte. Er schlurfte an der offenen Küchentür vorbei, durch die er einen Blick auf die gelbe Herdlampe warf. Er schaffte es bis ins Bad, schloß die Tür, schaltete das Licht an und betrachtete sich im Spiegel. Der Mann, den er darin sah, war Abraham Liebermans Großvater, auch wenn der weiße Bart nur stoppelig und nicht wallend war. Die feuchten, roten Augen, die dunklen Säcke darunter, das wellige Haar.

»Eine Beobachtung«, sagte Lieberman zu seinem Spiegelbild. »Wir werden nicht wie unsere Eltern, wir werden wie unsere Großeltern.«

Langsam zog er sich aus und ließ Wasser laufen, bis es heiß war. Dann stieg er unter den Massagestrahl, den Maishes Sohn Sam, der Fernsehproduzent, ihm und Bess zu Chanukka geschenkt hatte. Während er sich rasierte, linderte der Wasserstrahl den Schmerz in seinen Knien, und er fragte sich, ob es sich noch lohnte, ins Bett zu gehen.

Als er merkte, wie er beim Geräusch des Wassers, das auf

seine Haut prasselte, allmählich einnickte, drehte er das Wasser ab, stieg aus der Wanne, trocknete sich ab und zog seinen Schlafanzug an. Unterwäsche, Socken und Hemd warf er in den Wäschekorb. Jacke, Hose und Krawatte legte er sich über einen Arm und den Schultergurt mit der Waffe über den anderen. Dann öffnete er die Tür. Auch wenn seine Enkelkinder nicht da waren, sperrte Lieberman die Waffe in die Nachttischschublade und hängte den Schlüssel an den Haken am Kopfende seines Bettes. Lieberman löschte das Licht, öffnete die Tür des Badezimmers und trat in die Dunkelheit des Flurs.

»Abe«, sagte eine Männerstimme.

Lieberman ließ Jacke, Hose, Krawatte und Holster fallen und richtete die Waffe auf die Stimme, die von der Tür zu Lisas Zimmer kam.

»Abe«, wiederholte die Stimme.

»Todd?«

Lieberman hob seufzend seine Sachen vom Boden auf.

»›Meine Gedanken sind wie weggewaschen, und ich bin verwirrt. Wohin soll mein Geist sich wenden, wenn das Haus zusammenstürzt?‹« sagte Todd schläfrig. »Agamemnon.«

»Was hast du getrunken?« fragte Lieberman flüsternd.

»Was ist die erste Flasche auf dem Regal überm Herd?«

»Oh ... Bailey's Irish Cream«, sagte Lieberman.

»Ich hab ein paar Gläser getrunken. Schmeckt gut. Ist noch 'n bißchen was drin.«

Jetzt flüsterte auch Todd.

»Was ist hier eigentlich los?« fragte Lieberman.

»›Die Dame hat sich Mut gefaßt und ist entflohn in fernes Land‹«, sagte Todd und trat in den schwachen Lichtschein.

»Todd, keine Griechen mehr!«

»War kein Grieche.« Todd lachte leise. »Ich wollte nur ... Du hast recht. Ich kann nichts dafür. Lisa ist weg. Wir haben uns wieder gestritten und als ich ... oder war sie es? Ich weiß es nicht mehr. Aber sie hat gesagt, ich soll jetzt mal eine Weile die Verantwortung übernehmen, und sie würde in unser Haus zurückgehen. Und ist gegangen. Und . . . Ich . . . Bess hat gesagt, ich sollte heute nacht bei den Kindern bleiben. Wir haben ein Detektivspiel gespielt, aber ich kann mich nicht erinnern, wer gewonnen hat.«

»Wir reden morgen weiter«, sagte Lieberman. »Geh jetzt ins Bett!«

»Es ist schon morgen«, sagte Todd.

»Geh ins Bett, Todd!«

Und Todd ging ins Bett.

Es war schon fast vier, als Lieberman die Schlafzimmertür zumachte, sich zum Bett vortastete, die Pistole einschloß und sich hinlegte.

»Wie geht es ihm?« fragte Bess.

»Wem, Bill oder Todd?«

»Du weißt, daß Todd hier ist?« seufzte Bess. »Ich meine Bill.«

»Er lebt«, sagte Lieberman und suchte mit den Händen nach seiner Frau. Ein leichte Brise wehte durchs Fenster und blähte die Vorhänge.

»Willst du das Neueste von Todd und Lisa wissen?« fragte Bess sanft.

»Ganz sicher nicht.«

Vier Straßen weiter, in der Howard Street, rumpelte ein Laster vorbei. Lieberman fand das Geräusch beruhigend.

»Rabbi Wass will, daß du ihn morgen anrufst«, sagte sie.

»Hat er gesagt, worum es geht? Nein! Stop! Das will ich eigentlich auch nicht wissen.«

»Sind deine Knie in Ordnung, Abe?« fragte Bess. »Ich habe die Dusche gehört. Hast du deine Tablette genommen?«

»Alles in Ordnung, und meine Tablette habe ich auch geschluckt. Gib mir deine Hand!« Er ergriff ihre Hand, spürte sie, er kannte sie. Bess wollte etwas sagen, da war er ganz sicher. Wahrscheinlich etwas über Lisa und Todd. Aber dann tat sie es doch nicht und drehte sich zu ihm. Sie legte ihm die Hand auf die Wange.

»Du hast dich rasiert«, flüsterte sie.

»Ich war voller Leidenschaft und großer Erwartung«, sagte er.

»Das will ich sehen«, sagte sie und ließ ihre Hand an ihm hinabgleiten. »Willst du wirklich? Jetzt?«

»Willst du?« fragte er zurück.

Sie wollten beide.

Es gab keinen Morgen für Lieberman. Er hatte ihn verschlafen, und Bess hatte ihn nicht geweckt. Sie war früh aufgestanden, hatte das Telefon im Schlafzimmer ausgesteckt, hatte Todd Frühstück gemacht und ihn zur Arbeit geschickt. Als Barry und Melisa aufgewacht waren, hatte sie sie in die Küche geholt und ihnen gesagt, daß sie leise sein sollten. Dann hatten auch sie ihr Frühstück bekommen. Bess hatte drei Anrufe für Lieberman entgegengenommen, der kurz vor zwölf aufstand, in die Küche gewankt kam und nur mühsam die Augen aufkriegte.

»Wo sind die Kinder?« fragte er.

»Yetta ist mit ihnen einkaufen gegangen«, sagte Bess und reichte Lieberman eine Tasse Kräutertee. Bess trug einen dunklen Rock und eine gelbe Bluse mit weißen Perlen. Er versuchte sie anzulächeln, wußte, daß es schief wirken mußte, und setzte die Tasse an den Mund. Lieberman ertrug Kräutertee nur widerwillig, aber er hatte es sich zur Regel gemacht, den Tag nicht mit Kaffee zu beginnen. Heißer Tee konnte seinen Magen und seine Nerven ungefähr eine halbe Stunde lang täuschen.

Lieberman saß am Küchentisch und fuhr sich mit der Hand durchs Haar.

»Hab vergessen, mir die Haare zu kämmen«, sagte er.

»Du siehst aus wie Einstein«, sagte Bess lächelnd. Aus dem Toaster schossen zwei Brotscheiben hoch.

»Hat jemand angerufen? Oder ist meine Abwesenheit gänzlich unbemerkt geblieben? Hat man einfach angenommen, daß ich in Pension gegangen bin? Und daß meine Post ab jetzt ins Heim für ausgebrannte Bullen geschickt werden muß? Dies sind Fragen von großer Wichtigkeit und Bedeutung«, sagte Lieberman.

»Willst du wissen, wer angerufen hat, oder willst du dich bemitleiden?« fragte Bess und stellte einen Teller mit zwei Scheiben hellem Toast und Orangenmarmelade vor ihn hin.

»Ich würde mich gern noch ein paar Minuten bemitleiden. Hat das Krankenhaus angerufen?«

Er biß ein Stück Toast ab und fühlte sich augenblicklich besser. »Maureen hat angerufen«, sagte Bess, die ihm gegenübersaß und nach einer seiner Toastscheiben griff.

»Du magst keine Orangenmarmelade«, erinnerte er sie.

»Ist es ein Verbrechen oder ein Vergehen, Dirty Harry?« fragte Bess. »Willst du wissen, was Maureen gesagt hat, oder lieber rumnörgeln?«

»Das eine schließt das andere nicht aus.«

»Sie hat erzählt, daß Bill aufgewacht ist. Sie war zu Hause, und Iris war bei ihr. Wer ist Iris?«

»Bills neue Freundin. Eine Chinesin.«

Lieberman tunkte den Toast in den Tee. Das war, wie er feststellte, keine gute Idee.

»Captain Hughes hat angerufen und gesagt, ich soll dich schlafen lassen. Aber du sollst sofort zu ihm kommen, wenn du im Revier bist.«

Lieberman legte den durchweichten Toast auf den Teller und stand auf. Er fühlte sich, als könnte er fünf Tage am Stück schlafen. Er nahm das Geschirr, warf den matschigen Rest Toast in den Müll und kippte die halbe Tasse in den Ausguß. Teller und Tasse stellte er in die Spülmaschine. Er verspürte ein winziges Glücksgefühl. Er hatte eine häusliche Pflicht ohne Zwischenfall erledigt.

Das Telefon klingelte. Lieberman sah es an. Bess hob ab. Lieberman war auf dem Weg aus der Küche.

»Abe«, sage sie. »Rabbi Wass. Er will mit dir sprechen. Er hat schon gestern abend angerufen. Ich habe es dir gesagt, erinnerst du dich?«

»Ja, ich erinnere mich«, sagte er und kam in die Küche zurück.

Mit der Hand hielt sie die Sprechmuschel zu.

»Woran erinnerst du dich noch?«

»Leidenschaft«, sagte er. »Brennende Leidenschaft, unerreicht seit Gable und Harlow in *Dschungel im Sturm*.«

Bess lächelte und reichte ihm den Hörer.

»Rabbi«, sagte Lieberman. »Wußten Sie, daß mein Spitzname Rabbi ist?«

»Nein, Abraham, das wußte ich nicht.« Rabbi Wass war leicht irritiert.

»Es tut nichts zur Sache, Rabbi. Was kann ich für Sie tun?«

»Eine ganze Menge.«

Das gefiel Abraham Melvin Lieberman ganz und gar nicht.

»Was?« fragte Lieberman ohne zu zögern. Er sah zu Bess hinüber, die ihn anlächelte.

Sie weiß, was er will, dachte Lieberman, und sie findet es gut

»Der Beirat«, fing Rabi Wass an. »Das heißt, der Beirat und ich würden es sehr begrüßen, wenn Sie den Vorsitz der Synagoge Mir Shavot übernehmen würden, wenn Israel Mitkowsky im September nach Florida zieht.«

»Ich bin sprachlos«, sagte Lieberman, sah seine Frau an und erkannte die zittrige Handschrift von Ida Katzman.

»Dann akzeptieren Sie also die Wahl?« fragte Rabbi Wass, der spürte, daß er den Sieg zu leicht errungen hatte.

Lieberman stellte sich vor, wie er Versammlungen leitete,

jede Woche zum Gottesdienst ging, in holprigem Hebräisch aus der Tora vorlas und Irving »Rommel« Hamel beknien mußte, Vorträge beim sonntäglichen Treffen des Männerclubs zu halten.

»Ich verdiene diese Ehre nicht«, sagte Lieberman.

»Wir sind da anderer Meinung.« Rabbi Wass' Stimme bebte.

»Irvin Hamel wäre ein viel besserer Präsident«, sagte Lieberman und bemühte sich, hilflos zu klingen. »Er ist jung und will . . .«

»Er hat abgelehnt«, sagte Rabbi Wass betrübt. »Zu beschäftigt. Er ist Anwalt. Avrum, wir brauchen Sie. Gottes Werk muß vollbracht werden.«

Man setzte ihn nicht nur unter Druck, er war nicht einmal die erste Wahl. Aber dann kam Lieberman eine Idee.

»Ich habe einen besseren Kandidaten«, sagte er.

»Es gibt wirklich keinen . . .«, fing Rabbi Wass immer noch betrübt an. Kurz davor zu erklären, aus welchen Gründen Syd Levan und Herschel Rosen abgelehnt hatten.

»Meine Frau«, sagte Lieberman.

Schlagartig war Bess' Lächeln verschwunden. Wie versteinert stand sie an der Spüle.

»Sie ist eine Frau.« Rabbi Wass erklärte dem offensichtlich verwirrten Lieberman die Grundlagen des Lebens.

»Dessen bin ich mir bewußt«, sagte Lieberman.

»Gemeindevorsitzender zu sein ist eine große Ehre«, konterte der Rabbi.

»Eine Ehre, die meine liebe Frau mehr als verdient hat«, parierte Lieberman die Attacke.

»Wir hatten noch nie eine Frau als Gemeindevorstand«, erklärte der Rabbi.

»Es gibt sogar Rabbinerinnen«, sagte Lieberman und betrachtete das erstaunte Gesicht seiner Frau. »Ich bin sicher, daß es in anderen Gemeinden weibliche Vorsitzende gibt. Ich bin auch sicher, daß Ida Katzman die Idee sehr begrüßen wird.«

»Ich glaube wirklich nicht ...«, fing der Rabbi wieder an.

»Ari«, sagte Lieberman sanft. »Ich werde ablehnen und der Gemeinde berichten, daß Sie eine Frau als Vorsitzende nicht einmal in Betracht ziehen.«

»Erpressung?« fragte der Rabbi ungläubig.

»Genau.«

Rabbi Wass lachte. Ein tiefes, ehrliches Lachen, das Abe Lieberman noch nie vorher gehört hatte.

»Dann sind mir die Hände gebunden«, sagte er. »Ich akzeptiere. Unter uns, ich glaube auch nicht, daß Sie ein besonders guter Vorsitzender gewesen wären. Wie die Katholiken sagen, ich glaube, Ihnen fehlt die Berufung. Aber Bess? Mir gefällt die Idee. Fragen Sie sie, ob sie zu mir kommen kann – heute noch, wenn es geht. Schalom, Abe.«

»Schalom, Rabbi«, sagte Lieberman, dann legten beide auf.

»Abe«, sagte Bess.

»Frau Vorsitzende«, sagte Lieberman und fragte sich, was er mit seinen Haaren machen sollte. »Willst du den Job?«

»Ja.«

»Wenn sich alle Probleme im Leben doch so leicht lösen ließen.«

13

Lieberman rief im Revier an, und der immer präsente Nestor Briggs teilte ihm mit, daß a) José Vegas wegen seiner Kopfverletzung behandelt, Richter Wilson Woolf vorgeführt und gegen eine Kaution von 50 000 Dollar freigelassen worden war – die Summe hatte die Lewellyn Bond Agency im Auftrag von Vegas' Mutter ausgelegt – und daß b) Captain Hughes vor zwanzig Minuten zu einer Besprechung mit dem Polizeipräsidenten aufgebrochen sei. Lieberman sagte Briggs, er mache sich auf den Weg ins Krankenhaus.

Nachdem Lieberman ein zweites Mal geduscht hatte, um wach zu werden und um seine Haare zu bändigen, fuhr er zu Maish's T & L, wo die Alten Knacker alle beisammensaßen.

»Wie geht's Bill, kleiner Bruder?« fragte Maish und ließ eine Tasse Kaffee die Theke entlangrutschen. Lieberman stoppte sie.

»Er lebt«, sagte Lieberman. »Wird wahrscheinlich durchkommen.«

»Yetta ist mit den Kindern ins Toys 'R' Us gefahren«, sagte Maish und blickte sichtlich betrübt in die Runde.

»Ich lade dich zu 'nem Kaffee ein!« rief Rosen von seinem Tisch.

»Hab schon einen«, antwortete Lieberman und hielt seine Tasse hoch.

»Dann was Süßes«, schlug Rosen vor.

»Warum nicht?« sagte Lieberman, nahm ein Stück Kirschkuchen und ging zum Tisch der Alten Knacker, wo Herschel Rosen Hof hielt. Herschel hatte seinen würdevollen Tag. Er hatte seine gelbe Kappe abgesetzt und neben seine Tasse Kaffee gelegt.

»Ist dein Partner okay?« fragte Howie Chen.

»Er wird schon durchkommen«, sagte Lieberman. Er fragte sich, ob er das immer sagte, weil er glaubte, daß es durch das ständige Wiederholen wahr werden würde.

»So Gott will«, sagte Rosen.

»So Gott will«, pflichtete ihm Howie Chen bei.

Bloombach und Stoltzer, die Atheisten, sagten nichts, sahen Lieberman aber mitfühlend an.

»Glaubst du, daß es an Maishs Kaffee liegt?« fragte Syd Levan. »Erst das Mädchen. Dann dein Partner?«

»Nicht witzig, Sydney«, sagte Rosen barsch.

»Wer ist denn ...«, fing Levan an, brach dann aber ab.

»Ist schon in Ordnung«, sagte Lieberman und trank seinen Kaffee aus. »Bullen machen das auch. Wenn man so viele Tote sieht, muß man Witze drüber machen, damit es einem nicht so nahe geht.«

»Wie in den Büchern mit den Kommissaren, die sich für witzig halten«, sagte Bloombach und überlegte, wie man diese Bücher nannte.

»Alle Bullen?« fragte Howie Chen.

»Nicht alle.« Lieberman setzte seine Tasse ab. »Gentlemen, Sie müssen mich entschuldigen.«

Jemand berührte Lieberman am Ärmel. Er drehte sich um.

»Meinst du, du findest den, der's getan hat?« fragte Rosen leise.

»Ich werd ihn finden«, versprach ihm Lieberman.

Maish winkte, als sein Bruder zur Tür ging.

»Wenn du Zeit hast, schau später noch mal rein«, sagte Maish. Er wischte mit einem Schwamm über die Theke, obwohl Liebermans Tasse keinen Fleck hinterlassen hatte. »Und erzähl mir, wie es mit Lisa und Todd weitergeht!«

»Wir glauben, sie bleiben zusammen«, sagte Bloombach.

Lieberman sah seinen Bruder an und schüttelte den Kopf. Maish zuckte mit den Achseln. Lieberman trat auf die Straße, hörte es in der Ferne donnern, sah zum Himmel hinauf, konnte aber keine Wolken entdecken.

Zweiundfünfzig Minuten später betrat er das Gebäude der Universitätsklinik und ging auf die Intensivstation. Dr. Deep stand mit Maureen und ihrem Sohn Michael vor dem Stationseingang. Michael Hanrahan glich seinem Vater viel stärker als seiner Mutter. Sauber und ordentlich sah er aus. Viele Jahre bevor Lieberman Bill kennengelernt hatte, mußte der auch mal so ausgesehen haben.

Dr. Deep wurde als erster auf Lieberman aufmerksam. Maureen drehte sich um und warf Lieberman einen warnenden Blick zu. Lieberman schaute wieder Michael an, und was er sah, gefiel ihm gar nicht.

Krankenschwestern huschten vorbei. Irgendwo am Ende eines Gangs hinter dem Empfang wurde ein Krankenhausbett mit einem eiernden Rad in ihre Richtung geschoben.

»Wie geht es ihm?«

»Du hättest bei ihm sein müssen«, sagte Michael.

Lieberman sah den jungen Mann an und rief sich ins Gedächtnis, daß er sechsundzwanzig, nein, siebenundzwanzig war, der Sohn seines Vaters und ein Ire.

»Er ist ohne Deckung in dieses Haus gegangen, weil du im Baseballstadion Hotdogs in dich reingestopft hast«, sagte Michael aggressiv.

»Vielleicht hast du recht«, sagte Lieberman.

»Michael«, ermahnte Maureen ihren Sohn. »Du willst einfach nicht sehen, daß ...«

»Findest du das lustig, Lieberman?« fragte Michael.

»Ich lache nicht«, sagte Lieberman. »Und ich schmunzele nicht über die Situation, sondern weil das Leben Überraschungen bereithält, die alle, außer den Kindern, um ihren gerechten Schlaf bringen.«

»Wir befinden uns hier auf der Intensivstation«, bemerkte Dr. Deep vorsichtig. »Wir müssen ein bißchen leiser sein.«

»Dad hat recht«, sagte Michael zu seiner Mutter. »Er ist ein Dummschwätzer.«

Michael stapfte davon, ohne sich umzudrehen. Er ging auf Deeps Sprechzimmer am Ende des Korridors zu.

»Tut mir leid, Abe«, entschuldigte sich Maureen.

»Ich bin froh, daß Sie gekommen sind«, sagte Deep. »Mr. Hanrahan sollte eigentlich noch keinen Besuch bekommen, aber er ist sehr aufgeregt und besteht darauf, mit Ihnen zu sprechen. Am besten wäre es, wenn Sie kurz zu ihm gingen. Aber nicht länger als eine Minute.«

Maureen berührte Lieberman am Arm, und er sah ihr in die Augen. Über Nacht war sie alt geworden.

»Iris mußte zur Arbeit«, sagte sie. »Ich mag sie.«

Lieberman nahm Maureen in den Arm und folgte dann Dr. Deep durch die weißen Doppeltüren, wo eine Schwester ihm Kittel, Kopfbedeckung und Mundschutz reichte und wartete, bis er die Sachen angezogen hatte.

Maschinen summten und piepten. Beleuchtung und Stimmen waren gedämpft, der Boden verschluckte die Tritte. Lieberman folgte Dr. Deep in einen mit großen Scheiben abgetrennten Raum. William Hanrahan lag da, mit Tubus in der Nase, Tropf, blasser Haut, offenem Mund und geschlossenen Augen – ein Patient in Lebensgefahr.

»Dreißig Sekunden«, erinnerte Dr. Deep Lieberman, der sich dem Bett näherte.

»Father Murphy?« sagte Lieberman und legte seinem Partner zärtlich die Hand auf den Arm.

Hanrahans Augenlider flackerten und öffneten sich. Sie suchten nach der Stimme, blickten zuerst in die falsche Richtung und fanden nur langsam Liebermans maskiertes Gesicht. Hanrahans Lippen formten das Wort »Rabbi«, aber hören konnte man nichts. Lieberman beugte sich vor, bis sein Ohr beinahe Hanrahans Lippen berührte. Und als Hanrahan noch einmal »Rabbi« sagte, verstand er es.

»Du hast es geschafft«, sagte Lieberman.

»Du bist ein Dummschwätzer.«

»Das hat dein Sohn mir schon gesagt.«

Hanrahans Lippen verzogen sich zu einem zittrigen Lächeln. »Artikel«, sagte Hanrahan. »Zeitungs . . .«

»Den hab ich.«

»Schwester«, sagte Hanrahan. »Estraldas Schwester. Foto im Schlafzimmer.«

»Dasselbe wie in dem Artikel. Estralda mit ihrer Schwester. Sieht aus, als hätten sie zwei Typen umgebracht. Die Zeitung ist aus Corpus Christi, Texas.«

»Detective Lieberman, es tut mir leid«, hörte Lieberman die Stimme von Dr. Deep hinter sich. »Für heute müssen wir leider Schluß machen.«

»Hab sie gesehen«, sagte Hanrahan mit flatternden Augen, die gegen den künstlichen Schlaf ankämpften.

»Estraldas Schwester?«

Hanrahan nickte.

»Wo?«

Und Hanrahan sagte es ihm.

Bevor Lieberman das Krankenhaus verließ, ging er zur Anmeldung und telefonierte mit dem Büro des Bürgermeisters von Corpus Christi, Carrol LaSalle. Eine Dame mit einem sehr starken texanischen Akzent sagte, daß LaSalle eine Nachricht hinterlassen habe und daß Anrufe von Detective Lieberman sofort durchzustellen seien – tags wie nachts. Es klickte, dann dauerte es mehr als zwei Minuten, bis LaSalle dran war.

»Haben Sie mein kleines Mädchen mit der Knarre?«

»Sieht ganz so aus. Ihre Leute können schon mal die Papiere fertigmachen.«

»Guadalupe Madera?«

»Guadalupe Madera«, bestätigte Lieberman. Eine Krankenschwester schob eine junge Mutter in einem Rollstuhl nach draußen. Die junge Frau, die asiatische und negroide Züge hatte, hielt ein kleines Bündel in den Armen. Lieberman konnte das Gesicht des Kindes nicht sehen. Hinter ihnen kam eine Schwesternhelferin mit einem Wagen voller Blumen. Durch die Glastüren konnte Lieberman ein wartendes Taxi sehen.

»Was glauben Sie? Was werden Ihre Leute ihr anhängen?«

»Was ich glaube? Hängt davon ab. War sie ein gutes Mädchen? Oder hat sie noch mehr Leuten in den Kopf geschossen?« fragte LaSalle. »Lebenslänglich vielleicht. Dann ist sie in fünf Jahren wieder raus. Kommt auf die Richter an und auf die Stimmung und ob sich die Öffentlichkeit noch dran erinnert. Vielleicht kriegt sie auch gar nichts. Sie haben nicht vergessen, daß Ihre Leute es uns mit der Auslieferung schwer machen sollen?«

»Ich kann mich erinnern.«

»Sie sagen Ihren Leuten und der Presse, daß Sie sie mit der unschätzbaren Hilfe von Carrol LaSalle ausfindig gemacht haben?«

»Das hab ich vor«, sagte Lieberman. »Noch eine Frage. Im Zeitungsartikel stand, daß ein Barkeeper namens Frank als erster am Tatort war. Sie wissen nicht zufällig, wie er mit Nachnamen heißt und wo er sich aufhält?«

Der Bürgermeister wußte nicht, wo Frank sich rumtrieb, aber er erinnerte sich gut an ihn, und er gab Lieberman eine genaue Beschreibung und den Namen.

»Ich muß jetzt los, Lieberman«, sagte er. »Ein großes Einkaufszentrum eröffnen. Ich habe den Eindruck, daß diese Geschichte bald aufgeklärt wird. Passen Sie auf sich auf, Detective, und besorgen Sie sich einen neuen Partner. Haben Sie gut zugehört?«

Lieberman hatte zugehört. Er machte noch einen Anruf und bat den Mann am anderen Ende um einen Gefallen. Der Mann verstand die Bitte nicht, war aber einverstanden.

»Es geht um den Mord, über den wir am Freitag geredet haben, stimmt's?« fragte er.

»Ja«, antwortete Lieberman.

»Soll ich mich schon mal nach 'nem neuen Mitarbeiter umsehen?«

»Gute Idee.«

Lieberman legte auf. Zwanzig Minuten wartete er im Eingang des Krankenhauses, las die *Sun-Times*, sah Patienten und Besucher kommen und gehen und versuchte sich zu erinnern, ob Ann Savage oder Ann Dvorak in *Umleitung* mitgespielt hatte.

Das Taxi hielt in der Einfahrt, und der Fahrer sah sich nach seinem Fahrgast um. Lieberman ging langsam hinaus auf das Taxi zu, stieg hinten ein und zog die Tür zu.

»Wohin?« fragte der Fahrer.

»Ist das wichtig?« fragte Lieberman.

»Ich glaube nicht«, antwortete der Fahrer.

Als das Taxi in die Straße einbog, zog Lieberman langsam seine Pistole aus dem Holster und richtete sie auf den Kopf von Francis Dupree.

14

Frank«, sagte Lieberman, als das Taxi die Neunundfünfzigste Straße hochfuhr, vorbei an den Rasenflächen der Universität. »Ich überlege mir ernsthaft, ob ich Ihnen in den Kopf schießen soll.«

Frank Dupree zuckte mit den Schultern.

»Hab mir schon gedacht, wenn mich die Zentrale von der Grand Avenue hier runter schickt, daß dann was nicht koscher ist«, sagte Dupree. »Aber koscher, das ist Ihr Terrain, stimmt's?«

»Sie haben meinem Partner eine Kugel verpaßt, Frank«, sagte Lieberman völlig ruhig. »Ich würde gerne wissen, warum.«

»Ich hab niemanden erschossen«, sagte Frank. »Ihr kriegt mich nicht wegen Mord dran. Ich bin kein dummer Südstaatler, dem ihr alles anhängen könnt.«

Lieberman schoß durch die Scheibe des Taxis. Dupree schrie auf und schleuderte in die Kurve, rammte einen geparkten Wagen und bekam das Taxi wieder unter Kontrolle.

»Was zum Teufel machen Sie? Sind Sie bescheuert?«

»Fahren Sie die nächste rechts rein«, sagte Lieberman gelangweilt. Dupree folgte ihm. »Wir befinden uns hier in einer Gegend, wo man oft Schüsse hört und die Polizei nicht so schnell kommt. Parken Sie!«

»Moment«, sagte Dupree und lachte laut auf. »Sie ...«

»Parken!« wiederholte Lieberman leise.

Dupree parkte hinter einem verrosteten Honda ohne Nummernschild.

»Ich will wissen, was passiert ist, Frank«, sagte Lieberman. »Sprechen Sie langsam, und lassen Sie nichts aus!«

»Die werden das alles ignorieren«, sagte Dupree, drehte sich zur Seite und lehnte sich an die Fensterscheibe. »Sie glauben doch nicht, daß Sie mit einem Geständnis durchkommen, das Sie mit der Knarre in der Hand zu hören kriegen?«

Zwei Jungs, beide schwarz und etwa neun Jahre alt, glotzten durch die zerschossene Seitenscheibe die beiden weißen Typen an, die einfach nur dasaßen. Der größere wollte etwas sagen, entdeckte dann aber Liebermans Waffe und ging lieber weiter.

»Der alte Mann hat 'ne Knarre«, sagte der Junge.

»Oh, Scheiße, er hat wirklich eine«, sagte der andere.

»Ich werde die Scherben etwas zur Seite räumen«, sagte Dupree erregt.

»Wenn Sie das Handschuhfach berühren, fliegt Ihr Kopf durch die Windschutzscheibe!«

»Ich will nur ... Ich habe Ihnen gesagt«, sagte Dupree und stöhnte über Liebermans Unverständnis.

»Die Pistole liegt im Handschuhfach, hab ich recht, Frank?«

Dupree sackte zusammen. Über Funk kam ein Auftrag. Dupree drehte den Ton ab.

»Ich hätte meinen Namen ändern sollen«, sagte er. »Aber ich wußte nicht welchen ... Sie können mir glauben. Ich bin nach Chicago gekommen, weil ich Arbeit gesucht habe. Ich bin Taxi gefahren und hab ein geregeltes Leben geführt. Dann ist sie eines Tages eingestiegen.«

»Welche?«

»Estralda, die jüngere«, sagte er. »Sie hatte sich kaum verändert.«

»Und Sie haben sie erpreßt.«

»Weder ja noch nein. Hier im Wagen sind nur Sie und ich. Und Sie wissen, wenn ich meinen Anwalt habe, wird er dem Richter sagen, daß ich gar nichts gesagt habe.«

»Sie haben sie erpreßt«, wiederholte Lieberman.

»Ich habe sie um Geld gebeten«, sagte er. »Keine Erpressung. Wegen der guten alten Zeit.«

»Erzählen Sie mir von Freitag«, sagte Lieberman.

Dupree schielte zum Handschuhfach und begann sich in seinem Sitz zu winden. Lieberman beugte sich vor und stieß ihm den Lauf der Pistole in den Nacken.

»Drehen Sie sich nicht um«, sagte Lieberman. »Ich kann Ihre Augen und Ihren Mund sehr gut im Spiegel sehen.«

»Sie hat gesagt, ich soll um Mitternacht an der Kreuzung Foster und Sheridan sein«, sagte Frank. »Sie sagte, sie muß die Stadt für eine Weile verlassen. Die Bullen würden ihr Schwierigkeiten machen. Sie wollte mir alles geben, worum ich sie gebeten hatte.«

»Geld und Nikki Morales«, sagte Lieberman.

Liebermans und Duprees Blicke trafen sich im Rückspiegel.

»Wenn Sie das wissen, warum fragen Sie mich dann?«

»Erzählen Sie weiter!«

»Gut. Also ich warte an der Kreuzung. Der Zentrale sage ich, daß ich einen Fahrgast zur Ecke Foster und Sheridan gefahren habe und mir im McDonald's in der Nähe von Estraldas Hochhaus einen Burger holen will. Ich kriege den Anruf, steige wieder ins Taxi und fahre rüber und überlege und überlege.«

Dupree tippte sich mit den Fingern der rechten Hand an die Stirn.

»Ich überlege«, sagte er noch mal. »Was ist los? Warum kommt sie nicht einfach raus, läuft zwei Straßen runter und gibt mir das Geld? Also fahre ich hin, und der Typ an der Pforte sagt mir, ich soll hochgehen und Miss Valdez' Gepäck holen. Ich weiß ja, daß sie die Stadt verlassen will, also gehe ich hoch. Ich denke, vielleicht wird sie von den Bullen beobachtet und hat zur Tarnung ein Taxi gerufen, aber das kommt mir komisch vor. Ich gehe zum Apartment hoch und durch die offene Tür. Die Wohnung das absolute Chaos, wissen Sie ja. Wissen Sie auch, was dann passiert ist?«

»Jemand hat versucht, Sie umzubringen«, sagte Lieberman.

»Ganz genau«, sagte Dupree. »Im Wohnzimmer schläft dieser Penner. Mitten in der ganzen Scheiße. Keine Ahnung, wer er ist.«

»Er heißt Van Beeber«, sagte Lieberman. »Er hatte mal einen Andenkenladen in Holland, Michigan. Hat vor zehn Jahren seine Frau umgebracht.«

»Ist das wahr?« fragte Dupree. »Wo war ich ... Als sie versucht hat, mich umzubringen. Estralda steht mit einem Messer hinter mir und versucht mich zu erstechen. Ich kann Ihnen die Wunde zeigen.«

Dupree hob sein Hemd hoch. Lieberman preßte ihm die Kanone tiefer in den Hals.

Auf Frank Duprees Rücken klebte ein Verband. Ein großer Verband.

»Notwehr«, sagte er und ließ das Hemd wieder runter. »Ich hab ihr das Messer weggenommen, und dabei ist was schiefgelaufen.«

»Sie haben achtmal auf sie eingestochen«, sagte Lieberman.

»Notwehr. Ich hab das Messer aus dem Fenster in den See geworfen und mich umgesehen. Da ist die andere reingekommen.«

»Guadalupe?« fragte Lieberman.

»Genau. Sah anders aus als in Texas, aber sie war's. Sie entdeckt ihre Schwester, und ich kann sehen, wie es sie packt. Sie will wegrennen, aber ich hab sie festgehalten. Ich hab ihr gesagt, sie muß mir helfen, aus dem Gebäude zu kommen, oder ich würde sie verpfeifen. Sie hat eins von Estraldas Kleidern angezogen, und wir sind gegangen.«

»Hat sie irgendwas gemacht, bevor Sie rausgingen?«

»Ja. Sie hat das Rollo hochgezogen und eine Weile so dagestanden. Vielleicht hat sie geweint. Wir sind mit dem Aufzug runtergefahren und haben das Haus verlassen. Sie hat jemandem auf der anderen Straßenseite zugewinkt. Ich hab rübergesehen, und da saß ein Typ im Restaurant.«

»Hanrahan, mein Partner, den Sie fast erschossen haben.«

»Das war ich nicht. Ich habe sie dahin gefahren, wie ich gesagt habe. Und habe zu ihr gemeint, daß ich Geld von ihr will oder sie verpfeife.«

»Warum sind Sie meinem Partner nachgefahren?« fragte Lieberman.

Die beiden Jungen waren zurückgekommen. Sie hatte zwei größere Jungen dabei und ein Mädchen. Die beiden älteren marschierten großspurig vor den anderen her, direkt auf das Taxi zu.

»Ich bin Ihrem Partner nicht ...«, fing Dupree an, aber Lieberman schoß ein Loch in den Beifahrersitz. Die Kugel ging durch, prallte gegen das Armaturenbrett und hinterließ eine Delle. Die Jungen blieben stehen, drehten um und gingen zu den Kleinen und dem Mädchen zurück. Gemeinsam schlenderten sie weiter, zielsicher vom Taxi weg.

»Sie wollen mich doch nicht erschießen, Detective?«

Lieberman sah Schweißtropfen auf Duprees Stirn.

»Sie haben meinem Partner von hinten in den Kopf geschossen. Sie haben einen Bullen niedergeschossen. Ich gehe in ein paar Jahren in Pension. Wenn ich Sie erschieße, kriege ich zum Abschied eine Medaille. Hören Sie, Frank, ich habe Arthritis, in beiden Knien.«

»Das tut mir leid«, sagte Dupree. »Meine Mutter hatte ...«

»... und mir geht vieles durch den Kopf«, fuhr Lieberman fort. »Für mich ist es das einfachste, wenn ich Sie erschieße, zu meinem Wagen zurückgehe und ins Revier fahre. Erzählen Sie mir eine Geschichte, Frank!«

»Ich bin nicht ...«, fing Frank wieder an, dachte dann aber an die beiden Schüsse und besann sich eines Besseren. »Das Geld. Ich hab geglaubt, er ist hinter dem Geld her, das die beiden noch hatten. Von Juan Hernandez. Sie wissen das ja. Ich bin ihm ein bißchen nachgefahren. Was in dem Haus passiert ist, war ein Unfall. Ich bin kein Killer, ich bin Musiker. Alles war so ...« Dupree fing an zu weinen. »Ich bin nur hinter ihm reingegangen«, sagte er schluchzend. »Ich wollte ihm einen Deal anbieten. Ich ... Ich weiß nicht, was passiert ist. Ich wollte nur ... Das nächste, woran ich mich erinnere, daß er dalag, tot wie mein Onkel Dave, nachdem der Alligator ihm das Bein abgerissen hatte. Ich hab von allem nichts gehabt, und es tut mir leid.«

Dupree ließ sich nach vorne fallen und heulte.

»Fahren Sie los! Zum Revier!« sagte Lieberman. »Sie können Ihre Geschichte dem Staatsanwalt erzählen und sich bei ihm über meine Gewalttätigkeit beschweren. Setzen Sie sich richtig hin, und fahren Sie!«

»Okay, okay.« Dupree richtete sich auf, drehte sich um und sah Lieberman ins Gesicht. »Darf ich Sie was fragen?«

»Fragen Sie!«

Aber Dupree fragte nicht. Er hielt etwas in seiner linken Hand. Lieberman sah das offene Handschuhfach und glänzendes Metall in Duprees Hand, der Hand, an der die Finger fehlten. Duprees Hand kam über die Lehne des Sitzes. Lieberman drückte ab. Die Kugel pfiff durch den Fahrersitz, aber das Messer erwischte ihn, schnitt ihm durch die Hose in den rechten Schenkel. Dupree hob den Arm und wollte wieder zustechen. Blut sickerte durch das Loch, das Liebermans Waffe im Fahrersitz hinterlassen hatte. Lieberman richtete die Pistole auf Duprees Gesicht.

»Frank«, sagte Lieberman warnend.

»Sie müssen mich erschießen oder mich laufenlassen«, sagte Dupree. Und Lieberman erschoß ihn.

Von den fünf Einsatzwagen, die innerhalb von fünf Minuten auftauchten, nachdem Lieberman sich über Dupree gebeugt und mit der Zentrale gesprochen hatte, war nur in einem Wagen jemand, den Lieberman kannte. Er hieß Laurel, war schwarz, mager und trug einen weißen Schnurrbart. Laurel was als erster aus dem Wagen. Sechs Uniformierte richteten ihre Waffen auf Lieberman, der mit der Pistole im Holster und erhobenen Händen neben dem Taxi stand.

»Detective Lieberman«, sagte Lieberman.

»Das stimmt«, rief Laurel seinen Kollegen zu. »Wen haben wir da, Abe?«

»Der Typ, der meinen Partner angeschossen hat«, sagte er. »Ich glaube, mit dem Messer, das er in der Hand hat, hat er Estralda Valdez erstochen. Kennst du den Fall? Letzten Freitag.«

»Nein«, sagte Laurel. »Moment. Die Nutte?«

Die anderen Polizisten sahen sich den Toten an und versuchten die Schaulustigen fernzuhalten.

»Ja«, sagte Lieberman. »Ich glaube, die Waffe, die auf meinen Partner abgefeuert wurde, liegt im Handschuhfach.«

Laurel nahm Liebermans Aussage zu Protokoll, dann gab Lieberman ihm seine Waffe. Sie fuhren zusammen ins Krankenhaus, wo Lieberman in der Notaufnahme wegen einer geringfügigen Fleischwunde am Bein behandelt wurde.

»Notwehr, ganz klar«, sagte Laurel, als Lieberman sein verbundenes Bein vom Behandlungstisch schwang und aufstand. »Aber die ganze Scheiße wird dir nicht erspart bleiben, Abe. Du kennst die Vorschriften.«

»Ich werde zu meinem Captain gehen, ihm einen Bericht abliefern und mich heute abend von meinen Enkelkindern bedauern lassen«, sagte Lieberman.

Das war's dann. Lieberman ging zu seinem Wagen. Sein Bein schmerzte nicht. Die Wunde war gereinigt, bandagiert und mit einem Schutzverband umwickelt worden.

Er mußte noch einen Zwischenstop einlegen und einen Mord aufklären, bevor er endlich nach Hause durfte.

15

Lieberman parkte vor einem Hydranten in der Nähe des *Black Moon* und klappte die Sonnenblende runter, damit man von außen sein Polizeischild sehen konnte. Die asiatischen Jalousien an den Fenstern des *Black Moon* waren hochgezogen, aber es hing ein Schild an der Eingangstür, auf dem »Geschlossen« stand. Lieberman ging hin, spähte durchs Fenster und klopfte.

Es war ein klarer Tag. Die Sonne spiegelte sich in den getönten Scheiben. Hinter ihm, auf der Sheridan Road, schnurrten und ratterten Autos vorbei. Im Restaurant bewegte sich jemand. »Nicht offen«, krächzte eine Stimme. »Abendessen um sechs.«

Lieberman klopfte wieder.

»Nicht . . .«, hörte er die Stimme wieder, diesmal etwas deutlicher.

»Polizei«, sagte Lieberman.

»Zeit? Keine Zeit. Nicht offen«, sagte der Mann. »Komm wieder um sechs.«

»Mister Huang, öffnen Sie bitte die Tür. Ich habe gerade einen Mann erschossen. Man hat mir mit einem Messer ins Bein gestochen. Und beide Beine schmerzen vor Arthritis. Ich muß einen Killer finden, und meine Tochter macht mir Kummer. Lassen Sie mich ein paar Minuten rein!«

Die Tür des *Black Moon* öffnet sich, und Lieberman stand einem kleinen dünnen Mann mit grauem Haar gegenüber.

»Töchter machen Kummer«, sagte der Chinese. »Söhne auch. Kommen Sie rein!«

Lieberman trat ein, und Huang schloß hinter ihnen die Tür ab. Er überprüfte noch mal, ob das Schild »Geschlossen« auch von der Straße aus zu lesen war.

»Danke«, sagte Lieberman.

»Setzen«, sagte Iris' Vater und deutete auf einen Tisch im Schatten. Der Tisch war für zwei Personen gedeckt: Tischtuch, weiße Teller mit roten Drachen auf dem Rand, rote Gläser und rote Servietten, in die das Besteck eingewickelt war.

Lieberman setzte sich.

»Wissen Sie von Iris' Freund, dem Polizisten?« fragte er.

»Ich weiß«, sagte Huang. »Sie hat angerufen. Er ist verletzt. Ich habe auch Arthritis. Knie, Arm. Verstehen Sie?«

»Verstehe.«

»Dachte ich mir. Tee?« fragte Huang.

»Nein, danke«, sagte Lieberman.

Huang setzte sich.

»Die Tochter meiner Schwester kommt und hilft«, sagte Huang und sah zur Küche, als wäre seine Nichte bereits da.

»Bill Hanrahan ist mein Partner«, sagte Lieberman und betastete den Rand des Tellers, der vor ihm stand.

»Ja.«

»Er ist ein guter Mann, Mister Huang.«

»Ich weiß nicht. Vielleicht ja, vielleicht nein. Er ... Polizisten werden erschossen, schießen selbst, trinken. Er ist verheiratet. Es tut mir leid, daß er verletzt ist.«

»Iris scheint eine nette Frau zu sein«, sagte Lieberman.

»Ja«, sagte Huang. »Wie macht Ihre Tochter Kummer?«

»Sie streitet mit ihrem Mann«, sagte Lieberman und sah durch die Scheibe auf die Michigan Towers.

»Leben ist schwierig«, sagte Huang seufzend.

»Leben ist schwierig«, stimmte ihm Lieberman zu. »Wissen Sie, warum ich hier bin?«

»Sie sehen immer über die Straße. Ich glaube, Sie müssen dort etwas machen. Sie wollen es nicht sofort machen. Sie sind hier, weil Sie es nicht gerne machen und damit Sie es nicht sofort machen müssen.«

»Waren Sie in China Polizist?« fragte Lieberman und sah wieder zu dem Hochhaus rüber.

»Nein. Soldat. Sie haben traurige Augen«, sagte Huang.

»Sie auch, Mr. Huang.«

»Chou Chin«, sagte Huang. »Kunden nennen mich Charly.«

»Ist es Ihnen recht, wenn man Sie Charly nennt?«

»Nein.«

»Ich werde Chou Chin sagen. Sie können mich Abe nennen.«

Huang stand auf und lief schnell in die Küche im hinteren Teil des Restaurants und kam mit einer kleinen Flasche zurück, die er Lieberman gab.

»Knie«, sagte Huang und ging zu einem kleinen Tisch, goß aus einem roten Krug Wasser in ein passendes Glas. »Nimm zwei!«

Das Etikett auf der Flasche war chinesisch. In der Flasche waren weiße Tabletten. Lieberman schraubte die Flasche auf und schüttete sich zwei Tabletten in die Handfläche. Huang reichte ihm das Glas. Lieberman schluckte die Pillen mit Wasser hinunter, und Huang sagte: »*Le Chaim.*«

Fast hätte sich Lieberman verschluckt.

»Auf das Leben«, sagte Huang. »Das ist jiddisch. Du bist Jude. Du weißt das.«

»Ich weiß«, sagte Lieberman. »*Le Chaim.* Was ist da drin?«

»Kräuter, Ginseng, Hirschhorn, solche Sachen«, sagte Huang. »Behalt die Flasche!«

»Danke, Chou Chin«, sagte Lieberman und steckte die Flasche ein. Dann zog er ein leicht verknittertes, gefaltetes Stück Papier aus seiner Hemdtasche. »Ich gehe über die Straße in dieses Gebäude. Wenn ich in einer halben Stunde nicht zurück bin, ruf die neun-eins-eins an und sage ihnen, daß sie in das Apartment kommen sollen, das auf dem Papier steht.«

Chou Chin blickte auf das Blatt, das Lieberman ihm gegeben hatte, und nickte.

»Sag ihnen, daß ein Kollege in Schwierigkeiten steckt. Und wenn mir etwas passiert, laß sie den Rest von dem lesen, was auf dem Blatt steht. Okay?«

Wieder nickte Huang feierlich.

»Okay«, sagte Huang.

»Kennst du den Film *Zwölf Uhr mittags*?«

»Gary Cooper. Ja. Sehr *dri*, wie die Japaner sagen.« Huang lächelte. »*Do not forsake me oh my darling.*«

Lieberman stand auf und streckte die Hand aus. Huang erhob sich und ergriff sie. Für seine Größe, sein Gewicht und sein Alter hatte er einen erstaunlich festen Händedruck.

»*Oh, to be torn ›twixt love and duty‹*«, summte Lieberman.

»*Nearing high noon*«, stimmte Huang ein.

»Chou Chin, ich glaube, das ist der Beginn einer wunderbaren Freundschaft«, sagte Lieberman.

»*Casablanca*«, sagte Huang und schüttelte den Kopf.

Lieberman ging zur Tür.

»Jetzt noch was Schwieriges«, sagte er und sah über die Straße auf den Eingang des Hochhauses. »Das Böse existiert. Das Böse ist unter uns.«

»*Die Totenliste*« sagte Huang, immer noch mit feierlichem Ton.

Lieberman öffnete die Tür.

»Bill Hanrahan ist ein guter Mann, Chou Chin«, sagte er.

Huang lächelte, zuckte die Achseln und streckte beide Arme in die Höhe, als wolle er zumindest die Möglichkeit in Betracht ziehen.

Lieberman ging. Lieberman wartete auf eine Lücke zwischen den Autos und lief über die Straße. Das zerrissene Hosenbein scheuerte gegen den Verband. Er ging durch die Eingangshalle. Der Pförtner grüßte ihn. Es war nicht Billy Tarton, sondern ein stämmiger, älterer Weißer mit übertrieben schwarz gefärbtem Haar, der beim Lächeln seine falschen Zähne entblößte.

»Darf ich . . .?« fragte der Pförtner mehr als mißtrauisch mit einem Blick auf Liebermans zerrissene Hosen.

Lieberman zeigte ihm seine Marke und bat darum, ihn bei Mister Hughes anzumelden. Der Pförtner nickte und öffnete die Tür. Lieberman betrat das innere Foyer, stieg in den Aufzug, der schon da war, und fuhr hoch. Im dritten Stock stieg er aus und ging nach rechts. Hughes' Wohnungstür stand offen. Hughes erwartete ihn in Anzug und Krawatte. Er wirkte nervös, als er zur Seite trat, um Lieberman hereinzulassen, und die Tür hinter ihm schloß.

»Ich habe einen Anruf von Briggs bekommen«, sagte Hughes. »Ich habe den Polizeichef angerufen und ihm gesagt, daß du den Typ erwischt hast, der Estralda Valdez ermordet und auf Hanrahan geschossen hat. Er will morgen mit uns reden. Ich glaube, das bedeutet was Gutes. Was ist mit deinem Bein passiert?«

»Ein Kratzer«, sagte Lieberman. »Captain, können wir uns setzen?«

Hughes sah auf seine Uhr, seufzte und sagte: »Tut mir leid . . .«

»Ich weiß«, unterbrach ihn Lieberman, ging nach rechts in die Küche, wo er sich an einen kleinen weißen Tisch setzte.

»Kannst du deine Frau bitten, mal eine Minute mit uns zu kommen?«

»Was?« fragte Hughes und neigte den Kopf zur Seite. »Meine . . .«

»Deine Frau«, sagte Lieberman. »Die Frau auf dem Bild, in deinem Flur. Estraldas Schwester, Guadalupe. Sie ist im Schlafzimmer. Ich kann sie hören.«

Hughes brach der Schweiß aus. Er überlegte, ob er lügen sollte und wie seine Chancen standen. Er setzte ein etwas spöttisches, gönnerhaftes Grinsen auf, um anzudeuten, daß Lieberman durch die Hitze und den harten Tag verrückt geworden sein mußte. Aber als sich ihre Blicke begegneten, wußte Dale Hughes, daß es vorbei war.

»Lupe«, rief er. »Kannst du bitte mal kurz kommen?«

Lieberman war müde. Er rieb sich die Augen.

»Ich habe eine Nachricht bei einem Freund deponiert. Da steht alles drauf, was ich weiß. Wenn ich nicht innerhalb der nächsten Stunde bei ihm auftauche, geht die Nachricht an den Chef und ...«

Guadalupe Hughes betrat den Raum. Sie hatte die Größe, Figur und Hautfarbe von Estralda, nur war sie ein wenig älter und trug ein blaues Kleid. Sie stellte sich neben Hughes, der den Arm um sie legte.

»Wollen Sie reden?« fragte Lieberman.

»Du redest«, schlug Hughes vor.

Diesmal war es an Lieberman, die Achseln zu zucken. Er verlagerte sein Gewicht und hörte Huangs Tabletten in seiner Tasche rasseln.

»Freitag nacht gab es eine Falle, die nicht funktioniert hat«, fing Lieberman an. »Frank Dupree sollte herkommen, dich in Estraldas Apartment treffen und sein Erpressergeld abholen. Nur daß er es nie bekommen sollte. Du hattest Estraldas Zimmer auseinandergenommen und Van Beeber reingeschleppt. Ich nehme an, du hast ihm eine Flasche in die Hand gedrückt, und er hat gesoffen, bis er bewußtlos war. Ich nehme auch an, daß du Van Beeber schon vorher überprüft hattest und auch wußtest, daß er unter dringendem Mordverdacht stand. Ich nehme an, daß du geplant hattest, es aussehen zu lassen, als wäre der Taxifahrer Zeuge einer Vergewaltigung geworden. Du wolltest Dupree erstechen und Van Beeber das Messer in die Hand drücken. Estralda hätte Hanrahan ein Zeichen gegeben, und er wäre angerannt gekommen. Er wäre euer Zeuge gewesen. Aber der Schuß ging nach hinten los. Dupree und Estralda kämpften miteinander. Estralda bekam was mit dem Messer ab. So weit, so gut?«

»Rat nur weiter!« sagte Hughes leise.

»Vielleicht kam Lupe rein. Vielleicht sah Dupree die Verwüstung und Van Beeber und schöpfte Verdacht. Aber was es auch war, Estralda hat es mit dem Leben bezahlt.«

»Nein«, sagte Guadalupe erregt. »Mein Mann wußte von all dem überhaupt nichts. Estralda und ich hatten es geplant. Dupree hat gedroht, uns zu verraten, wegen der Sache in Texas. Ich mußte ihm helfen, das Gebäude zu verlassen. Estraldas Kleid lag am Boden. Ich hab es angezogen, bin mit Dupree aus dem Haus gegangen, hab dem Polizisten im China-Restaurant gewinkt, bin in Duprees Taxi gestiegen, und er ist davongefahren.«

Lieberman schüttelte den Kopf und sah Hughes an.

»Ich kauf's euch nicht ab. Es war kein Zufall, daß du den Anruf entgegengenommen hast, der den Mord an deiner Schwägerin meldete«, sagte Lieberman.

»Nein«, sagte Lupe, die neben ihrem Mann stand. »Dale wußte nichts davon. Estralda und ich waren es. Er ...«

»Ist in Ordnung, Lupe«, sagte Hughes und preßte sie an sich. »Wo stehen wir, Lieberman? Dupree ist tot. Du kannst nicht einmal beweisen, daß Estralda und meine Frau Schwestern sind.«

»Nikki Morales«, sagte Lieberman. »Estralda hat ihr deine Frau als ihre Schwester vorgestellt. Und sie ist bereit, sie zu identifizieren.«

»Lieberman, du hast keine Zeugen. Und kein Verbrechen, außer dem Verdacht der gemeinsamen Vertuschung eines Mordes.«

»Und ein gültiges Auslieferungsersuchen des Staates Texas für deine Frau.«

»Ich ... wir müssen nachdenken«, sagte Guadalupe.

»Da gibt's nichts nachzudenken«, sagte Lieberman. »Du hast mich und meinen Partner benutzt. Du bist schuld, daß mein Partner niedergeschossen und ihre Schwester ermordet wurde. Und daß ich Frank Dupree weggepustet habe.«

Hughes und Guadalupe sahen sich an. Lieberman beobachtete sie.

»Meine Frau ist schwanger, Lieberman«, sagte Hughes.

»Oh, zum . . .«, sagte Lieberman mit einem tiefen Seufzer. »Es wird einem niemals leichtgemacht, oder?«

»Niemals«, stimmte ihm Hughes zu.

Lieberman erhob sich von seinem Stuhl. Er spürte eine leichte Übelkeit. Sie konnte viele Ursachen haben. Er ging ihr nicht auf den Grund.

»Ich fahre nach Hause«, sagte Lieberman und ging an Hughes und seiner Frau vorbei in den Gang, der zur Wohnungstür führte. »Du solltest dir ernsthaft überlegen, deine Marke zurückzugeben und einen anderen Job zu suchen. Wenn du übermorgen durch die Tür des Reviers kommst, reiche ich meine frühzeitige Pensionierung ein. Und schreibe einen Brief an den Bürgermeister und die *Chicago Tribune.*«

Hinter ihm hörte er Hughes' Stimme: »Lieberman!«

Lieberman hatte keine Waffe. Langsam drehte er sich um, bereit, die Frau und seinen Boß daran zu erinnern, daß er eine Nachricht bei Chou Chin Huang hinterlassen hatte, aber es war nicht nötig.

»Danke«, sagte Hughes.

Lieberman zog die Schultern hoch und ging durch die Tür. Hinter einem Bus überquerte er die Sheridan Road und ging auf die Tür des *Black Moon* zu. Bevor er klopfen konnte, stand Chou Chin Huang schon vor ihm.

»Erledigt?« fragte Huang.

»Es ist nie etwas richtig erledigt«, sagte Lieberman.

Huan reichte ihm das Blatt mit der Nachricht. Lieberman steckte es ein und hielt ihm die rechte Hand hin. Huang ergriff sie.

»Interessierst du dich für Baseball?« fragte Lieberman.

»Interessierte mich nicht. Interessiere mich. Verstehe es nicht«, sagte Huang.

»Hast du Lust, nächsten Samstag mit mir und meinen Enkeln zu einem Spiel der Cubs zu gehen?«

»Ich denke, ja«, sagte Huang. »Dann kommt ihr hierher zum Essen.«

»Abgemacht«, sagte Lieberman.

Lieberman überlegte, ob er aufs Revier fahren sollte, entschied sich aber dagegen. Er hatte einen Mann getötet. In seiner Zeit als Polizist war ihm das schon einmal passiert. Im Winter 1972, als Jumping Sport Conway, der immer auf Koks war, aus dem Restaurant Domino am Martin Luther King Drive gekommen war. Mit einer Kanone in jeder Hand hatte er auf alles geschossen, was sich bewegte. Lieberman und sieben andere Polizisten hatten das Feuer eröffnet. Zusammen hatten sie Jumping Sport mitten auf der Straße zusammengeschossen. Einmal im Jahr hatte Lieberman einen Alptraum deswegen.

Es war früh am Abend, als er heimkam und rief: »Jemand zu Hause?«

Keine Antwort. Lieberman ging ins Eßzimmer und rief wieder: »Jemand zu Hause?«

Bess kam aus dem Schlafzimmer und legte sich glitzernde Ohrringe an.

»Abe«, sagte sie. »Rabbi Wass braucht mich bei einem Treffen des Beirats. Todd und Lisa sind mit den Kindern essen gegangen. Wenn du . . .« Jetzt erst sah sie sein Gesicht, die zerrissenen Hosen und sein Lächeln. »Was ist passiert?«

»Ich habe mir die Hosen kaputtgemacht und mir die Knie aufgeschürft. Ich war in der Notaufnahme, und eine Krankenschwester hat mir die Wunde gereinigt und sie verbunden.«

»Bist du sicher, daß das stimmt?«

»Ganz sicher«, antwortete er.

Später würde er ihr erzählen, daß er den Mann erschossen hatte, der Estralda ermordet und Hanrahan beinahe erwischt hatte. Später, aber nicht jetzt. Jetzt war er müde.

»Ich ruf an und sag ihnen, daß ich nicht kommen kann«, sagte Bess, kam auf Lieberman zu und sah ihm in die Augen.

»Mir geht es gut«, versicherte er ihr. »Geh zu deinem Termin. Wir gehen später zusammen essen. Meine Hosen sind zerrissen, was ist schon dabei? Was machen Todd und Lisa?«

»Ich glaube nicht, daß sie es schaffen werden«, sagte Bess mit Enttäuschung in der Stimme. »Das gemeinsame Essen mit den Kindern hat nichts zu bedeuten. Wir haben eine dickköpfige Tochter. Todd hat eine Nachricht für dich hingelegt.«

»Du riechst gut«, sagte Lieberman.

Sie nahm ihn in den Arm. Ihr Haar kitzelte in der Nase. Sie schob sich von ihm weg und ging zum Küchentisch.

Als sie wiederkam, hielt sie einen gefalteten Zettel in der Hand. Lieberman war ins Wohnzimmer gegangen und hatte den Fernseher eingeschaltet. Er drehte den Ton ab und nahm den Zettel. Bess gab ihm einen Kuß.

»Wenn du wiederkommst, werde ich hier sitzen«, sagte er.

Ein Linkshänder von Philadelphia, den Lieberman nicht kannte, machte sich zum Pitchen bereit.

»Ich bleibe nicht lange, Abe«, versprach ihm Bess. »Wir reden drüber, wenn du willst. Bist du sicher, daß alles in Ordnung ist?«

»Mir geht's gut«, sagte er und öffnete den Umschlag. Er zog einen Bogen Papier heraus, auf dem säuberlich getippt geschrieben stand:

»Das Göttliche zeigt sich in mancher Gestalt.
Es vollenden die Götter, was keiner geahnt.
Wovon wir geträumt, das verwirklicht sich nicht.
Was unmöglich uns schien, das ist möglich für Gott.
So hat es auch hier sich bewiesen.«

Euripides in *Helena*

Bess stellt sich vor ihn, legte ihm die Hand auf die Stirn. Dann küßte sie ihn auf die Wange.

»Danke«, sagte er. »Das habe ich gebraucht.«

»Keine Ursache«, sagte sie lächelnd und strich ihm über die Wange.

Lieberman faltete Todds Brief zusammen, steckte ihn in die Tasche und sah auf den Bildschirm. Der Batter hatte den Ball ins Aus geschlagen. Im sechsten Inning stand es vier zu eins für die Cubs. Draußen hörte er irgendwo Kinder spielen. Lieberman lächelte, schloß die Augen und schlief ein.

EPILOG

Clarise Rogers war fünfundsiebzig Jahre alt und sehr stolz. Ihr Sohn Harold stand auf dem Podium in der Aula der High-School. Harold hatte dreihundert Menschen vor sich – schwarze und weiße. Ihr Sohn Harold stand da vorne. Er war groß und entschlossen. Ihr Sohn Harold hatte sie allen vorgestellt, ihr gedankt, daß sie von Stockton, Kalifornien, hergekommen war, um diesen Moment mitzuerleben. Und er hatte ihr in aller Öffentlichkeit dafür gedankt, daß sie ihn in schweren Zeiten unterstützt und ihm den Besuch des juristischen Seminars an der University of Texas ermöglicht hatte.

»Ich trete nicht nur an, um Bürgermeister dieser Stadt zu werden«, sagte Harold Rogers. »Ich trete an, um zu verändern und für die Werte zu kämpfen, die ich meiner Mutter verdanke.«

Diesmal galt der Applaus Clarise Rogers, die sich für die Ovation mit einem Kopfnicken bedankte. Sie strahlte ihren Sohn an und erinnerte sich an den Tag – der jetzt genau zehn Jahre zurücklag –, als sie die Dosen voller Geld in dem Haus gefunden hatte, das nicht einmal zehn Minuten von der High-School entfernt lag, wo sie jetzt saßen

»Wir haben genug von den Carrol LaSalles dieses Staates«, wiederholte Harold Rogers. »Wir haben genug von diesen alten Cowboy-Geschichten. Hier ist die Gegenwart, und dort die Vergangenheit. Die guten alten Zeiten sind ein für allemal vorüber. Das einundzwanzigste Jahrhundert steht vor der Tür. Und Carrol LaSalle steht im Abseits.«

Clarise Rogers weidete sich an dem Applaus. Sie schloß die Augen und erinnerte sich an früher. Erinnerte sich an die erste Reinigungsfirma, die sie in Stockton gekauft hatte. Und an die in Davis, und die beiden in Sacramento. Mittlerweile gab es in Kalifornien schon sechs *Clarise's Cleaners*.

»Die Wege des Herrn sind unergründlich«, sagte Harold und lachte. »Unergründlich.«

»Darauf ein Amen«, rief jemand von hinten.

Clarise Rogers nickte und sprach leise ihr eigenes »Amen«.

Bitte beachten Sie
die folgenden Seiten